불탑의 아시아 지역 전이양상 2

# 동양의 진주, 스리랑카의 역사와 문화

불탑의 아시아 지역 전이양상 2

# 동양의 진주,
# 스리랑카의 역사와 문화


천득염·허지혜 지음

오희옥·김소영 사진

# 스리랑카 불교문화의 의미와 가치

스리랑카는 어떤 나라일까? 수많은 세계인들은 왜 스리랑카를 잊지 못하고 또다시 찾고자 하는가?

인도의 남쪽 인도양에 있는 작은 섬나라 스리랑카는 예로부터 '동양의 진주' 로 불려 왔다. '사자의 나라' 라는 뜻을 지닌 스리랑카는 아름다운 경치와 유구한 고대 불교문화를 간직하고 있어 동양의 보석 같은 존재이다. 일찍이 탐험가 마르코 폴로가 '세상에서 가장 아름다운 섬' 이라고 극찬하였고 BBC는 죽기 전에 꼭 가봐야 할 여행지 50곳 중 하나로 스리랑카를 선정하였다. 뿐만 아니라 천혜의 아름다운 자연경관과 국민들의 때 묻지 않은 순수함, 이색적인 축제와 다양한 전통음식 등을 두루 갖추고 있어 가히 매혹적인 나라이다. 또한 섬 전체가 초록색의 야자수로 덮여 있고, 쪽빛의 바다로 둘러싸인 아름다운 섬이다. 그래서 근자에는 수많은 여행객들이 이곳을 찾고 큰 즐거움을 느끼고 돌아간다.

스리랑카는 인도에서 발생한 불교를 아주 이른 시기인 기원전 3세기경에 도입하여 국민의 정신세계를 안녕케 한 나라이며 현재까지도 국민의 대다수가 불교를 신봉하는 나라이다. 그러나 서구열강들이 침탈하면서 그들의 고유한 정체성이 무너지고 오래전부터 있었던 민족간의 갈등이 현대에 더욱 심해져 수많은 인명이 살상된 나라이기도 하다. 그래서 도처에 수많은 불교문화유적이 자리하고 있지만 아직도 내전의 아픈 상처가 치유되지 않고 있다. 따라서 여느 나라와 마찬가지로 전통과 현대, 동서양의 문화가 혼재된 나라이다.

나는 오랜 기간 붓다의 상징인 불탑건축에 대하여 연구해 왔다. 불탑의 의미는 무엇이며, 불교가 전래된 나라에서는 왜 다양한 형식으로 불탑이 조성되며, 인도의 시원적 불탑이 주변의 불교국가에 어떤 영향을 주었는지를 살피고자 노력하였다. 이는 한국불교건축의 원형을 찾고자 하는 의도에서 출발한 것이다. 그런 과정에서 지난 2013년『인도불탑의 의미와 형식』이라는 책을 심미안에서 출간한 적이 있다. 그때 인도의 불교가 전래된 스리랑카와 네팔, 미얀마와 태국 등에 대해서도 연구를 이어가리라 다짐하였다. 그 일환으로 이 책을 준비하는 과정에서 스리랑카를 3회 답사하였고 스리랑카의 역사와 전통문화, 특히 불교유적에 관심을 갖게 되었다. 불탑에 한정하지 않고 부족하지만 불교유적 전반을 살펴 보고 정리할 수 있게 되었다. 뿐만 아니라 스리랑카의 근현대사에서 민족간의 갈등과 전쟁이라는 뼈아픈 상처를 알고 우리와 유사함도 느꼈다.

이러한 과정에서『아시아문화』라는 잡지에 스리랑카의 불교문화유산에 대하여 연재하였고, 또 한국연구재단에서 '불탑의 동아시아지역 전래양상'이라는 주제로 연구비를 받는 행운도 있었다. 아직 우리나라에는 스리랑카의 문화, 특히 불교문화유적을 체계적으로 소개하는 책자가 없어서 자료 찾기가 힘들었다. 따라서 이 책은 불탑에 한정하지 않고 스리랑카의 역사와 불교문화유적을 정리한 것이다. 건축사를 전공으로 한 사람이 타국의 역사를 정리하기엔 참 힘들었다. 그래서 여기저기 많은 정보들을 모아 읽기 편하도록 정리하였다. 한국의 불자佛者들이 불교유적을 순례하고 쓴 단순한 답사기에서부터 위키백과, 스리랑카 한인회 홈페이지 등 솔직히 역사 부분은 어찌 보면 짜깁기하고 애써서 살을 더한 정도가 아닌가 한다. 특히 '아미산'의 글과 '강재훈의 에세이'는 스리랑카를 이해하고 소개하는 데 귀한 자료가 되었다. 더욱이 『불교평론69』에 실린 마성의 글은 스리랑카에 대한 연구논문으로서 학술적 자료가 되어 든든하였다.

불교미술을 이해하려면 불교사원과 그 안의 중심적 위치에 자리하고 있는 불탑을 이해해야 한다. 그간 인도 주변 국가들의 불교미술 연구는 서구의 학자들이 시작하고 주도해 왔다. 물론 근세기에는 일본인들의 업적도 많다. 그러나 스리랑카에 관련된 자료나 연구업적은 그리 많지 않다. 그래서 불교건축의 한 분야, 아니 다소 미시적인 불탑에 대한 관심으로 큰 주제인 불교미술 전반으로 확대하기가 어려웠다. 특히 석조로 된 유적은 잘 남아 있으나 벽돌로 조적된 불탑유적들은 대부분 최하부의 모습만을 확인하고 그 위에 새롭게 복원한 것들이 많아 진정성에 있어서 다소 의문이 생긴다. 그러나 이를 찾는 노력이 그간 나름 있었고 그 바탕 위에 새로운 결과들이 도출된 것이다.

이제 대학의 강단을 떠날 날이 얼마 남지 않았으니 서둘러 네팔과 미얀마, 태국의 불교유적을 정리하고 싶다. 학술답사를 여행으로 하니 나를 부러워하는 사람들이 많다. 특히 아내와 함께 스리랑카로 공부여행을 하였으니 행복하고 의미가 더욱 크다. 앞으로도 더 많은 불교유적을 계속해서 돌아볼 계획이다. 이를 위해 건강과 정신적인 여유로움이 주어지기를 소망한다.

이 책을 써가는 동안 함께 답사를 가고 원고의 일부(제6장. 스리랑카 불탑의 형식)를 쓴 문화재연구소 허지혜와 전남대 건축역사연구실 염승훈, 그리고 편집을 도와준 김소영, 양가영의 도움이 참으로 크고 고맙다. 여행에 동반하여 아름다운 사진을 촬영한 오희옥 작가에게도 감사드린다. 물론 내 사진과 김소영의 사진도 많다. 전생에 무슨 인연이 있었는지 스리랑카 가이드 가미니는 세 번이나 나를 안내하였으니 이젠 가족과 같은 존재가 되었다. 이 책은 스리랑카의 불교사원이나 불탑과 관련한 전문도서로 준비하였으나 여행자들을 위해 도움이 되는 내용도 첨가하게 되었다. 그래서 어려운 부분과 좀 편한 부분이 함께한다.

나름대로 애써서 다듬었지만 서둘러 마무리해야 한다는 강박감에 출간하였기 때문에 부족한 부분이 많을 것이다. 여러분의 지적을 달게 받겠다. 아내와 아들, 그리고 며느리와 손자, 나를 도와준 대학원생, 건강한 삶과 여유로움… 나의 모든 것에 감사한다.

2017년 2월

천득염

# 차례

## 제3장 ▪ 이민족의 스리랑카 침입과 민족적 갈등



## 제4장 ▪ 스리랑카의 다양한 문화와 볼거리

## 제5장 ▪ 스리랑카의 전통문화유산



## 제6장 ▪ 스리랑카 불탑의 형식

## 제7장 ▪ 스리랑카의 주요 도시

제1장

# 스리랑카의 자연환경과 역사

스리랑카의 간략한 소개
스리랑카의 자연환경과 문화적 배경
스리랑카의 역사적 기원과 민족
스리랑카 불교미술의 시대 구분

# 스리랑카의 자연환경과 역사

## 스리랑카의 간략한 소개[1]

스리랑카(Sri Lanka)는 인도의 남동쪽, 인도양에 위치한 조그만 섬나라이다. 섬의 형태는 대체적으로 서양 배梨 혹은 망고 모양인데 그 모습이 진주나 눈물방울과 같이 생겨서 '인도양의 진주', '인도의 눈물'이라고 불린다. 일찍이 마르코 폴로는 '세상에서 가장 아름다운 섬'이라고 하였고 아랍인들은 '보물섬'으로 불러왔다. '신밧드의 모험'에서 신밧드가 보석을 찾아 떠난 섬 세렌딥(Serendib)이 바로 스리랑카다.

### 국명

옛 이름은 실론 혹은 세일론(Ceylon)이었는데, 1972년 스리랑카로 바뀌었다가 1978년에 다시 스리랑카 민주사회주의 공화국(Democratic Socialist Republic of Sri Lanka)라는 이름을 갖게 되었다. 고대어인 싱할라어로는 Lankā 라고 한다. Sri는 사자라는 뜻이고 Lanka는 나라이니 '사자의 나라'를 뜻한다. 한편으로는 '찬란하게 빛나는(Sri) 섬(Lanka)'이란 뜻을 지니기도 한다.

1 스리랑카 한인회 홈페이지를 참고하여 재구성함.

■스리랑카 국기(출처 : 스리랑카 대사관 홈페이지)(위)

**면적**

전체면적은 65,610㎢(한반도의 1/3. 남한의 2/3)으로 남북간 거리 435㎞, 동서간 거리 225㎞, 해안선 1,340㎞에 이른다. 그 중에서 경작지가 약 30%이고 영구목초지가 7%이며 숲과 삼림지가 32%에 이른다. 작은 섬이지만 콜롬보에서 자프나, 갈레까지 철도로 여기저기 연결되어 있다.

**수도**

1980년대에 행정의 효율을 위해 두 개의 수도를 두고 있다. 행정수도는 콜롬보이며 인구는 약 110만 명이다. 또 다른 입법과 사법의 수도는 스리자예와르데네푸라 코테(Sri Jayawardenepura Kotte)이다.

**인구**

2,186만명(2014년 기준)

**인종**

불교를 믿는 싱할라족(혹은 싱할리족 74%), 인두교를 믿는 타밀족(17%), 무어족(9%), 말레이족, 혼혈의 버거인, 원주민인 베다인 등으로 구성되어 있다. 타밀인 들은 고대부터 인도로부터 이주에 의하여 형성된 스리랑카 타밀과 19세기 이후 영국이 인도 남부에서 농장 경영을 위해 노동자로 끌려 온 인도타밀로 나뉜다. 무어족도 9~10세기경에 섬에 정착 한 아랍계

사람들을 주체로 하는 스리랑카 무어와 인도에서 이주해온 인도 무어로 나뉜다.

### 종교

불교(69%), 힌두교(11%), 회교(7.6%), 천주교(7.5%) 등 다종교 국가로 다수 민족인 싱할라인들의 대부분은 불교를 믿고 있는 반면 힌두교도는 타밀인들이 대부분이다. 또한 다민족 국가이므로 종교에 대한 차별이 없으며, 전국 곳곳에는 불교사원과 힌두사원, 교회 등이 혼재되어 있고 타종교에 대해 매우 관용적이다. 그러나 스리랑카의 다수족인 싱할라인들은 불교를 신봉하기 때문에 실질적으로 불교국가라고 보아야 한다. 타밀과 무슬림은 상업에 종사하고 있지만 정치·사회는 싱할라족이 주도권을 쥐고 있다.

### 언어

싱할라어 및 타밀어가 국어다. 한편 영어는 공용어이다. 따라서 이들 3가지 언어로 안내판이 만들어지는 경우가 많다.

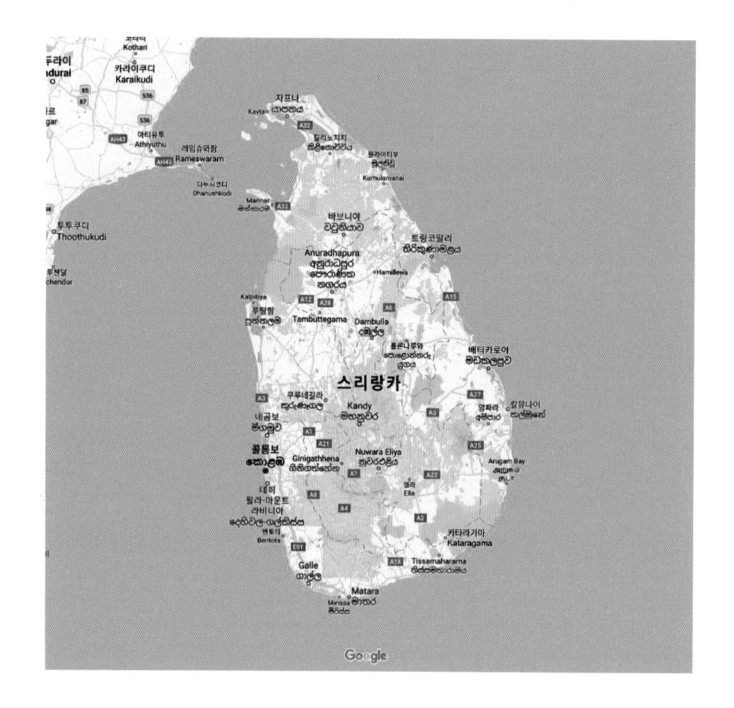


■스리랑카 지도(출처 : 구글지도)

**정체·의회형태**

중앙집권공화제, 다당제, 단원제. 행정구역은 9개주로 이루어짐.

**국가원수/정부수반**

대통령/대통령.

**화폐단위**

스리랑카 루피(Sri Lanka rupee/SL Rs). 환율(2014년) : US $1는 약 100Rupees.

**식민과 독립**

1505부터 1948까지 긴 식민통치의 아픈 역사를 갖고 있다. 14세기 대해양시대 포르투갈, 네덜란드 등과 교역을 하기 시작하여 그들의 지배적 영향을 받다가 18세기말부터 영국식민지가 되었다. 1505부터 1658까지 포르투갈의 지배하에 있었으며 1658부터 1796까지는 네덜란드의 지배를 받았다. 그후 1796부터 1948년 2월 4일 까지 영국의 지배를 받다가 영국연방자치령 국가인 Ceylon으로 독립하여 통일국민당(UNP)의 보수당 정권이 출범하였다. 1972년에는 국명을 Ceylon에서 'Sri Lanka 민주사회주의 공화국' 으로 바꾸고 나서 영국연방에서 완전 독립하였다.

**경제력**

2016년 1인당 GNP는 약 3,700 달러로 세계평균의 약 30% 수준에 머물고 있지만 이웃 나라 인도와 비교하면 약 2배, 남아시아 전역에서도 몰디브에 이어 2위로 남아시아에서는 경제가 발달하고 있는 지역이다. 성장률은 7% 내외로 높은 수준을 기록하고 있다.

주요 수출품은 봉제 의류, 완구, 가방, 코코넛, 홍차, 계피, 천연고무, 보석 등이고 주요 수입품은 기계, 직물 및 봉제 원자재이다.

■스리랑카 소도시의 모습

### 산업

전체 국민의 50%가 농업에 종사하면서 일 년 내내 쌀농사를 비롯한 고무와 코코넛, 홍차 등의 농사를 짓고 있지만 농사방법이 발달되어 있지 못하여 주식인 쌀을 수입하여 먹는 실정이다. 다이아몬드를 제외한 모든 보석들이 생산되어 보석생산국으로 세계에 널리 알려져 있지만 많은 외화를 벌어들이기에 풍족한 양은 못된다. 그 외의 주요 생산품은 실론티(Ceylon Tea)가 세계인에게 널리 알려져 있다.

실론티와 고무, 코코넛을 스리랑카의 3대 플랜테이션으로 꼽고 있는데, 최근 들어 외국의 기업들이 값싼 인력을 이용하기 위해 봉제 공장이 진출하고 있어 의류를 비롯한 봉제업이 주요 수출품으로 변해 가고 있으며, 이에 종사하는 수는 국민의 약 30%에 이르고 있다. 그 외 약 20%는 서비스업에 종사하고 있다.

### 지리적 위치

거대한 영토를 지닌 인도의 동남쪽에 위치한다. 인도와는 포크 해엽(Palk strait)을 사이에 두고 30㎞ 가량 떨어진 아시아 남부 인도양의 섬으로 동경 70-81도, 북위 5-9도에 위치한다. 서쪽으로는 아라비아해(라카디브해), 동쪽으로는 인도양을 두고 있다.

### 기후

기후는 고온다습한 열대성기후이고 5월 9월과 12월 2월 두 차례 몬순이 온다. 일반적으로 섬의 북부는 건조한 기후이지만 남서부는 습윤지대로 초목이 아주 번성하다. 콜롬보의 연평균 기온은 섭씨 27℃ , 고지와 산악지대에서는 온도에 적응해 살기 좋고 해발 500m 지역에는 약 24℃이며, 피서지로 유명한 누와라엘리야는 해발 1,900m에 위치하면서 16℃정도의 기온을 유지하고 있다.

몬순인 5월~9월은 남서 몬순 계절이고 남서부의 평야와 산악에서 비가 많이 내린다. 10월~1월까지의 북동몬순 계절에는 강우량은 그다지 많지 않지만 때때로 북동부에 한발이 덮쳐 벼농사에 영향을 미치기도 하고 아주 적

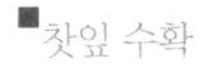
■찻잎 수확

지만 사이클론과 토네이도의 영향을 받는다. 2004년 쓰나미에는 4만명이 넘는 사람들이 사망하기도 하였다.

11월부터 3월까지는 뱅골만에서 오는 몬순이 스리랑카의 동부를 중심으로 섬 전체에 비를 뿌린다. 비는 1년에 2,400㎜정도 내린다.

## 스리랑카의 자연환경과 문화적 배경

### 자연환경

인도대륙의 동남쪽 인도양에 자리한 작은 섬나라 스리랑카는 예로부터 '동양의 진주' '인도양의 진주' 혹은 '보석의 섬' 으로 불려 왔다. '사자의 나라', '찬란하게 빛나는(Sri) 섬(Lanka)' 이란 뜻을 지닌 스리랑카는 아름다운 경치와 유구한 고대 불교문화를 간직하고 있어 동양의 진주이며 보석 같은 존재이다. 따라서 일찍이 탐험가 마르코 폴로가 '세상에서 가장 아름다운 섬' 이라고 극찬하였다. 그런 이유로 BBC가 선정한 죽기 전에 꼭 가봐야 할 여행지 50곳 중에 하나가 스리랑카이며, 세계적인 여행 가이드북이 2013년 방문해야 할 첫 번째 여행지로 스리랑카를 추천하였다.[2] 뿐만 아니라 천혜의 아름다운 자연경관과 국민들의 때 묻지 않은 순수함, 이색적인 축제와 다양한 전통음식 등을 두루 갖추고 있어 가히 매혹적인 나라이다. 또한 '찬란하게 빛나는 아름다운 섬' 이란 뜻처럼 섬 전체가 초록색의 야자수로 덮여 있고, 쪽빛의 바다로 둘러싸인 아름다운 섬이다.

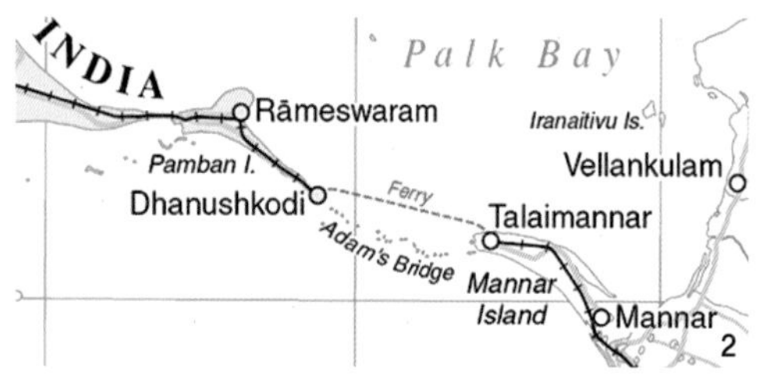


1. 스리랑카 해안가
2. 인도와 스리랑카의 경계 포크해협(출처 : 위키백과 그림)

스리랑카는 거대한 영토를 지닌 인도의 남단에서 포크 해협(Palk Strait)[3]을 사이에 두고 30㎞정도 떨어진

2 「고대유적과 자연경관이 매혹적인 곳, 인도양의 진주」, 『뷰티한국』, 2014. 3. 17. 조용식 객원기자, (travelbike@naver.com)

3 포크 해협(Palk Strait)은 인도의 타밀나두 주와 스리랑카 사이의 해협이다. 뱅골 만과 마나르 만을 잇는다. 포크 해협은 깊이가 얕아 항해에 적합하지 않다. 라메스와람 섬과 마나르 섬 사이는 아담의 다리라고 불리는 작은 섬들과 사주가 길게 늘어서 있다.

■정화보시비(鄭和布施碑)와 탁본(출처 : 중은우시 님의 다음 블로그 [중국, 북경, 장안가에서])

섬나라이기 때문에 동서양을 건너는 에너지 수송로이자 해상 교통로인 인도양의 관문이라는 말을 들어왔다. 따라서 역사적으로 볼 때 해상 실크로드의 가장 중요한 거점이었다. 명나라 때 환관 출신 제독인 정화鄭和(1371~1433년)가 해상 실크로드를 개척하기 위해 대선단大船團을 이끌고 항해에 나섰을 때도 스리랑카에 들러 물과 식량을 조달했었다. 정화는 1407년 9월 스리랑카를 방문했을 때 중국어, 타밀어(현지어), 페르시아어(당시 국제어) 등 3개 국어로 쓴 비석을 세웠다. 현재 이 비석은 스리랑카 수도 콜롬보의 박물관에 보존돼 있다.

스리랑카의 현재 인구는 2,200만명 가량인데 대부분 싱할라인으로 언어는 싱할라(Singhalese)[4]어를 사용하며 불교도가 70%에 이른다. 영토의 크기는 남북간 거리 435㎞, 동서간 거리 225㎞이고 총면적은 65,609평방㎞로 남한의 3분의 2정도의 크기이다. 국토의 모습이 북쪽으로 가면서 점점 좁아지는 형상 때문에 마치 인도 대륙이 눈물 한 방울을 떨어뜨린 것 같다고 한다. 그래서 '인도의 눈물'이라고 한다. 또한 서양의 배梨와 같은 모양을 하고 있다고 하며, 인도가 망고를 떨어뜨렸다는 표현도 있다.

섬의 북부가 대체로 평지인데 반해 남부는 해발 1,000m~2,500m의 산악지대와 이를 둘러싼 해안 평야 지대로 되어 있다. 섬의 남부에 솟아 있는 스리랑카의 최고봉은 누와라엘리야에 있는 해발 2,527m의 페도로타라갈라산(Pidurutalagala)이고 이 산악을 중심으로 한 지세의 남부에 대치하듯 북반부는 평야지대가 넓게 펼쳐져 있다. 불교유적으로 이름 높은 영봉靈峰 아담스 피크(Adams peak, 스리 파다)는 해발 2,237m이며 스리랑카에서 여섯번째로 높은 봉우리이다.

주된 하천은 산악지대에 근원을 두고 방사형으로 흐르고 있다. 수량은 풍부하지만 선박의 항해에는 적합하지 않다. 최장의 하천은 330㎞의 마하베리강이다. 섬의 북부는 강우량이 적어, 소위 건조지대로 불린다. 남부 쪽은 이와 반대로 평균 강우량이 많기 때문에 식물이 번성하고 녹음이 풍부한 습윤지대를 형성하고 있다. 산악지에서는 최 양질의 홍차가 생산되고 그보다 낮은 지대에서는 천연고무가, 또 해안 지대에서는 코코넛이 재배되고 있다.

4 언어학적으로는 인도-유럽어군의 인도-아리안계언어이다. 스리랑카의 공식 언어로 스리랑카의 다수민족인 싱할라족에 의하여 만들어진 언어이다. Singha는 Lion이라는 뜻이다.

■아담스피크(출처 : http://www.atlasandboots.com)

스리랑카는 사계절의 구분이 없으며 눈이 내리지 않는다. 고온다습한 열대성 기후로 수도인 콜롬보의 연평균 온도가 27도이고 때때로 사이클론과 토네이도가 발생하기도 한다. 따라서 스리랑카를 가려면 종일 많은 비가 내리는 11월부터 3월까지인 우기를 피해야 한다. 작은 섬나라이기 때문에 어디를 가더라도 기후가 같을 것 같지만 몬순의 영향을 받고 지형이 다양하기 때문에 지역에 따라 다르다. 열대성 기후라고는 하지만 의외로 지내기 좋고 기온은 연간 2~3도 정도의 차이로 변화가 거의 없다. 그러나 지형의 높낮이에 따라 온도차이가 심하다. 해안지방처럼 낮은 지역은 열대지역답게 일년 내내 덥지만 2,000m가 넘는 중앙고원지대인 누와라엘리야 같은 곳은 연평균 온도가 16도로 항상 봄 날씨이다. 그래서 세계적인 차 생산지가 되고 있다.

이 섬은 변화가 풍부한 지형을 지니고 있으며 베이지색 모래밭이 100㎞ 이상이나 이어지는 해안과 나무들이 무성한 정글, 쉽게 볼 수 있는 야생의 코끼리와 원숭이, 그리고 해발 1,000m가 넘는 높은 산들은 작은 섬나라라고 생각할 수 없을 정도로 다양한 모습을 보여 준다.

한편 이 섬의 드라이 존이라 불리는 건조지역 여기저기에는 거대한 저수지들이 많다. 고대부터 농경사회에 있어 왕들의 주요한 과제가 바로 물을 적절히 관리하는 일이었다. 따라서 스리랑카의 역대 왕들이 이룩한 유산은

5 마성, 「스리랑카 불교의 역사와 현황」, 『불교평론』, 2017년 3월. Hiri maloka(히리마 로까), 「스리랑카 불교 法難史 (1)」 법난을 잘 극복한 스리랑카 불교, 봉은불자카페에서 참고함.

불교 유적들뿐만 아니라 인공적으로 넓은 저수지와 수로를 많이 축조한 것이다. 이 위대한 건설유산은 농업국인 스리랑카 국민들의 생활을 지켜 온 소중한 재산이다.

### 역사 문화적 배경

과거에는 국호를 실론, 혹은 세일론(Ceylon)이라 했는데 1972년 새 헌법을 공포하면서 스리랑카(Sri Lanka)로 바꿨다. 옛날에는 땀바빤니(Tambapanni, 銅葉洲)·랑카디파(Lankadipa, 楞伽島)·싱할라(Sinhala, 獅子國)·세일론(Ceylon, 錫蘭) 등 여러 이름으로 불리었다. 세일론은 싱할라인들을 지칭하는 서양식 발음이다. 따라서 자존심이 강한 싱할라인들이 이 이름을 좋아하지 않아 원래의 자기 나라 이름 가운데 하나인 '랑카 디파(Lankadipa)'에서 섬이라는 의미의 디파(dipa)를 빼 버리고 길상 혹은 영광이라는 의미의 스리(Sri)를 첨가하여 '스리랑카'로 바꾼 것이다. 이것은 원래의 국명으로 환원한 것이라 할 수 있다. 현재의 국명에 사용된 '랑카(Lanka)'의 어원은 사자(lion)에서 유래된 것이다.[5)]

스리랑카의 고대 역사서인 『대사大史, Mahavamsa』에 의하면, 이 나라는 붓다의 입멸 당시인 서력기원전 5세기경 인도의 위자야(Vijaya) 왕자가 사자의 도움을 받아 나라를 세웠다고 한다. 위자야 왕자가 인도에서 추방되어 랑카섬에 도착하여 사자와 결혼하여 나라를 세웠기 때문에 그 후예들을 싱할러족(Sinhala)이라 하는데, 싱하(Sinha)는 사자 (Lion)를 말하고, 러

■1. 스리랑카의 코끼리
2. 스리랑카의 저수지

(le)는 피(Blood)를 의미한다. 따라서 싱할러족은 '사자의 혈통을 전승한 민족' 이라는 뜻이다.[6] 고대 인도인들은 스리랑카를 Sieladiba(Pali: Sihaladipa)라 하였다.

6 서울 조계사에서 발행한 『曹溪寺報』 제35호(1990. 10. 1.), 4~5면에 게재된 것으로 『상좌불교의 종주국 스리랑카』(마성 지음)에서 재인용함

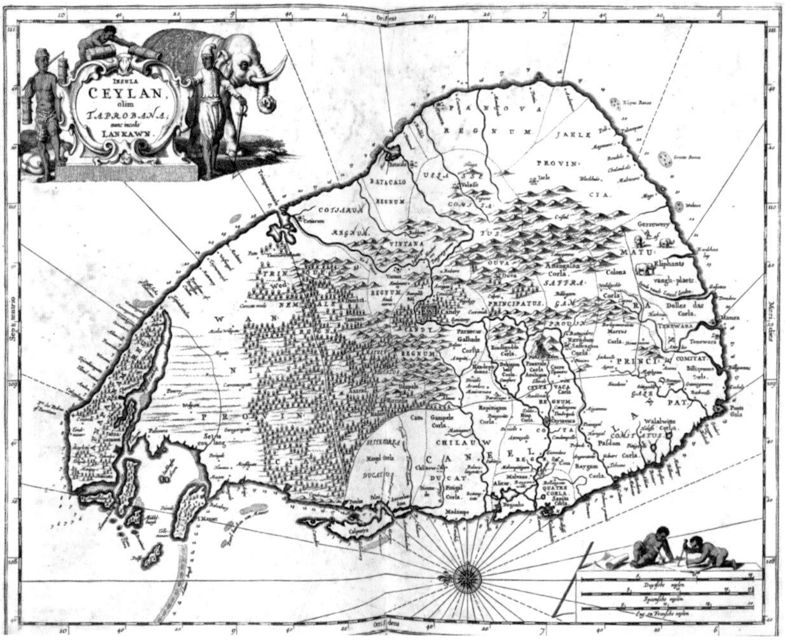

아무튼 현재 국민들은 '찬란하게 빛나는 섬' 이라는 뜻의 새로운 국호, 스리랑카를 자랑스럽게 여기고 있다. 그러나 실론이라는 예전의 이름은 아직도 세계인들의 기억 속에 남아 있다. 특히 유명한 '실론 티' 라는 홍차 이름은 우리 한국인들의 귀에도 익숙하다.

스리랑카인들의 종교는 다양하다. 불교(69%), 힌두교(11%), 회교(7.6%), 천주교(7.5%) 등 다종교 국가로 다수 민족인 싱할라인들의 대부분은 불교를 믿고 있는 반면 힌두교도는 타밀인들이 대부분이다. 또한 다민족 국가이므로 종교에 대한 차별이 없으며, 시내 곳곳에는 불교사원과 힌두사원, 교회 등이 혼재되어 있고 타종교에 대해 매우 관용적이다. 북부지역인 자프나 시내에 그리스정교회 건물도 보인다. 스리랑카의 다수족인 싱할라인들이 불교를 신봉하기 때문에 실질적으로 불교국가라고 보아야 한다. 상업은 타밀족과 무슬림이 장악하고 있지만 그외 정치. 사회는 싱할라족이 주도권을

1692년경에 만들어진 실론 지도(출처 : 위키피디아)

■사원 내 불상

쥐고 있다. 이러한 이유 때문에 민족간에 커다란 갈등을 겪었다. 따라서 국가정책에는 승려들의 입김이 크며 설사 대통령이라고 하더라도 출가승들을 무시하지 않는다.

스리랑카는 세계에서 가장 대표적인 불교국가이다. 인도에서 기원전 3세기경에 전래된 불교가 퍼져나가면서 정치적·종교적 중심지로 아누라다푸라 왕국이 건설되고 실론을 지배하게 되었다. 고대 인도로부터 기원전 3세기경에 전래된 불교는 국민 대다수가 신봉하는 불교왕국으로 번영을 누려왔다. 이 나라를 원리적 근본불교, 상좌부 남방불교, 또는 소승불교국가라 한다. 지금도 상좌부불교의 전통을 잘 지키고 있으며 장엄한 불교유적들이 도처에 자리하고 있다. 소위 소승불교라는 이 나라의 불교는 미얀마, 태국, 라오스 등 동남아시아의 여러 나라로 전래되어 그 맥을 잘 이어가고 있다.

그렇다고 불교도만 있는 것이 아니라 불교를 비롯하여 힌두교와 이슬람교, 그리고 기독교 등 다양한 종교가 공존하고 있다. 현재 스리랑카 국기의 칼을 든 사자는 강력한 사자의 혈통을 전승한 싱할라민족을 상징하고 있다. 이는 싱할라족이라는 말이 사자를 의미함과 상통한다. 이들 싱할라족을 비롯하여 타밀족(18%), 무어족(7%), 말레이족, 버거족 등이 함께 살고 있다. 또한 국기의 네 모서리에 있는 보리수 잎은 불교, 바탕의 붉은색은 싱할라족, 주황색은 힌두교, 초록은 이슬람교를 상징하고 있어 종교의 화합을 나타내고 있다.

1. 폴로나루와의 란콧 베헤라
2. 스리랑카 무용극

스리랑카에는 B.C. 3세기까지 거슬러 올라가는 풍부한 전통문화유산이 있다. 그중 유네스코가 지정한 대표적인 세계문화유산은 아누라다푸라 신성도시(Sacred City of Anuradhapura, 1982), 폴로나루와 고대도시(Ancient City of Polonnaruwa, 1982), 시기리야 고대도시(Ancient City of Sigiriya, 1982), 담불라 황금사원(Golden Temple of Dambulla, 1991), 캔디 신성도시(Sacred City of Kandy, 1988), 갈레 구도시 및 요새(Old Town of Galle & its Fortifications, 1988) 등 6건이다. 이처럼 상대적으로 작은 섬나라이지만 다른 나라에 비하여 전통적인 유산이 많고 잘 보존되어 지정 건수도 많은 편이다.

거대한 사원건축이나 불상, 탱화에서도 고대예술의 진면목을 찾아볼 수 있다. 특히 예술적 전통은 주로 불교와 힌두교의 종교예술 및 무용극에 집중되어 있다. 민속무용극에는 가면무용극 '콜람'(타밀어로 '의상'이라는 뜻)과 춤을 통해 정령들에게 병이나 불행으로부터 구해 줄 것을 비는 악마의 춤, 그리고 신화적·역사적·자연적인 주제를 다루는 민속춤인 칸디아 무용 등 3가지 주요형태가 있다. 아직까지 남아 있는 다른 전통 예술로는 상아조각·금속세공·칠기제작·바구니세공 등을 꼽을 수 있다.

스리랑카는 18세기 말부터 영국의 실질적 지배를 받게 되었고 1948년 영국연방 자치령으로 독립한 후, 1972년 나라 이름을 실론(Ceylon)에서 스리랑카공화국으로 바꾸고 영국연방에서 완전히 독립하였다. 식민지 무역을 주도해오던 당대 세계최강국 포르투갈지배를 1505년부터 받다가 이어서 네덜란드와 영국인들이 지배하였기 때문에 오늘날 스리랑카인들의 종교, 관습, 심지어 식사와 언어에 이르기까지 많은 영향을 끼쳤다.

## 스리랑카의 역사적 기원과 민족

스리랑카에 최초로 정착한 사람들은 아시아 남부지역에서 이주해온 원시 오스트랄로이드종족에 속한 원주민들이었을 것으로 추정된다. 그러나 그후 실질적인 스리랑카의 역사는 북부 인도에서 내려온 아리안계 민족의 유입으로부터 시작된다. 즉 B.C. 6세기경 인도-아리안족이 스리랑카로 건너와 토착 원주민인 베다족을 정복하고 나서 기원전 5세기경 싱할라족의 아누라다푸라왕조를 설립한 이후부터 스리랑카의 역사가 시작된다. 이 내용은 스리랑카에서 오래 전부터 전해져 오는 팔리어 역사서 마하밤사(Mahavamsa[7], 혹은 마하완사)에 의하여 전해지고 있다.

기원전 543년 인도 아리안계의 왕자의 자손으로 칭하는 위자야(Vijaya) 왕자가 북인도에서 700명의 싱할리인을 거느리고 건너와서 원주민 벳다를 정복하고, 싱할리인에 의한 최초의 왕조인 땀바빤니(Tambapaṇṇi)라는 왕국을 세우게 되었다고 한다. 이로부터 비로소 싱할라왕조가 시작된 것이다.

땀바빤니왕국(B.C. 543~505)을 계승한 '우빠띳사 누와라(Upa-tissa Nuwara)' 왕국(B.C. 505~377)을 종식시키고, '아누라다푸라(Anurdhapura)' 왕국(B.C. 377~A.D. 1017)을 세운 사람은 빤두까바야(Paṇḍukābhaya, B.C. 377~307) 왕이다. 그는 수도를 아누라다푸라로 옮겼는데, 이곳은 약 1,400년 동안 스리랑카의 수도였다.

그후 빤두까바야의 사후 그의 아들 무따시와(Muṭasīva, B.C. 307~247)가 왕위를 계승했다. 무따시와 왕은 60년 동안 재위했는데, 그의 둘째 아들 데와남삐야띳사(Devānampiyatissa, B.C. 247~207)가 왕위를 계승했는데 그가 바로 스리랑카에 불교를 받아들인 왕이다.[8]

데와남삐야 띳사 왕의 통치 기간에서 가장 큰 사건은 마힌다(Ma-hinda)의 스리랑카 도착이었다. 마힌다는 네 명의 장로들과 한 명의 사미와 함께 왕의 즉위 2년 스리랑카에 도착하여 사냥하던 왕을 만났다. 왕은 그를 대단히 명예롭게 맞이했고, 그가 전도한 새로운 종교, 불교를 기꺼이 받아

7 『마하밤사(Mahavamsa, 大史)』는 팔리어로 쓰인 불교를 중심으로 작성된 스리랑카의 고대 역사서로서 전체 37章의 게송으로 돼 있다. 스리랑카 왕 다투세나(재위 460~478)의 숙부인 비구승 마하나마(Mahanama)가 왕명에 따라 5세기 중엽에 역사서 『디파밤사(Dīpavaṁsa)』를 수정해서 6세기경에 편집했다고 한다. 이러한 역사서의 도움을 받아 스리랑카를 중심으로 한 남방불교의 전모를 대충 파악할 수 있다. 이상은 아미산의 글(남방불교)를 참고하였음.

8 마성, 『스리랑불교의 역사와 현황』, 불교평론, 2017년 3월.

■스리랑카 가면 조각품

들였다.

이처럼 싱할리 왕조는 기원전 3세기경에 인도의 불교를 받아들여 독자적인 불교문화를 발전 시켜 나갔고 상당히 발달된 생활을 하였을 뿐만 아니라 대규모의 쌀 생산을 위한 관계용수를 건설함으로 풍요로운 왕국을 건설했다.

■베다족(출처 : 니콘 블로그, 강재훈 사진)

### 스리랑카의 토착 원주민 베다(웨다)족

스리랑카에 최초로 정착한 사람들은 아시아 남부지역에서 이주해온 원시 오스트랄로이드종족에 속한 원주민들이었을 것으로 추정된다. 이들은 쌀을 제배하며 살았다. 또한 그 후 스리랑카에는 선사시대부터 베다(Vedda, 혹은 Veddah)족이 거주하였다고 한다. 베다족이란[9] B.C. 6세기 이전부터 스리랑카 동부에 살았던 원주민으로 신체적으로 볼 때 인도 남부 밀림지대에 사는 드라비다 종족과 비슷하며 동남아시아의 초기 주민들과도 공통점이 있다. 원래 베다족의 문화와 생활은 매우 단순했다. 동굴이나 바위에 구멍을 뚫은 집에서 살았으며 나무껍질의 섬유를 이용해 만든 옷을 입었다. 사냥과 집단생활을 했으며 이후에는 철제기술과 농경기술을 개발하였다. 활과 화살을 이용해서 짐승을 사냥하고 야생식물이나 꿀을 모아서 생활했다. 종교는 죽은 사람에 대한 의식이 중심을 이루었다. 조상들의 영혼이 샤먼(주술사)의 몸속으로 들어가기 때문에 조상들은 이들을 통해 후손들과 의사소통할 수 있다고 생각했다.[10] 현재는 베다족 대부분이 싱할라족에 흡수되었고 스리랑카어를 쓰면서 차츰 자신들의 고유 언어가 사라져 싱할라 방언을 사용하게 되었다.[11]

그후 이들 베다족은 스리랑카 정부의 산림보호 정책과 관광지 개발에 따라 조상 대대로 살던 터전인 밀림에서 조금씩 밀려나게 되었고 북부 인도에서 온 아리안계의 싱할라족에게 흡수되면서 종족 보전과 부락 유지가 점점 더 어려워지고 있다. 생활환경과 문명의 발전에 따라 현대문화를 접하다 보니 조금씩 변화를 받아들이는 베다족도 있지만, 나름대로 사명감을 갖고 종족의 명맥을 유지하기 위해 안간힘을 쓰는 모습이 역력하다.[12] 1970년대에 들어서는 더 이상 독립된 부족공동체를 형성하지 못하게 되었다.

9 베다족은 3만년 된 사냥꾼으로 알려지고 있다. 캔디에서 해발 1,000m가 넘는 산맥을 넘으면 중부내륙 고원지대의 마이앙가라 원시 부족마을이 있는데 이곳에 천혜의 자연환경을 누리며 살아가는 베다(Vedda)족이 있었다. 싱할라족이 들어오기 전 선사시대(약 3만 년 전)부터 스리랑카에 뿌리를 두었다는 베다족은 인류의 가장 기층적 인종형의 하나인 베디데(Weddide)의 모습을 지녔으며, 대체로 키가 작고 곱슬머리에 암갈색 피부를 갖고 있다. 현재는 약 4천여 명 정도가 남아 스리랑카 북동부 산악지역에 흩어져 부락을 이뤄 살고 있다. 강재훈 작가 에세이(스리랑카 베다족 [니콘 뉴스])

10 Daum 백과사전

11 http://blog.daum.net/

12 『Leaders Club』 강재훈 작가 에세이 (스리랑카 베다족 [니콘 뉴스])

13 그러나 기원전 15세기경부터 인도 구자랏인들이 섬의 서쪽해변에 도착하여 정착하였는데 싱할라족들의 선조로 짐작된다.

14 싱하(Sinha)는 사자(Lion)를 의미한다. 이 나라는 일찍이 사자와의 인연에 의해 건국되었다고 하는 전설이 있다. 현재 스리랑카의 상징인 국기도 사자가 칼을 들고 있는 것을 형상화한 것으로 세일론의 건국신화에서 유래된 것이다.

15 Wikipedia, Prince Vijaya, the free encyclopedia

## 외래인 싱할라족과 아누라다푸라왕조의 설립

스리랑카의 역사는 B.C. 6세기경 인도 북부에서 인도-아리안족이 스리랑카로 건너와 토착 원주민인 베다족을 정복하고 나서 기원전 5세기경 싱할라족 계통의 아누라다푸라(Anuradhapura)왕조를 건립한 이후부터 실질적으로 시작된다.[13] 인도에서 건너 와 싱할라족의 선조가 되었던 그들은 철을 사용하였고 땅을 갈고 일구어 씨를 뿌리는 진보된 농업형태를 스리랑카에 소개하였다. 나름대로 번영을 이루고 살았던 그들은 기원전 2세기경 인도 남부 촐라지역에 살았던 타밀족의 침략을 받아 차차 세력이 밀리게 되었고, 잠시 그들의 지배를 받은 적도 있었다.

또한 한편, 스리랑카의 초기역사와 관련한 최초의 기록으로는 팔리어로 만들어진 마하밤사(Mahavamsa)가 있다. 이 스리랑카 고대역사서에 의하면 기원전 543년 인도 아리안계로서 싱할라[14]족의 자손인 비자야(Vijaya?, 기원전 543~505년 재위, 팔리경전에 최초로 기록된 왕)왕자가 북인도에서 7백명의 싱할라인을 거느리고 고국인 인도를 떠나와서 원주민을 정복하고, 스리랑카 전체에 걸쳐 마을을 건립하였으며 싱할라인에 의한 최초의 왕조를 세웠다고 한다. 이들이 바로 현재 싱할라인의 선조이다.[15] 당시의 왕조

■행복한 스리랑카 가족

를 비자야왕조라 하는데 기원전 543년부터 기원후 66년까지 609년 동안 37명의 군주가 지배하였다.

그 후 비자야 왕조의 여섯 번째 왕인 판두카바야(Pandu kabhaya, 기원전 437~367)왕에 의하여 기원전 380년경 싱할라족 최초의 수도를 아누라다푸라(Anuradhapura)에 자리 잡게 된다. 이를 아누라다푸라왕국이라고 하는데 고대 스리랑카에서 처음으로 설립된 왕국이었다.

그 후 기원전 264년 인도 아소카왕의 아들 마힌다(Mahinda) 왕자가 승려 4명을 이끌고 스리랑카로 왔다. 그들은 데바남피야 티사(Devanampiya tissa) 왕에게 불교를 전파하였다. 위와 같이 싱할라왕조는 기원전 3세기에 인도로부터 불교를 받아들여 독자의 불교문화를 발전 시켰고 싱할라족을 중심으로 아누라다푸라에 왕국을 건설하였다. 불교를 받아들인 그들은 국민들을 신앙적으로 안정시키고 상당히 고도화된 생활과 문화를 가지고 있었을 뿐만 아니라 스리랑카의 북부를 중심으로 대규모의 쌀 생산을 위한 관개시설을 건설했다.

그러나 기원전 2세기경 인도 남부에서 타밀족이 스리랑카를 침입하여 스리랑카의 북부의 넓은 지역은 그들의 지배를 받게 되었다.[16] 이 타밀족은 스리랑카 섬의 북부에 따로 왕국을 수립하였다가 다시 패망하기도 하였다. 그 후 기원 원년으로부터 4세기경까지 스리랑카는 혁신적인 경작의 발전을 가져온 람바카르나(Lambakarna)의 지배를 받는다. 람바카르나왕조의 제왕인 마하센(Mahasen)왕은 큰 저수지와 관개수로를 건설한다. 큰 저수지의 건설은 마하센왕과 더불어 다투세나(Dhatusena, A.D. 463~479)왕[17] 때에도 이루어졌다.

아무튼 섬의 중북쪽 지역인 아누라다푸라는 독립적인 농업지역으로 자연스럽게 다수의 싱할라족이 정착되었고 약 1,300여 년간 오랜 세월 동안 싱할라족 왕국의 수도가 된 것이다. 그러나 이 왕국는 인도 남부에서 온 촐라왕국의 타밀족의 침략에 맞서 수차례의 전쟁을 겪었다. 결국 타밀족의 공격으로 1300년이나 지속되었던 수도를 포기하고 폴로나루와로 천도할 수밖에 없었던 경우도 있었다. 역사서는 람바칸나왕조의 마힌다(Mahinda) 5세 당시 왕

16 스리랑카의 고대와 중세 역사 (스리랑카 개황, 2010. 5. 외교부), 두산백과, 스리랑카의 역사 편 참조.

17 다투세나 왕은 바위정상에 요새와 시기리야 도시를 건설한 그의 아들 카사파에 의해 죽는다.

■아누라다푸라 미르사베티야의 불상

국의 힘은 취약하였고 매우 빈곤하였으며 군인들에게 제대로 임금조차 줄 수 없는 상태였다고 기록하고 있다. 따라서 1017년 타밀왕국의 라젠드라(Rajendra) 1세는 침략을 하였고 마힌다 5세를 포로로 잡아 인도로 데려갔다는 기록도 있을 정도이다. 하지만 아누라다푸라 왕국의 Dutugamunu(B.C. 161~137), Valagamba(B.C. 103~39, 77) 및 Dhatusena같은 통치자는 남부 인도로 부터 침입한 외적들을 물리치고 왕국의 주권을 탈환한 것으로 유명하다. 이처럼 폴로나루와로 수도를 이전한 싱할라인들은 결국 아누라다푸라를 되찾았지만 수도를 다시 옮기지는 않았다.

실질적으로 나라 전체가 아누라다푸라 왕국에 통합된 것은 Dutugamunu왕의 통치기였다. 그는 타밀족의 침략을 저지한 후 나라를 통합하였고 타밀에 의해 지배되었던 북부지역을 회복하였다. 그는 용맹한 군주였으며 한편으로는 독실한 불교도였다. 불교 연대기인 마하밤사는 11 페이지에 걸쳐 그의 통치와 행적을 기록하고 있다. 왕은 나라를 통합한 후에 루완웰리세야 불탑과 Lovamahapaya 등 여러 사찰을 건립하였다.

이러한 아누라다푸라 왕국은 섬의 건조지대에 있었으나 농업에 기반하고 있었기 때문에 Vasabha왕과 Mahsena왕은 거대한 저수지와 복잡한 관개수로를 완비하여 자급자족이 가능하도록 노력하였으며 그 외 여러 왕들에 의해서 저수지 건설 및 관개수로 정비 등은 계속되었다. 지금도 그 당시의 저수지와 관개수로가 농업에 이용되고 있는 모습을 쉽게 볼 수 있다. 이처럼 큰 저수지와 잘 구비된 관개수로를 만드는 데 이용되었던 기술은 당시 아누라다푸라의 높은 문화와 기술을 알 수 있다. 특히 아누라다푸라 왕국는 불교를 받아들였으며 미얀마를 비롯하여 태국, 캄보디아 등으로 전래되었다. 당시 아누라다푸라 왕국이 남긴 불교유적중에서 시기리야 록의 유명한 그림과 구조, 거대한 루완웰리 세야 불탑과 제타바나 불탑, 쿠탄 포쿠라 같은 연못, 수많은 불상 등의 조각품들은 아누라다푸라 왕국의 문화수준과 발전을 보여주는 대표적인 것들이다.

### 스리랑카의 다양한 민족

#### 1) 싱할라족

기원전 6세기경 인도 벵갈지역에서 이주해 온 인도 아리안족인 비자야(Vijaya)왕과 그를 따르는 700인이 싱할리족으로 알려지고 있으며, 이들에 의해 아누라다푸라, 폴로나루와 등 고대 스리랑카 문명이 이루어 졌다. 그들은 현재 스리랑카 인구의 74%를 차지하고 있으며, 대부분 불교를 신봉하고 있다. 전국에 골고루 퍼져 살고 있으나 북동부지역에는 적은 수가 살고 있다. 이들은 Pali 및 Sanskrit어에서 파생된 Indo-European 계통의 팔리어를 사용하고 있다. 스리랑카에는 여러 종교가 있는데 불교도 이외에 식민시대 개종 천주교도들이 다음으로 많고 힌두 혹은 무슬림도 있다.

#### 2) 타밀족

인도 아리안계통의 싱할리족과 달리 타밀족은 드라비다계통이며 인도로부터 이주해 왔다. 이들이 스리랑카에 최초로 이주한 역사적 기록은 없으나 기원전 3세기경 처음 들어온 것으로 전해지고 있다. 이후 싱할리족과 타밀족간에는 꾸준한 관계가 이어져 왔는데 특히 나쁜 관계가 더 많았다. 현재 북동부 지역에 많이 거주한다. 이들을 인디안 타밀 혹은 Jaffna Tamil로 불리는데 26년간의 스리랑카 내전의 주된 세력이었다.

결국 같은 종족이지만 좀 더 늦게 스리랑카에 온 두 번째의 타밀족 이주는 19세기 식민종주국 영국의 필요에 의해서 인도로부터 홍차 농장 노동력을 보충하기 위하여 인력을 수입하면서 이루어졌다. 이들은 중부 고원지대의 홍차 재배지역에 주로 거주하였고 기질이 온건하다. 이들을 스리랑칸 타밀이라고 부른다.

이들의 종교는 대부분 힌두교이며 나머지는 주로 기독교를 믿고 있다.

1. 아잔타17번 석굴의 벽화 – 싱할라인의 방문(출처 : 위키피디아)
2. 힌두 사원

당연히 이들 힌두교도 사이에는 매우 엄격한 카스트제도가 잔존한다. 타밀족 언어는 타밀어이며 싱할리어와 전혀 다른 형태를 하고 있다. 북부 자프나지역에서는 언어가 달라 소통이 안되는 경우를 쉽게 본다.

### 3) 무슬림

폴로나루와 시대(11~13세기) 인도양 무역을 아랍인들이 장악하면서 중국 중동 유럽 등지로 연결되었는데 스리랑카는 동서양 무역의 중심지였기 때문에 아라비아 상인들에 의해서 이슬람교가 자연스럽게 전래되었다. 따라서 10세기 이후부터 스리랑카에 정착을 하는 무슬림들이 점차 늘어나게 되었다. 그 이후 남인도의 무슬림과 말레인들이 가세하며 다양한 민족 집단을 이루었다.

오늘날 스리랑카 무슬림은 무어인이라는 이름으로 통칭되지만 내용적으로 다양한 무슬림종족과 관습이 공존하고 있다. 무슬림들은 남인도와의 무역에 관련하는 사람들이 많기 때문에 타밀어를 국어로 사용하지만 싱할리어와 영어도 이용하곤 한다.

### 4) 버거족

스리랑카는 오랜기간 동안 유럽의 식민지였기 때문에 유럽인과 스리랑카인들의 혼혈족이 많다. 이들을 버거족이라고 부른다. 주로 콜롬보를 중심으로 정착하고 있으며 유럽인들로부터 물려받은 재산을 보유하고 있고 습관도 유럽인들의 것을 따르고 있다. 종교는 90% 정도가 가톨릭이며 일부 개신교도 있다. 선조들로부터 물려받은 모습과 언어가 다르고 자신들끼리 영어를 사용하고 있다.

### 5) 웨다족(베다족)

스리랑카 섬에서 최초로 살았던 토착 베다족 원주민들이다. 지금도 부락을 이루어 살고 있으며 자신의 문화와 관습을 보존하고 있다. 웨다족이란 스리랑카식 발음으로 베다족을 부르는 이름이다.

18 Jagath Weerasinghe, History of Painting and Sculpture in SRI LANKA, LANKALIBRARY FORUM

## 스리랑카 불교미술의 시대 구분

오랜 역사를 지닌 스리랑카 미술사는 크게 3단계인 아누라다푸라 기期(B.C.483~A.D.1017), 폴로나루와 기(1017~1214), 쇠퇴기(14세기 이후)로 나누기도 하나, 왕조사에 따라 5 시기로 구분한 Senake Badaranayake의 구분(1986) 하기도 한다.

Senake Badaranayake는 스리랑카 미술사의 연대를 다섯 시기로 구분하였다.[18]

① 초기역사시대 (B.C.250~A.D.500) : 아누라다푸라 전기
② 중기역사시대 (500년대~1250년대) : 아누라다푸라 후기, 폴로나루와
③ 후기역사시대 1 (1250년대~1600년대) : 담바데니아, 야파후와, 코테, 감폴라 시기
④ 후기역사시대 2 (1600년대~1800년대) : 캔디 시기
⑤ 현대역사시대 (1800년대~1900년대) : 영국 식민통치시기

보통 스리랑카 불교미술을 논함에 있어서는 복원된 유구들이 많이 남아있는 아누라다푸라, 폴로나루와, 캔디 세 곳을 많이 다루게 된다. 흔히 폴로나루와 유적에서 바로 캔디 유적으로 넘어가는 것이 대부분으로, 그 사이에 짧게라도 존재했던 담바데니아, 야파후와, 코테, 감폴라, 시타와카 왕조를 지나치는 경우가 많다. 지속적인 남인도 타밀족의 내정 간섭과 침략으로 스리랑카 왕조들은 폴로나루와 멸망 후 점차 서쪽으로 옮겨오다 결국 현재의 캔디가 있는 산속과 남서부 해안으로 이주하게 된다. 이곳에서 사실상 마지막 수도가 되고 문화가 더욱 발전하게 된 것이다. 물론 그 이후에는 포르투갈, 네덜란드, 영국에 의한 식민통치가 있었고 그들의 영향으로 서양식 문화가 도입되 현대문화를 이끌었던 것도 사실이다.

제2장

# 스리랑카의 불교전래와 남방南方 상좌부上座部 불교佛敎

생존 시 붓다의 스리랑카 방문과 그 흔적
불교경전의 정리와 결집
인도불교의 스리랑카 전래
'3차결집'과 남방(南方) 상좌부(上座部) 불교(佛敎)

# 스리랑카의 불교전래와 남방南方 상좌부上座部 불교佛敎

## 생존 시 붓다의 스리랑카 방문과 그 흔적

스리랑카에 불교가 전래된 것은 기원전 3세기경 아소카왕의 아들인 마힌다와 딸인 상가미타로 비롯되었다. 이는 스리랑카의 역사서에 기록된 내용으로 통용되는 사실이다. 그러나 이보다 훨씬 오래전 이미 부처님이 생존시에 스리랑카에 들러 설법을 하였다는 설화적인 이야기가 있는데 스리랑카인들은 이를 믿고 있다. 스리랑카의 가장 오래된 역사책인 도사島史, 디파방사(Dipavamsa)[19]에 의하면 부처님께서 성도 후 9개월 뒤, 그리고 5년째와 8년째 등 3차례에 걸쳐 스리랑카에 오셔서 직접 법을 설하였다 한다.[20] 물론 이는 역사적으로 확인할 수 없는 설화적인 내용이지만 대부분의 스리랑카 국민들이 믿는다. 그 대표적인 흔적은 누와라엘리야 인근의 바둘라(Badulla)지역에 있는 마히양가나(Mahiyangana)사원이다. 이 유적은 바둘라로부터 60㎞, 캔디로부터 74㎞ 떨어진 마하베리(Mahaveli) 강둑 위에 있는 절이다. 전하는 이야기에 의하면 부처가 스리랑카 섬을 처음 방문했을 때 이곳 마히양가나 주민들에게 설법하고 사만(Saman) 신에게 자신의 머리카락, 불발佛髮을 한 웅큼 주었다고 한다. 이런 까닭에 마히양가나사원의 불탑은 부처의 머리카락을 모시고 숭배하기 위해 지은 것으로 스리랑카 최초의 탑 이라고 전한다. 그렇다면 이 불탑 안에 있

19 불교를 중심으로 4세기경에 편찬된 스리랑카의 역사서로 이보다 나중에 나온 좀 더 포괄적인 역사연대기 『마하방사(Maha vamsa)』의 저자가 인용한 중요한 자료의 하나로 평가된다. 정치사보다는 사원역사에 강조를 둔 점과 서술한 연대로 볼 때 『디파방사』는 『마하방사』와 유사하다고 하겠다.

20 조계사에서 발행한 〈曹溪寺報〉 제35호(1990. 10. 1.), 4~5면에 게재된 것으로 (『상좌불교의 종주국 스리랑카』 마성 지음)에서 재인용함

■1. 바둘라에 있는 마히양가나사원 『曹溪寺報』 제35호 (1990. 10. 1.) 사진인용
2, 3. 푸라나 사원의 고대 스투파
4. 캘라니아 사원

는 부처의 머리카락은 열반 후에 수습된 유체遺體가 아닌 살아있을 때의 머리카락인 셈이다.[21]

이와 비슷한 이야기로 자프나(Jaffna)지역에[22] 있는 나가디파 푸라나 사원(Nagadipa Purana Vihara) 역시 부처가 스리랑카에 두 번째 방문한 곳으로 득도한지 5년 후에 왔다고 한다. 당시 Naga왕들, Chulodara과 Mahodara이 보석 왕관을 놓고 다투자 부처님이 개입해 중재했다. 이에 나가 왕들은 이 왕관을 부처에게 바쳤는데 나중에 부처가 다시 나가 왕들에게 되돌려 주었고 결국 그들은 이 왕관을 숭배해 탑을 쌓았다고 한다.

나가디파에 온 부처는 그 후에 자프나 내륙으로 들어와 머물렀는데 그곳이 Chunnakkam 근처에 있는 푸라나 사원(Purana Raja Maha Vihara)로 Kantharodai 또는 Kudurugoda라고도 불린다. 오히려 현지에서는 Kudurugoda사원이라고 부른다. 여기에는 사발을 엎은 특이한 형태의 고대 불탑들이 남아 있어 귀한 불교유적이 되고 있다.[23] 돌을 깎아 벽돌처럼 만들어 조성한 조그만 복발형 불탑이 60여 기가 있었는데 지금은 그 일부만 남아 있다. 이는 불탑이라기보다는 승려들의 부도형식이라고 생각된다.

21 「스리랑카 불교신자들의 순례지 16곳|작성자 나를 찾아 떠나는 길」(samokim8), 네이버 블로그
22 스리랑카의 최북단 지역으로 남 인도와 가깝다. 나이나티부 섬(Nainativu Island)이지만 나가디파(Nagadipa)라고도 하는데 Dipa는 섬이라는 의미다.
23 이 유적은 잘 알려지지 않은 곳이다. 「스리랑카 불교신자들의 순례지 16곳」(작성자 : 나를 찾아 떠나는 길(samokim8)), 네이버 블로그에서 알게 되었고 이를 확인하기 위하여 2017년 5월 필자가 현장을 확인하기 위하여 방문하였다.

붓다가 생존시에 스리랑카를 다녀간 또 다른 곳은 캘라니아(Kelaniya) 사원이다. 이 사원은 콜롬보 동쪽 약 9㎞ 지점에 있는 불교성지이다. 붓다가 스리랑카를 3번째 방문 했을 때 이곳 강물에서 목욕했다고 전한다. 현재 경내에는 기원전 3세기경에 최초로 만들었다는 불탑이 있고 그 주변에 다양한 기능을 한 불전과 전각들이 있다.

## 불교경전의 정리와 결집

부처님이 돌아가신 후 그를 추념하기 위한 상징의 건립과 그의 말씀을 정리하는 일은 제자들의 입장에서는 아주 급하고 대단히 중요한 일이었을 것이다. 우선 부처님의 진신사리를 모시는 불탑은 당시 인도의 주요한 나라에 팔분사리탑八分舍利塔을 건립함으로 정리되었다. 그러나 부처님의 말씀을 정리하여 영원히 지키고 새기는 경전으로 만드는 일은 대단히 어려운 일이었다. 왜냐하면 성자의 말씀을 문자로 기록하는 중국이나 메소포타미아의 문화와는 달리 고대 인도에서는 말씀을 통째로 귀로 듣고 머리로 기억해서 사람들에게 전할 때도 그대로 입으로 주창하는 구두전승의 문화였기 때문이다. 현대인들의 입장에서는 이해가 안 되겠지만 고대 인도인들은 글로 쓰는 것이 아니라 암기하는 것을 전달, 보존수단으로 생각하였다. 그래서 부처님이 살아계셨을 때 그가 말씀하신 내용을 글로 쓰여진 것은 아무것도 남아 있지 않다. 흔히 불가에서 '부처님이 말씀하시기를' 이라고 시작하는 것은 아마도 그런 이유일 것이다. 따라서 이러한 맥락에서 불교사에 있어 불교경전의 정리와 기록, 또 이를 위한 결집을 이해하여야 한다.

그렇다면 경전은 어떻게 정리되었을까? 말씀을 경전으로 정리하거나 지켜야 할 계율을 정하거나 이를 위한 후대 불교교리해석에 대한 논쟁의 장을 위하여 여러 차례에 걸쳐서 소위 결집(상가띠, Sanghiti)이라는 대규모의 집회가 이루어진 것이다. 고대 기독교 역시 공의회라는 교회의 모임이 있었고 이때 중요한 내용을 정리하고 선포하였다. 예수님의 신성이나 마리아의 성인으로 추대 등이 공의회에서 정리된 점도 비슷하다.

'제1차결집' 은 부처님이 돌아가시고 제자들이 모여서 부처님의 말씀을 통합 정리하는 결집이었다. 그의 가르침이 흩어지는 것을 염려한 수제자들이 재빠르게 경전을 정리하는 절차를 수행하였다. 불멸 후 3개월 즈음에 500명의 아라한들이 인도 마가다국의 수도인 라자그리하(왕사성)에 모여 우빨리존자가 지켜야 할 율律을, 아난다존자가 부처님의 말씀인 경經을 기억하고 있는 그대로 말하여 실수나 결함 없이 확인하여 경전으로 확정한 것이다. 경經, 율律, 론論 삼장으로 이루어진 불교경전 중에서 경장과 율장은 1차결집 때에 확립되었고 논장論藏은 부처님이 돌아가신 후 약100년이 지난 후인 제2차결집에서 확정되었다.

'제2차결집' 은 지켜야 할 계율문제가 직접적인 이유였다. 부처님 열반 후 100년 쯤 후에 어쩌면 자연스럽게 생긴 십사비법十事非法사건이었다. 계율에 있어서 10가지 옳지 않은 일 때문이다. 원로로서 보수적인 장로長老를 중심으로 한 비구들과 젊고 진보적인 대중부 비구들간에는 계율준수에 대하여 입장이 차이가 있었다. 당대 최고의 도시 바이살리(Vaiśālī)[24]에 사는 젊은 수행자들과 서인도와 동인도에 사는 노수행자들 간에 계율에 관한 인식의 차이로 갈등이 생긴 것이다.

어느 날 아난의 제자이자 계율에 밝고 엄격한 서인도 출신의 야사(Yasa) 장로가 상업도시 바이살리에 왔는데 젊은 수행자들이 신자들로부터 금화와 은화를 시주받은 것을 보고 깜짝 놀랐다. 야사장로는 즉시 금화와 은화를 시주받는 것은 계율에 어긋나는 일이라며 지적했다. 그러나 젊은 수행자들이 이제는 시대가 달라졌다며 반발했다. 실제로 바이살리 수행자들은 탁발에만 의존하는 숲속 생활에서 사원 수행 생활로 수행 환경이 바뀌어가고 있었으므로 돈이 필요하여 시주를 받았던 것이다. 야사장로는 바로 바이살리를 떠나 동인도와 서인도의 수행자 대표를 뽑아 모았다. 노수행자 중에는 아난의 직계 제자인 법랍 120년의 사르바카마 장로를 비롯하여 700명의 장로가 참여했다.[25] 그래서 제2차결집을 7백인결집, 혹은 7백결집이라고도 불렀다.

야사가 주도하여 논의된 내용은 십사비법이었다.[26] 스님들이 음식에 맛을 내는 소금을 지니고 다니는 것도 비법이고, 공양 후 발효된 우유나 술과

24 불교의 8대성지인 바이살리(Vaiśāl)는 붓다가 다섯 번째 안거를 보냈으며 생전에 수차례 들려서 설법한 곳이고, 열반을 한 쿠시나가라로 가기 전 말년에 이르러 최후로 설법을 한 곳이다. 붓다가 열반하고 100년 후인 기원전 383년에 제2차 경전결집을 한 곳이기도 하다. 바이살리는 붓다 시대에 16대국 가운데 하나로서 8개의 종족이 연합하여 세운 공화국이었다. 자이나교의 제24대 티르탄카라(Tirthankara)로서 자이나교의 실질적인 창시자라고 할 수 있는 마하비라가 이곳에서 기원전 599년에 탄생하여 자이나교 사원에서 성장한 도시다. 아소카왕의 석주인 獅子柱頭가 지금까지도 잘 보존되어 있다. 또한 비구니 승가를 처음 만든 곳으로도 유명한데, 그것은 붓다의 이모이며 어머니 대신 붓다를 키운 양모 마하파자파티 고타미(Mahāpajāpatā Gotamī)를 위해서였다.(출처 : 불교성지를 가다(인도) ⑤-바이살리, 제2차 경전결집회의와 유마거사의 재가불교|작성자 화평)

25 계림, 계림의 국토박물관 순례, 유마경(維摩經) 설법지 바이샬리 카라우나 포카르호수, http://blog.daum.net/kelim/15717562

26 十事非法이란 鹽淨, 二指淨, 聚落間淨, 住處淨, 隨意淨, 久住淨, 生和合淨, 水淨, 不益縷尼師檀淨, 金銀淨을 말한다.

같은 발효시킨 과즙을 먹는 것도 비법이고, 금화나 은화를 시주받는 것도 비법이라는 등등이었는데 열 가지나 되었다. 이러한 시주는 당시 바이살리 사람들의 높은 경제생활수준에는 별 부담이 아니었는데 장로들은 제1차결집 때 정한 계율을 내세워 제동을 걸었던 것이다.

결국 제2차결집은 부처님이 돌아가신 후 약 1백년이 지난 즈음에 바이살리 비구들의 10사事를 계율 위반이라고 규정하여 결집한 것이다. 계율 엄격주의자인 야사장로의 소집으로 700비구가 바이살리에 모여 보수적인 장로부가 부처님 당시의 계율을 준수할 것을 결의하고, 이에 진보적인 대중부가 반대하여 근본분열이 일어남에 따라 결집되었다. 이처럼 불멸 후 백여 년간에 불교도들은 각처에 분파되어 그 지방의 특색에 따르거나 다른 종교와 교섭되어 불교 근본정신에 변화를 가져오게 되었고 교리 역시 변화가 나타나기 시작하였다. 이에 보수파와 개진파改進派가 생겨 의견을 달리하게 되니 부득이 2차 결집을 단행하게 되었다. 이 결집은 8개월간 십사비법十事非法에 관해 논의하여 기존의 법이 교정됐다. 그러나 십사의 논쟁은 야사를 중심으로 한 상좌부上座部와 진보적인 대중부大衆部로 교단을 나누는 근본분열根本分列을 가져왔고 불교역사에 있어서 부파불교시대를 여는 계기가 되었다.

부처 열반 후에도 바이살리는 고타마 붓다의 제자들에 의해서 승가가 발전하고 많은 비구들이 승가에 들어와서 불법이 유통되고 있었지만, 이곳이 변화한 대도시이다 보니, 진보파 비구들에 의한 계율상의 변화를 가져오자, 제2차 경전결집을 통해서 붓다의 경율經律을 확실히 할 필요가 있었다. 하지만, 바이살리 비구들의 진보성 못지않게 재가불교 또한 새로운 변화를 모색했던 것 같다. 이런 사정을 우리는 대승경전의 하나인 『유마경維摩經』을 통해서 짐작할 수 있다.[27]

## 인도불교의 스리랑카 전래

기원전 246년, 인도 마우리아왕조 아소카대왕(Asoka, 阿育王, 기원전 273~232)의 아들 마힌다(Mahinda) 왕자가 대왕의 명을 받아 승려 4명을 이끌고 스리랑카로 왔다고 한다. 그들은 아누라다푸라 왕국의 데바남피야 티사(Devanampiya Tissa, B.C. 307~267, 혹은

27 이치란의 종교가 산책, 불교성지를 가다(인도)⑤–바이살리, 제2차 경전결집회의와 유마거사의 재가불교 | 작성자 화평

250~207)왕에게 불교를 전파하였다.[28] 설화적으로는 미힌탈레에서 사냥하고 있던 티사왕을 만나 설법하고 불법을 믿게 하였다 한다. 미힌탈레의 언덕에 그들이 만났던 장소가 있고 이를 기념한 스투파가 세워졌는데 바로 암바스탈라 스투파이다.

또한 마힌다 왕자의 여동생 상가미타(Sanghamitta)공주 역시 스리랑카로 불교전교를 위해 파견되었다. 비구니 상가미타는 보리수 가지를 가져왔는데 그 나무는 석가모니가 보리수 아래에서 깨달음을 얻기 위하여 명상을 하였을 때의 나무였다. 이것은 지금 스리 마하보디(Sri Maha Bodhi)라고 하여 아누라다푸라에 심어져 있다. 마힌다왕자와 비구니 상가미타에 의해서 불교가 전래되고 승가가 형성되면서 스리랑카의 불교는 시작되었다.

그러나 불교의 전래와 관련하여 당시의 상황을 설화적으로 이야기하는 내용도 많다. 아소카왕이 마힌다왕자를 스리랑카로 보낸 이유는 당시 인도에서 불교보다 더 강한 힌두교 집단에게 죽임을 당하지 않을까 하는 걱정때문이었다고 한다. 또한 26세에 아버지로부터 스리랑카에 가서 불교를 전하라는 명을 받았는데 6년 동안 수행을 더하여 아라한의 경지에 이르도록 한 이후에 스리랑카로 왔다고 한다. 뿐만 아니라 인도에서 스리랑카에 날라서 오는 기적, 또한 스리랑카로 오기 전에 어머니 데비왕비의 고향에서 머무르면서 불교전래를 거부할 것으로 보이는 스리랑카의 군주인 Muta siva(367~307 BC)왕이 죽기를 기다렸다는 이야기도 있다.

28 그런데 마힌다왕자가 스리랑카에 온 시기가 여러 곳에서 서로 다르다. 특히 데바남피야 티사왕의 생존시기와 적합하지 않는 경우도 있다. 이는 스리랑카로의 불교전래 시기와 일치하기 때문에 중요한 시점이 되고 있으나 불분명하다. 그러나 기원전 246년이라 하는 경우가 많다.

1. 스리 마하보디(출처 : http://www.intercontinentalgardener.com)

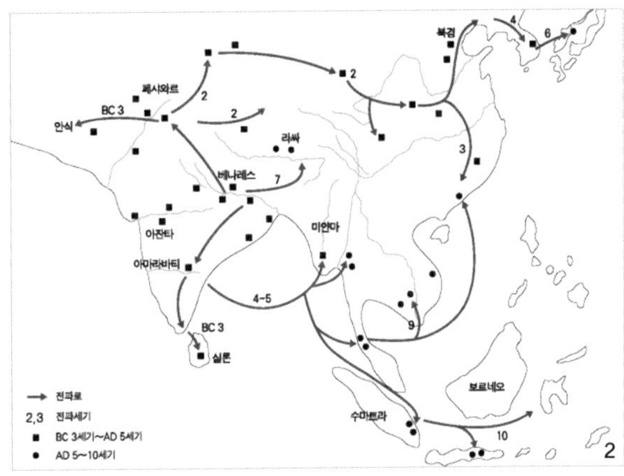


2. 인도로부터의 불교전래(정수일, 해양실크로드사전)

아무튼 이러한 과정을 통해 불교를 받아들인 스리랑카 고대인들은 상당히 고도화된 생활과 문화를 가지고 있었을 뿐만 아니라 스리랑카의 북부를 중심으로 쌀 생산을 위한 대규모의 저수지와 관개수로를 건설했다. 이처럼 풍부한 물의 공급은 농사는 물론이고 국민들의 건강한 삶을 위한 중요한 시설이 되었다. 따라서 번성한 싱할라족 왕국은 동남아시아, 인도, 아라비아, 로마와의 교역도 활발하게 이루어졌다. 또한 불교의 중심지가 되어 법현과 같은 승려는 멀리 중국에서도 유학을 왔다. 이러한 번영은 불교의 융성과 더불어 큰 저수지 등의 용수시설을 이용한 풍부한 농업, 즉 쌀 생산이 가능했기 때문이다.

결국 스리랑카로 전래된 불교는 종교를 넘어 싱할라족의 새로운 국가적 정체성이 되었고 독특한 스리랑카 문화를 발전시키는 계기를 마련하였다. 독자적인 남방 상좌부 불교를 전개하였을 뿐 아니라 거대한 불교사원과 불탑들이 도처에 세워지게 되었다. 특히 스리랑카는 붓다가 생존시에 쓰셨고 불교경전에서 사용된 팔리어[29]를 불교 언어로 사용함으로써 이 전통이 이후 미얀마·타이·캄보디아 등 동남아시아에 확산되어 소위 남방불교가 자연스럽게 하나의 공동체로 형성되었다. 또 문자가 없어 구두로 전승된 팔리어 불교경전을 소리 나는 데로 싱할라어로 음사音寫[30]하여 옮겨 썼다. 이는 패다라수 나뭇잎에 기록하였으니 이를 패엽경貝葉經이라고 한다.[31] 고대 스리랑카에서는 야자수(종려나무/多羅樹) 잎을 말려 그 잎을 종이 대신 사용했다. 인도에서 제일 높은 계급으로 제사를 주관하는 브라만들이 산스크리트어를 사용한 반면 크샤트리아 계급인 붓다는 팔리어로 말씀을 하셨다. 결과적으로 스리랑카에서 인도 귀족인 부처님의 팔리어 말씀을 그가 돌아가신 몇 백년 후에야 최초로 싱할라어로 썼기 때문에 팔리어 경전의 권위와 전통성이 확립된 것이다. 이 싱할라어로 씌여졌던 삼장三藏을 5세기에 접어들어 인도 사람 붓다고사(Buddhaghosa, 佛音三藏)[32]가 스리랑카에 와서 팔리어로 번역함과 동시에 옛 주석을 활용하여 삼장에 대한 상세한 주석을 달았다. 그러니까 최초에는 붓다가 팔리어로 말한 것을 스리랑카에서 싱할라문자로 사음하여 옮겨졌다가 기원후 5세기경에야 결국 원래의 팔리어로 다시 옮겨진 것이다.

29 소승불교 경전에 쓰인 종교 언어로 인도 북부에 기원을 둔 중세 인도 아리아어. 팔리어는 원래 서인도의 방언이었던 것이 붓다의 입멸 후 초기 교단이 서인도로 확장됨에 따라 불교성전의 언어가 되었던 것 같다. (출처 : 다음 백과사전)

30 음사(音寫)란 말 그대로 소리나는 대로 적는다는 뜻이다. 즉 '한국'을 알파펫을 이용하여 소리나는 대로 음사하면 ' han guk'이 되는 것이다.

31 범어 패다라(貝多羅), 즉 나뭇잎이라는 뜻에서 온 말로 패다(貝多), 또는 패다라엽(貝多羅葉)이라고도 한다. 패다라는 범어 'Pattra'의 음사로서 특정한 식물을 가리키기도 하나, 흔히 일반 식물의 잎 또는 필사용 나뭇잎이란 뜻으로 쓰인다. 종이가 생산되지 않던 옛날 인도 등지에서 종이의 대신으로 사용되었으며 지금도 사용하고 있다. 고대 스리랑카에서 가장 좋은 재료는 야자수(종려나무, 多羅樹, tala)나무의 잎을 말려 그 잎을 종이대신 사용했다. 불교의 삼장(三藏)의 경전은 흔히 이 다라나무의 잎에 썼다. 그러므로 일설에는 패는 잎이라는 뜻이므로 다라나무의 잎을 패다라라고 한다고도 한다.(출처 : Daum백과) 외떡잎 식물인 야자나무 잎은 바탕이 곱고 빽빽하며 길고, 잎의 맥이 나란하며 섬유질이 많아 편편하면서도 질기다. 또한 습기를 잘 빨아들이지 않으므로 자연 상태에서 잘 썩지 않아 고대사회에서는 종이를 대신하는 재료였다. 글을 쓰려면 말려서 일정한 규격으로 자르는데, 너비 6.6cm, 길이 66cm 정도 크기로 잘랐다. 야자수에 송곳이나 칼끝으로 글자를 새긴 뒤 먹물을 먹인 다음 닦으면 글씨가 선명히 드러난다. 또한 자른 잎 끝 두 군데에 구멍을 뚫어서 몇 십 장씩 꿰매어 묶어 책으로 했다. 이렇게 만들어진 패엽경은 각각 경전, 계율, 논장으로 나누어져서 3개의 광주리에 보관했다고 전한다. 그래서 흔히 사용하는 대장경에서 '장(藏, pitaka)'이라는 용어를 쓴 것도 '바구니'라고 하는 의미에 유래했다고 한다.

## '3차결집'과 스리랑카 남방南方 상좌부上座部 불교佛敎의 의미

주지하는 바와 같이 스리랑카는 미얀마, 태국, 캄보디아, 라오스 등 동남아시아로 전래된 상좌부 불교의 중심지이며, 불교 도입 후 2000여년이 지난 현재까지도 국민의 대다수가 불교신자인 불교국가이다. 한편 스리랑카의 불교미술은 남인도 크리슈나 강의 안드라미술(B.C. 1세기~3세기)의 흐름을 기반으로 하여 아누라다푸라 시기 이후 폴로나루와 시기에 들어서면서 스리랑카 고유의 불상과 불화, 건축물을 세우게 된다.

인도에서 스리랑카로 불교교리가 전해진 이후 불교전래의 흐름은 북쪽으로는 파키스탄, 중앙아시아, 중국을 거쳐 우리나라로 들어오게 되고, 남쪽으로는 스리랑카와 미얀마, 태국, 라오스, 캄보디아, 인도네시아 등으로 기원전 3세기부터 기원후 10세기경까지 곳곳으로 퍼져 나가 각국의 문화나 풍습과 결합되어 나라별 방식대로 사원과 불상, 불탑이 세워지게 된다. 부처님이 열반하고 나서 최초로 생성된 불탑은 불상이 세워지기 이전인 무불상시대[33]에도 부처의 진신사리를 봉안하거나 불경을 넣어 모신 것이기 때문에 불교미술 및 건축 연구에 있어 중요한 의미를 갖게 된다.

그렇다면 인도에서 이루어진 '3차결집'과 그의 영향으로 스리랑카에서 이루어진 상좌부 불교(Theravada Buddhism)는 어떻게 성립되었을까?

스리랑카에 최초로 불교가 전래된 것은 제3차결집(기원전 256)이 인도에서 있은 날로부터 약 8~9년 후의 일이다. 아소카대왕이 불법을 받아들임으로써 서북부 인도에 머물러 있던 불교는 인도 전역으로 확장하게 되었다. 아소카왕은 인도 각지에 있는 부처의 성지를 찾아다니고 이를 기념하였으며 불법을 널리 알려 법(Dharma)으로 나라를 통치하였다. 특히 자식들을 스리랑카에 보내고 포교사를 미얀마 등 해외에까지 파견하여 불교를 전하였다. 전승에 의하면 9개국에 전법사를 파송했다고 한다. 또한 불교에 대한 열정을 가졌던 아소카왕은 불교의 부적절한 관습과 비불교적인 요소에 대해서 우려하였고, 불교의 윤리적인 측면을 강조하였다. 따라서 불교 승단의

32 중부 인도 부다가야 지방 사람으로 430년 경 실론에 건너간 상좌부 불교 계통의 불교학자이다. 브라만 출신이라고 하며, 불교에 귀의하여 삼장(三藏)을 배웠다고 한다. 실론에 건너간 후 대사(大寺)에 거주하면서 그 절에 소장되어 있는 성전을 팔리어로 번역하기를 힘쓰고 또한 팔리 삼장에 대한 주해를 완성하였다.

33 이주형,「인도 초기불교미술의 佛像觀」, 한국미술사교육학회, 미술사학 15, 2001.08., p.87 '무불상시대(aniconic period)'라고 불리는 이 기간에 불상을 만들려는 시도가 전혀 없었다고 할 수는 없겠지만, 석가모니에 대한 추모와 기념은 스투파(st pa)와 보리수, 법륜, 불 족적 등의 상징물들을 통해서 이루어진 것이 대세였다고 볼 수 있다. …(중략) 수 세기 동안의 무불상시대를 거쳐 불상이 비로소 등장한 것은 서력기원 전후 혹은 기원후 1세기경으로 받아들여지고 있다.

정화운동에 역할과 지원을 하였고, 또한 당시 여러 부파들로 나누어져 있었던 불교에 대해서도 분열로 인한 정통적인 불법의 훼손을 방지하고자 노력하였다.

제3차 결집은 인도 바이살리에서 열린 제2차 경전결집 후, 100년 정도 지나서 아소카왕의 후원아래 1,000여명의 불교대표들이 마우리아왕조의 수도인 파탈리푸트라(Pataliputra, 현재의 파트나)에 모여서 수개월에 걸쳐 논장論藏에 대하여 논하였다. 당시 아소카왕의 왕자인 마힌다가 3차 경전결집의 내용을 그대로 스리랑카로 전승하였다. 논장은 삼장 중에서 가장 늦게 이루어졌다. 논장(Abhidhamma Pitaka)은 경장經藏·율장律藏과는 달리 붓다가 직접 말씀하신 것이 아니라 제자나 위대한 불교학자의 저술을 집성한 것이다. 또한 논장은 체계적이고 철학적인 저술이 아니라 경장에 나오는 가르침을 체계적으로 분류해 치밀하게 학문적으로 다시 구성한 것이다. 이런 방식으로 논장은 요약집 또는 법수法數[34] 목록 형태로 정리되었으며, 이는 신비적인 경향이 강했던 사람들 사이에서 명상의 기초로 이용되기에 이르렀다. 이들은 동아시아에서 주로 신봉하는 대승불교의 반야경(지혜의 완성)계통 문헌에 이바지했다. 결국 논장에서 취급하는 주제는 윤

1. 인도 산치 제3탑
2. 아소카왕 석주

34 법수란 대장경 가운데 교리적으로 중요한 부분과 수행에 요긴한 부분을 숫자로 요약하여 정리하였으므로 칭하는 말이다. 예를 들면 二覺 : 깨달음의 두 종류. 二集 : 집착의 두 종류. 三寶 : 세 가지 보물이라는 말이니 능히 세상을 이롭게 하는 귀중한 것이므로 보물이라고 한다.

리학·심리학·인식론을 포함한다.[35)]

경전결집 역사상 1차결집과 2차결집은 단순히 경經과 율律의 결집이었다고 본다면 제3차 경전 결집은 새로운 논장의 결집과 더불어 당시 부파불교에 의해서 훼손되어 가던 부처님 말씀의 원래 뜻을 되살리기 위한 불교개혁운동이었다. 즉 2차결집에서는 700여 명의 장로들이 모여 승가(sangha)의 규칙에 관한 율장의 이론과 실천이 심도 있게 논의되었으며, 어떤 형태로 계율이 적용되고 완화되어 허용되어야 하는가의 여부가 제2차결집인 율장 재결집의 주요 논점이었다면 제3차결집은 목갈리풋타가 아소카왕의 명을 받아 천명의 승려를 선출하여 경經과 율律 이외에 론論을 결집한 것이다.

3차 경전 결집이후에 불교는 크게 두 갈래로 나뉘었다. 하나는 인도 대륙에서의 부파불교(대승불교적 입장)이고 또 다른 하나는 스리랑카로 전래된 3차경전 결집의 내용을 보존한 상좌부 전통의 불교(소승불교적 입장)이다. 다시 말하자면 인도대륙에서의 불교는 1세기 전후의 대승불교 발생과 부파불교와 대승의 치열한 교리 논쟁, 그리고 7세기경 밀교[36)] 등의 생성을 거치면서 끊임없는 갈등과 공존을 이어오다 소멸했다. 하지만 스리랑카로 전래된 불교는 이러한 인도의 불교 발전사와는 상관없이 독자적인 길을 걸었다. 흔히 지금 우리가 남방불교라고 하는 불교에는 대승불교의 흔적이나 대승경전 등이 없다.[37)] 이는 스리랑카 불교는 인도의 불교흥망사에 영향을 받지 않고 독자적인 발전을 해 왔다는 근거이다. 따라서 후대에 남방 상좌부 전통의 불교를 북방 대승불교가 너무 낡고 원칙적이며 편향되어 있다고 폄훼하여 소승불교라든가 또는 인도 부파불교의 한 종파에 불과하다는 식으로 해석하는 시각은 불교의 역사를 제대로 알지 못하는 것이다. 또한 대승불교나 인도 부파불교의 입장을 옹호하고 강변하기 위하여 소승을 의도적으로 편협하게 해석한 것이라 할 수 있겠다.

35 Daum 백과사전의 논장에 관한 해석을 참조함

36 7세기경 발생한 밀교는 근본을 중시하는 것보다는 실천을 위주로 한 대중 불교운동으로 중국으로 전해지고 우리나라를 거쳐 9세기경에 일본으로 건너갔다.

37 물론 스리랑카에서도 8세기 중반 아누라다푸라시대에는 대승불교의 중심지 역할을 한 적도 있다.

제3장

# 이민족의 스리랑카 침입과 민족적 갈등

아누라다푸라왕국의 설립과 타밀족의 침입
싱할라왕조의 두 번째 수도 폴로나루와
종족간의 대립과 불교의 쇠퇴
서구 열강들의 침탈과 전통문화의 파괴
캔디왕국의 설립과 서양인의 지배
1948년 해방과 민족적 갈등
싱할라족과 LTTE(타밀족 무장 단체)의 내전
인도의 개입과 실패, 2009년 전쟁의 종료

# 이민족의 스리랑카 침입과 민족적 갈등

## 아누라다푸라왕국의 설립과 타밀족의 침입

스리랑카는 남인도와 가까이 있어서 항상 큰 나라인 인도의 침략 대상이 되었다. 인도 남부의 촐라 지역에 자리했던 촐라왕국의 타밀족은 대표적인 남인도의 종족이었는데 기원전 3세기부터 스리랑카로 이주하기 시작하였다.

기원전 377년 Pandukabhaya왕에 의해서 설립된 아누라다푸라 왕국은 섬의 여러 세력들을 규합하여 영토가 넓게 확장되었고 유일한 최고 통치자로써 그 지위를 잃지 않았다. 또한 이후 인도에서 전래된 불교는 아누라다푸라 왕국의 문화, 법률 및 사회 전반에 걸쳐서 강력한 영향력을 발휘하였으며 미얀마, 태국, 캄보디아 등으로 전래되었다. 그럼에도 불구하고 스리랑카 최초의 왕국인 아누라다푸라 왕국은 타밀족의 침략을 여러 번 당하였다. 사실 타밀족과 같은 이민족의 침략을 받았을 뿐만 아니라 때로는 자신들의 왕권 계승 싸움에 용병으로 부리기도 하였고 후대에는 노동력을 빌려 쓰기도 하였다. 한때는 이들 용병대장이 반란을 일으켜 그들의 지배하에 있었던 적도 있었다. 동맹이나 혼인관계도 있었다. 사실 살생을 금하는 불교의 가르침으로 인해 싱할라족은 전투적인 군인을 양성하기 어려웠고 때문

■영국 식민지 시절 타밀족의 모습(출처 : http://if-blog.tistory.com/5095)

에 다른 종족이나 특히 타밀족 같은 용맹한 집단에게 의지할 수밖에 없었다. 그래서 타밀족을 시켜 자신을 지켜주고 자신들의 싸움을 대신하도록 했다.

역사적으로 기록된 첫 번째 침략은 기원전 3세기경에는 타밀족인 Sena와 Guttika(B.C. 237~215)장군이 아누라다푸라를 침입하여 Suratissa왕(B.C. 247~237)을 사살하고 스리랑카 북부의 넓은 지역을 22년간(B.C. 237~215) 지배하였다.[38] 이때는 불교를 받아들였던 군주 데바남삐야(Devanam piya, B.C. 307~267)왕의 죽음 이후였고 이들은 아누라다푸라 군대에 소속된 타밀출신 장군으로 반란을 일으킨 것이라는 이야기도 있다.

그러나 그 후 비자야왕조의 Asela왕(B.C. 215~205)은 타밀족의 침입자들을 물리치고 싱할라족의 왕국을 다시 세웠다.[39] 이후 다시 촐라왕국의 타밀족 왕자였던 Ellalan이 싱할라왕국을 정복하여 44년 동안(기원전 205~161) 스리랑카를 지배하였다. 그는 침입자이지만 스리랑카 역사상 정의롭고 현명한 군주로 알려지고 있다. 즉 불교 연대기에 의하면 이들 외국인 왕들은 국가를 공정하고 합법적으로 통치하였다고 기록하고 있다. 그러나 바로 후에 아누라다푸라왕국의 가장 용맹한 왕으로 알려진 Dutugamunu (B.C. 161~137)왕에 의해서 격퇴 당하고 Ellalan의 통치가 끝났다. 그는 오랜 전쟁을 통해 타밀 장군을 처단하고 처음으로 스리랑카 전 지역을 하나의 통치권 안에 두게 된다. 그러나 두투가무누의 후계자는 통일된 국가를 유지할 수 없었고, 불안정한 기간이 계속되었다.

아누라다푸라 왕국은 기원전 103년부터 89년까지 다시 다섯 명[40]의 인도 드라비다족 족장들에 의해서 침략당하였다. 이들은 기원전 89년 Valagamba 왕(103 B.C. 89~77)에 의해서 패퇴할 때까지 이 지역을 지배했다. 즉 기원전 103년 아누라다푸라 왕국의 Valagamba 왕이 등극한 지 몇 달 안 되어 타밀족의 침입을 받아 수도 아누라다푸라를 빼앗기고 도망을

38 네이버 지식백과, 스리랑카의 고대와 중세 역사(스리랑카 개황, 2010. 5, 외교부)
두산백과, 스리랑카의 역사 편, 스리랑카 역사 - 아주 명료해요|작성자 하샨떠 등에서 참조함.

39 위키피디아 참조
Chola invaders (237 BC~215 BC, 205 BC~161 BC)
- Sena and Guttika (237 BC~215 BC)
- Ellalan (205 BC~161 BC)

40 Pulahatta, Bahiya, Panya Mara, Pilaya Mara, Dathika 라는 족장들이다.

하게 되었다. 그 후 89년까지 14년간 미힌탈레의 담불라 석굴 등에서 망명 생활을 하면서 은밀히 힘을 키웠고 결국 왕국을 찾게 되었던 것이다. 그 후 사망할 때까지 12년간 왕위에 있었는데 자신의 망명생활을 도와준 부처님과 승려들에게 감사하는 뜻으로 이 담블라석굴 사원에 불상을 조성한 것이라고 한다.[41)]

41 http://blog.daum.net/snuljs/16501036에서 전재

42 다투세나 왕은 바위정상에 요새와 시기리야 도시를 건설한 자로 아들 카샤파에 의해 죽는다.

기원 후 65년 와써버(Vasabha, 66~110)가 싱할라족의 람버깐너 제1왕국(Lambakanna, 66~436)을 건립한다. 이 왕조는 4세기경까지 혁신적인 경작의 발전을 가져왔다. 특히 람버깐너 왕국의 마하센(Mahasena, 혹은 Mahasen. 재위 277~304)왕은 이후 스리랑카의 발전에 중요한 역할을 하는 큰 저수지와 관개수로 등 용수 시설을 건설한다. 그는 16개의 저수지를 건설하였지만 한편으로는 남방불교사원을 파괴하기도 하였다. 그러나 스리랑카 최고의 불탑인 제타바나 불탑을 건립하기도 하였다. 큰 저수지의 건설은 마하센왕과 더불어 다투세나(Dhatusena)왕[42)] 때(재위 455~473, 혹은 463~479)에도 이루어졌다. 당시 국민의 일상생활과 농경을 위해서는 물이 필요하였고 이를 위해서 저수지와 수로의 건설은 왕조의 가장 중요한 과업이었다.

담불라석굴

또 다른 침략은 432년 남인도로부터 판단족(Pandyan)이 쳐들어와서 람버깐너 왕국은 끝을 맺게 된다. 그러자 인도 드라비다족의 여섯 통치자들이[43] 아누라다푸라 지역을 463년까지 지배했다. 그러나 이들은 결국 몰래 힘을 키운 모리야왕조(Moryia, 463~691)의 다투세나왕에 의해서 패퇴하였다. 455년 다투쎄너(Datusena, 455~473)가 판단족을 물리치고 다시 스리랑카 왕국을 세우게 된다. 그러나 그의 아들 캇사파(Kassapa 473~491)가 아버지를 암살하고 정권을 잡자 왕국의 수도를 아누라다푸라에서 시기리야 바위요새로 옮겼다. 왕권계승의 법통인 형을 두려워 난공불락의 요새라고 생각한 시기리야로 옮긴 것이다. 그러나 형 모갈러너(Mogallana)는 타밀 용병의 도움으로 캇사파를 왕권에서 물러나게 하고 수도를 다시 아누라다푸라로 옮긴다. 이 사건에서 또다시 인도 타밀족의 영향력이 스리랑카의 주요한 부분에 그 힘을 보여준다. 스리랑카의 왕들은 적을 물리치는 일을 위해 타밀의 도움을 구했고, 남인도 용병들은 싱할라 땅, 스리랑카에서 중요한 역할을 자주 감당했다. 따라서 5세기~6세기 인도 남부 지방의 촐라왕조의 타밀족은 스리랑카 싱할라왕족의 내분으로 혼란스러운 틈을 타 자주 침입하면서 세력을 키워나갔고 결국 스리랑카 북부지역에 타밀족 왕국을 세웠다.

마지막 침략은 아누라다푸라왕국의 Mahinda 5세(1001~1017)의 통치 시기였는데 촐라족의 침략으로 아누라다푸라 왕국은 몰락하고 그들의 지배하에 들어갔다. 그러나 침략자들의 통치지역은 아누라다푸라 남쪽의 폴로나루와나 섬의 남부 루후나(Ruhuna)지역까지는 이르지 못하였다. 따라서 아누라다푸라왕국의 왕들은 왕권을 상실한 후에도 폴로나루와나 루후나지역 등에서 군대를 새롭게 조직하고 힘을 키워 영토를 회복하기 위하여 노력을 게을리 하지 않았다. 이러한 이유로 스리랑카 역사에서 Ruhuna지역은 인도의 침략자로부터 빼앗긴 땅을 되찾기 위한 저항운동의 거점으로 자리매김하고 있다.

43 그들은 Pandu, Parinda, Khudda Parinda, Tiritara, Dathiya, Pithiya 이다.

## 싱할라왕조의 두 번째 수도 폴로나루와

993년 인도 남부 타밀족의 황제 Rajaraja I세가 스리랑카를 침공하자 당시 아누라푸라 왕국의 왕이었던 Mahinda 5세는 남쪽으로 피신하였다. 역사서는 Mahinda 5세 당시, 왕국의 힘은 취약하였고 매우 빈곤하였으며 군인들에게 제대로 임금조차 줄 수 없는 상태였다고 기록하고 있다. 1017년 이러한 왕국의 취약한 상황으로 인하여 Rajaraja I세의 아들이었던 Rajendra I세는 대대적인 침략을 하였고 Mahinda 5세를 포로로 잡아서 인도로 데려갔다.[44]

위와 같이 싱할라족은 993~1070년경 촐라족에게 실론의 지배권을 빼앗겼으나 폴로나루와 시대(1070~1200년경)를 열었던 위자야바후(Vijaya bahu) 1세에 의해 다시 지배권을 되찾았다. 아누라다푸라를 파괴한 촐라족들은 폴로나루와에서 1070년 위자야바후 1세가 그들을 스리랑카에서 몰아내기 전까지 80년 가까운 기간 동안 다스리게 된다. 이때 아누라다푸라의 수많은 사원이 파괴되었을 뿐만 아니라 스리랑카의 승단이 절멸하는 사태가 벌어졌다.

위자야바후 1세는 폐허가 된 아누라다푸라에서 왕위에 올랐지만, 침략자를 몰아내고 아누라다푸라에서 촐라족에 의해 세워진 폴로나루와로 도읍을 옮겨 싱할라족의 두 번째 수도를 세우게 된다. 폴로나루와는 인도로부터 더 멀고, 방어하기에 좋은 지역에 위치해 있기 때문이었다. 이런 일로 1300여 년의 아누라다푸라 시대는 종말을 고하였다. 옮겨진 수도에서 싱할라족의 마지막 황금시대를 열었던 것이다. 특히 불교적 기준을 통해 혼란해진 국가의 질서를 바로 잡고자 했다. 그러기 위해서는 무엇보다도 쇠락한 불교의 재건이 시급했다. 그는 스리랑카가 과거에 불교를 전해주었던 미얀마의 수도 바간에 사절단을 파견하여 스님과 경전을 보내 줄 것을 요청했고 미얀마는 이러한 요청을 받아들여 스리랑카불교 재건에 힘을 보탰다. 스리랑카가 전해 주었던 법등法燈이 다시 돌아와 쇠락해있던 스리랑카의 불교를 부흥시킨 뜻 깊은 교류였다.[45] 아누라다푸라가 기원전에 이루어진 고대도시로 부분적으로는 근대에 복원이 이루어진 유적지라면 폴로나루와는 아누라다푸라

44 세상사는 이야기(56), 신성도시 아누라다푸라

45 진흙속의 연꽃, 싱할라왕조의 두 번째 수도 폴로나루와 (http://blog.daum.net/bolee591/12097449)

■빠라끄라마바후 1세 立像

이후의 도읍지로 비교적 당시의 유적이 잘 보존된 곳이라 할 수 있다.

두 번째 수도인 폴로나루와를 세운 위자야바후의 손자로 왕위 후계자인 빠라끄라마바후 1세(Parakramabahu, 1153~1186)는 스리랑카 역사에 있어 가장 훌륭한 군주이다.

그는 수많은 사원과 거대한 저수지[46] 등을 건립하고 스리랑카의 경제를 새롭게 정비했으며, 폴로나루와를 서남아시아에서 가장 훌륭한 도시 중 하나로 바꾸었다. 타밀족의 한 왕조인 판다족(Pandyan)[47]을 공격하고 동쪽의 미얀마를 공격하기 위해 해군을 보내기도 했다. 빠라끄라마바후 이후 왕좌는 그의 타밀족 처남인 니쌍꺼말러(Nisankamalla, 1186~1196)에게 넘겨졌고 남인도의 영향력은 다시 늘어났다. 그러나 니쌍꺼말러는 폴로나루와에서 마지막 왕이 되었다. 많은 건물을 건설하고 싶은 그의 욕심과 빠라끄라마바후의 전쟁 자금으로 인해 바닥이 나 있던 나라의 재산은 파산위기에 이르렀다. 특히 그는 후계자를 지목하지 않고 죽자 나라가 혼란에 빠졌다. 약한 왕들의 통치는 1212년까지 계속 되었고, 판다족의 침입이 다시 시작되었다. 판다족은 스리랑카에서 3년 동안 정권을 잡았고, 그 후 남인도의 폭군 마가(Magha, 1215~1255)가 왕위에 올랐다. 그는 무서운 통치를 행하였으며, 왕국의 관개시설을 조금씩 황폐하게 만들었다. 마가왕의 통치로 폴

46 바라크라마 사무드라가 대표적인 저수지이다. 빠라끄라마 바후의 이름을 딴 것이고 사무드라는 싱할라어로 바다를 뜻하는데 저수지이지만 바다처럼 넓다는 의미이다.

47 인도 타밀족은 세 왕조로 이루어졌는데 이들은 Chola, Chera 그리고 Pandya 족이다.

로나루와가 혼란에 빠져있을 때, 싱할라족의 백성들은 그의 통치가 미치지 않는 곳을 찾아 폴로나루와를 떠나 서서히 남쪽으로 옮겨가기 시작했다.[48] 폴로나루와에서 서남쪽으로 118㎞ 정도 떨어진 담바데니야(Dambadeniya)에 새로운 수도로 세우고 위자야바후(Vijayabahu) 3세를 왕으로 세운다. 위자야바후 3세의 후계자 빠라끄라마바후 2세(1236~1270)는 판다족의 힘을 빌러 마가왕을 몰아낸다. 그러나 그 후로도 다른 종족간의 전쟁은 반복되어 정치적인 불안이 계속되어 진다.

그 후에는 간헐적으로 14, 15세기에 각각 인도·중국·말라야의 침략이 있었다. 그러나 인도 남부 타밀인의 침입으로 캔디로 천도하게 되고 혼란기를 맞는다. 16세기부터 포르투갈의 지배를 받기 시작하여 이어서 네덜란드의 지배를 받게 되었고 결국은 영국의 식민지가 되었다.

## 종족간의 대립과 불교의 쇠퇴

이처럼 중세에 들어서 특히 스리랑카 종족인 싱할라족과 인도 종족인 타밀족간의 대립이 더욱 심해졌다. 북부지역에 자리 잡은 타밀족은 힌두교를 믿으며 불교를 신봉하는 싱할라족과는 전혀 다른 문화와 관습을 유지하였다. 불교적인 삶을 유지하고 살아가고 있는 싱할라족과 이민족으로서 전투적인 타밀족은 그 기본이 다를 수밖에 없었다. 게다가 폭정으로 백성들이 힘들고 농업이 황폐해져 새로운 곳을 찾아 옮겨 갈 수밖에 없었다. 더불어서 불교국가에서 가장 성스러운 경배의 대상인 불치佛齒가 자연스럽게 이전되어 이를 따르는 경우가 발생하게 되었다. 즉 폴로나루와에서 캔디로 옮기듯이 수도를 바꾸면서 불치도 이동하게 된 것이다.

스리랑카 안에서 인구이동이 일어나고 건조한 지역에 물 공급을 위해 설치되었던 댐 시설은 전쟁으로 파손되고 수리하지 않아 노후화되었다. 그러자 북쪽 지역의 수로가 마르고 농사를 지을 수 있는 지역이 줄어들었다. 수도는 경제적인 목적보다는 외세 침입을 막기 위한 목적으로 정해지게 되었다. 관개시설과 농업생산이 저조해지면서 세금이 줄어들고 중앙집권 통제도 약해지게 되었다. 따라서 자연스럽게 남쪽 지역으로의 이주하게 되었고

48 스리랑카 프로젝트협회, 스리랑카 역사, 스리랑카 역사 – 아주 명료해요(작성자 : 하샨떠)

이주자들은 다른 기후와 지형에 적응하고 적절한 농업기술을 개발하였다. 쌀농사는 여전히 중요하게 여겨졌지만 충분히 생산되지 못했다. 관개시설의 부족으로 인해 농사는 강우량이 많은 지역이나 또 다른 작물을 경작하기 위해 산악 위로 옮겨가게 되었다. 따라서 높은 지형이나 연안 습지에서 자라는 코코넛도 중요한 작물이 되었다. 물론 서구의 열강들이 침입한 후에는 후추를 비롯한 향신료, 계피와 커피, 차를 비롯한 유럽인들의 기호식품으로 옮겨가게 되었다.

이런 경제적인 변화 또한 스리랑카 불교에 큰 영향을 주었다. 국민 대중들의 소득은 줄어들었고, 사원에 지급되었던 지원 또한 줄어들었다. 왕들은 불교의 보호자 역할을 계속 해왔으나 그들의 경제적 어려움으로 불교집단은 그 동안 누리던 여유로움을 더 이상 누리지 못하게 됐다. 아누라다푸라와 폴로나루와의 불교 수도원들이 해체되었고, 새로운 수도를 중심으로 새로운 불교기관들이 설립되었지만 그들은 과거의 장엄함에는 미치지 못했다. 불교집단의 결속력이 부족함을 틈타 불교 기관에 새로운 힌두의 영향력이 스며들게 되었다. 싱할라족의 지도계급과 타밀귀족(남인도 브라만)들의 접촉이 빈번해지면서 힌두신들이 불교교리와 축제에서 중요한 자리를 차지하게 되었다.[49] 즉 스리랑카에서도 인도와 마찬가지로 불교의 약화로 인하여 불교와 힌두의 습합이 적절한 선에서 이루어지게 된 것이다. 이러한 모습은 현존하는 불교사원에 가면 쉽게 힌두교의 유물들이 함께 자리하고 있음을 확인할 수 있다.

## 서구 열강들의 침탈과 전통문화의 파괴

고대부터 지속적으로 스리랑카는 민족으로는 인도 남부지방에서 온 타밀족과 스리랑카 고유의 싱할라족, 종교적으로는 힌두와 불교가 쟁패하거나 공존하는 과정을 거치면서 살아왔다. 조용히 숨은 듯 자리하고 있는 조그만 섬나라 스리랑카에도 15세기경 서양의 무역 강국인 포르투갈인들이 상륙하였다. 이때 스리랑카에는 자프나(Jaffna)왕국과 판

49 스리랑카프로젝트협회, 스리랑카 역사 (작성자 : 하샨떠)

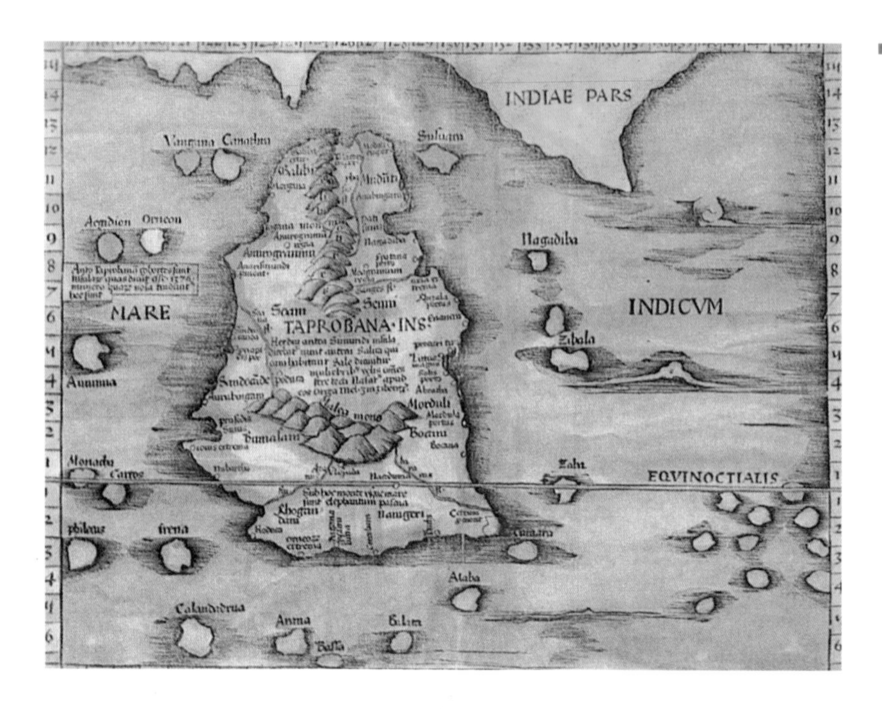


15세기 후반~16세기 초반의 스리랑카 지도(스리랑카는 Taprobane (CEYLON 섬의 그리스·라틴 어명)으로도 불렸다.(출처 : The Cultural Triangle p.14)

다(Pandyan)왕국, 그리고 코테(Kotte)왕국 등 몇몇의 왕조들이 건립되었다 사라지는 과정에 있었다. 당시 대부분 왕국은 그들이 중심적으로 살았던 도시를 다른 곳으로 옮겨 가곤 하였다. 이럴 즈음 포르투갈을 비롯한 서양인들이 무역을 위하여 자연스럽게 드나들게 되었고 이권과 약점을 이용하여 스리랑카에 대한 지배적 위치를 점하였다. 그러나 나약한 스리랑카는 어쩔 수 없이 16세기부터는 유럽열강들의 침입이 시작되어 국권을 빼앗기고 식민지 통치하에 들어갔다. 1505년부터 1658년까지 포르투갈의 지배를 받았고, 1658년부터 1796년까지는 네덜란드의 지배를 받았으며, 1815년부터 영국의 식민지로 있다가 1948년 독립했다. 이처럼 스리랑카는 440년간 서구 열강의 식민지 통치를 받으면서 과거의 찬란했던 불교문화와 전통은 파괴되었고 민족적 자존은 짓밟혔다.

스리랑카는 이미 서양인들이 들어오기 전 10세기경에 아랍과의 무역을 열었다. 당시 아랍인들은 세계 최고의 문명국임과 동시에 무역국이었다. 그 당시 세계의 중심도시였던 바그다드를 기준삼아 볼 때 서쪽으로는 유럽 일부와 서아프리카, 남쪽으로는 인도와 동남아시아, 북쪽으로는 러시아 일부와 중앙아시아, 동쪽으로는 중국, 한국, 몽골 등이 자리하고 있었다. 이러한 무역 과정에서 아프리카 일부, 중앙아시아, 동남아 일부와 인도네시아, 중앙아시아의 대중종교가 이슬람이 되었다. 따라서 자연스럽게 스리랑카와 10세기부터 무역을 해왔고, 나중에 수도인 콜롬보가 된 Kolamba(현재 콜롬보의 씽할러 이름)를 포함한 해안가에 정착했다. 그들은 이슬람교를 스리랑카에 소개하였고 스리랑카의 계피를 비롯한 다른 향신료를 좋은 가격으로 서양시장에 수출했다.

이후 스리랑카에서 생산된 산물의 무역 가능성은 곧 다른 지역의 관심을 끌었다. 1497년 포르투갈의 항해사 바스코 다 가마가 아프리카의 최남단 희망봉을 돌아 인도로 가는 항로를 개척하여 유럽선원들에게 인도양을 열어주었다. 이런 까닭에 제일 먼저 1505년에는 포르투갈 함대가 세일론에 도착하였고 해안지역 일부를 점령하여 요새를 세우고 교역 허가권을 얻어냈다. 포르투갈인들이 상륙했을 때 스리랑카는 코테왕국이었는데 서양의 이국적인 것에 매력을 느낀 코테왕국의 왕이나 귀족은 그들을 환대하였다. 특히 그들은 포르투갈인들을 '경주하는 사람, 부츠를 신고 철 모자를 쓰고 하얀 돌(빵)을 먹고, 피(와인)를 마시는 사람' 이라고 묘사했다. 당시에는 향신료가 중요한 수출품이었고 서남쪽 숲에서 발견된 계피가 14세기에 처음으로 수출되었다. 후추와 다른 향신료들도 따라서 수출되었다. 이

■갈레 항구 등대

수출과 수출품, 모든 것들은 왕가의 독점물이었고 그로 인하여 왕가는 엄청난 수익을 얻게 되었다.

1619년 포르투갈은 코테왕국에 이어서 자프나 왕국을 성공적으로 합병했다. 또한 콜롬보와 갈레(Galle), 다른 서남쪽 바닷가 지역은 중요한 항구로 발달했으며 이 도시들은 무역의 중심지가 되었다. 이런 이유로 외국 군주와 무역상들이 스리랑카에 관심을 갖게 되었고 지금도 서양식 도시구조와 해안의 성을 비롯한 다양한 시설은 당시의 모습을 보여주고 있다. 그 후 포르투갈인들은 스리랑카의 정치적 분쟁을 이용해서 왕들과 여러 가지 동맹을 맺었으며, 가능한 한 자신들에게 우호적인 사람을 왕위에 앉히고자 노력하였다. 이처럼 적극적인 침략과 정치적 행동을 통해 결국 1619년 이후 포르투갈은 중앙부 고산지대인 캔디를 제외한 섬의 대부분을 지배하게 되었고 계속 스리랑카에 머물며 통치했다.

포르투갈은 스리랑카의 계급제도, 조세제도를 유지하고 포르투갈에게 충성하는 씽할라족 귀족들을 지방관리로 세웠다. 뿐만 아니라 씽할라 왕에게 돌아갔던 조세는 포르투갈에게 주어졌고 스리랑카인들은 코끼리, 계피, 후추 등 그들의 무역에 대한 조세를 내야했다. 스리랑카 백성들에게 조세의 짐이 무겁게 지워졌으며 포르투갈은 로마 가톨릭 선교사업을 벌였다. 종교적 선교와 더불어 불교와 힌두사원에 냈던 성금을 가톨릭 교회에도 요구하게 되었다. 1543년 프란시스카 수도회 신부들이 스리랑카에 들어왔고, 뒤이어 예수회, 도미니칸, 어거스틴 수도회 신부들이 도착했다. 국가의 지배자들은 기독교를 수용하고 포르투갈 성(이름)을 사용해야했다. 지금도 이러한 흔적이 보이는데, 포르투갈의 성을 사용하고 가톨릭을 믿는 자들이 있음은 포르투갈이 지배했던 증거인 것이다.

## 캔디왕국의 설립과 서양인의 지배

스리랑카의 중부지방 고지대에 자리한 캔디왕국은 아누라다푸라와 폴로나루와에 이어 1480년경에 처음으로 왕국의 수도가 되었다. 캔디왕국의 기원은 13세기 초 싱할라족이 타밀족의 침입에 대응하기 위하여 남쪽으로 내려오면서 형성된 섬 중앙의 외지고 험한 언덕에 자리하였다. 포르투갈 인들이 도착할 무렵 캔디는 코테, 자프나왕국과 함께 섬의 중요한 세 왕국으로 발전했다. 1592년부터 영국이 캔디의 마지막 왕을 몰아낼 때(1815년)까지, 포르투갈과 네덜란드가 잠시 점령했을 때를 제외하고 유럽 식민지 시대에도 캔디는 계속 독립을 고수하였다. 즉 캔디는 15세기에 건설된 고도古都로 18세기까지 싱할라왕조의 수도였으며 유럽의 영향을 받지 않은 채 전통적인 면모를 간직하고 있다. 이처럼 캔디 왕국은 그들만의 독립된 왕조를 이어갔지만 스리랑카민족의 자주권을 앗아간 포르투갈인들을 내쫓기 위해 1602년에는 네덜란드인들을 끌어들였다. 그러한 의도에도 불구하고 스리랑카는 오히려 네덜란드 동인도회사의 지배를 받게 되었다. 이러한 네덜란드의 지배는 다시 영국으로 지배권이 넘어가기 전(1796)까지 이어졌다. 당시 독일도 해안에 자리 잡고 있었다. 이처럼 스리랑카는 오랜 세월 동안 호시탐탐 넘보는 등 많은 강대국들의 침략과 통치를 받았으며, 1795년에는 영국이 네덜란드를 굴복시킴으로 마지막으로 스리랑카를 지배하게 되었다.

네덜란드인들은 자신들의 종교로 스리랑카인들의 영원을 구원하는 일보다는 무역이나 사업을 통해 돈을 버는 일에 더 많은 관심을 가졌다. 하지만 네덜란드의 스리랑카에 대한 초기 지배의 상황을 보면 포르투갈로부터 구교를 소개받았던 스리랑카에 신교를 펼치려고 노력한 흔적이 보인다. 이는 네덜란드가 신교를 믿기 때문이었다. 로마 가톨릭이 불법이라고 선포되었고 그들의 신부들은 스리랑카에서 추방되었다. 네덜란드의 캘빈 신교는 가톨릭 교회들을 차지하였고 많은 싱할라인들과 타밀인, 그리고 가톨릭신자들은 개신교로 개종하게 되었다. 그러는 동안 네덜란드는 이웃 나라들과 무역을 늘여갔으며 계피, 코끼리, 진주, 견과류 등의 시장을 독점하였다.

네덜란드의 영향력은 스리랑카의 문화와 요리법, 건축물 등에서 나타난다. 네덜란드 인들은 유명한 람프라이스(lamprais) 음식을 개발했다. 람프라이스란 밥이나 향신료를 넣어 요리한 가지와 요리, 채소 피클 등을 바나나 잎에 싸서 찐 요리를 말한다.

그런데 인도의 고대기록에 커리(curry, 소위 카레)가 등장하고 커리가

■람프라이스(출처 : www.katkacestuje.cz)

인도에서 널리 음식으로 이용되고 있을 뿐만 아니라 인도에서 서양으로 전래되었기 때문에 오히려 그 반대일 수도 있다. 즉 인도에서 서양으로 갔다가 다시 스리랑카로 왔다고 볼 수도 있다. 또한 네덜란드인들은 그들의 동쪽 식민지 인도네시아에서 동남아의 과일 두리안, 망고스틴, 람부탄, 싱가폴의 전통의상인 사롱, 인도네시아 직물의 백미라 할 수 있는 바틱 예술을 가져왔고 이를 스리랑카에 소개하였다.

마지막으로 스리랑카를 지배한 서양인은 영국이었다. 1789년 프랑스 혁명은 유럽사회의 국가 간 권력구조에 큰 변화를 주었다. 유럽의 패권은 혼란으로 힘을 잃은 프랑스에서 영국으로 돌아갔다. 스리랑카는 유럽의 영향력을 지닌 영국과 이를 잃어버린 프랑스 사이의 조약으로 인해 영국에 양도되었다. 그 이후 1794년 영국의 동인도 회사가 스리랑카에 왔다. 외부적으로 영국은 프랑스로부터 네덜란드의 영토를 보호한다는 명목이었지만 영국은 얼마 지나지 않아 스리랑카의 상업적 가치에 매력을 느끼게 되었고 결국 스리랑카는 1802년에 영국의 직할식민지가 되기 시작하였다. 그 후 1815년 캔디에 근거를 둔 싱할라왕조가 영국에 귀속되면서 스리랑카 전역은 영국의 식민지가 되었다. 영국은 식민지 지배를 원활하게 하기 위해 싱할라족들의 지지를 끌어들이려 했었다. 그러나 싱할라족들은 침략자인 영국에 격렬히 저항했고 결국 싱할라족의 지지를 얻어내는데 실패한 영국은 대신 소수의 타밀족들의 지지를 끌어들였다. 즉 소수민족인 타밀족을 이용한 싱할라족의 고립과 스리랑카의 지배를 의도한 것이었다.

그럼에도 불구하고 영국의 지배는 스리랑카에 서구문화를 소개하는 데 일조하는 아이러니였다. 영국 식민지 시절 통신시설, 의료시설 등이 발달하게 되었으며 영국인들은 노예제도를 폐지시키고 현지인 사법기관을 줄였으며 월급을 현금으로 주었다. 계피, 후추, 사탕수수, 면화, 커피, 코코넛 등의 농업은 장려되었고 흥행했다. 영어는 사무용 공식언어가 되었고 영어로 수업을 하는 학교가 늘어났다. 게다가 모든 종류의 독점을 폐지시켰다. 기독교 선교와 유럽인의 땅 소유가 늘어났다. 왕의 땅은 새로운 농작물의 재배를 권장하기 위해 싼 가격에 팔렸다. 커피재배를 위해 새로운 도로, 철도, 항구 등이 건설되고 남인도로부터 많은 노동자들의 이주하게 되었다. 게다가 영국은 인도 남부지역에서 살고 있던 타밀족들을 차밭 노동인력으로 끌어와 이주시켜 상대적으로 일자리를 잃은 싱할라족의 분노는 더욱 커졌다. 1843년부터 1859년까지 거의 백만명의 타밀족 노동자가 이주했다. 이러한 노동자들의 이주는 노동력의 조달이라는 명분 이외에도 영국이 싱할라족과 타밀족 사이에 대립과 분열을 부채질하여 스리랑카를 지배하고자 하는 의도도 다분히 내재되어 있었다.

그러한 와중에도 다행히 1830년부터는 잎마름병으로 농장이 황폐해질 때까지 커피 산업의 눈부신 성장을 중심으로 경제가 발전했다. 하지만 1870년대 커피 생산은 치명적인 잎 질병으로 인해 실패하게 된다. 그 후 1880년대에 차 재배실험에 성공한 후 곧 차가 커피 재배를 대체하는 농장 재배작물이 되었다. 즉 중국과 인도에서 생산되어 유럽, 특히 영국으로 수출되었던 홍차가 소개되었고 차 생산은 스리랑카의 루와라엘리야를 비롯한 중앙 고산지대를 중심으로 급속히 퍼져나갔다. 커피를 대체하는 작물이 차가 된 것은 중국으로부터 너무 많은 차를 수입한 나머지 경제적인 타격을 입은 영국이 차 생산지를 찾는 의도적인 경제정책이었다. 이러한 일련의 차와 관련한 일들은 차 무역의 적자를 줄이기 위한 영국과 중국 사이에 아편전쟁이 발발하였고, 미국 보스턴에서 차 사건이 일어나 결국 미국이 독립하는 역사적 사건으로 이어진다. 아무튼 스리랑카는 우바와 루와라엘리야, 캔디 지역을 중심으로 천혜의 차 생산지가 되었고 이후 지속적으로 발전한 차 산업은 실론 티라는 명품을 낳은 세계적인 차 생산국이 되게 하였다.

## 1948년 해방과 민족적 갈등

세계의 여느 나라와 마찬가지로 20세기 초 스리랑카에서도 민족주의가 종교·사회·교육 부문에서 일기 시작하였다. 한편, 고대 유적 발굴 등에 따른 불교문화의 르네상스가 싱할라족 사이에서 일어났으며, 인도 민족운동의 발전에 영향을 받아 독립운동이 활발히 전개되었다. 1919년 실론 국민의회를 통해 그간 두 종족 사이에 갈등이 심했던 싱할라족과 타밀족이 연합했으며, 영국은 이들의 민족주의적 요구를 충족시켜주기 위해 1920년 잇따라 헌법을 공포하였다. 1931년 새로운 헌법 개정으로 스리랑카인들이 정치뿐만 아니라 입법에도 참여할 수 있게 되었다. 게다가 새로운 헌법은 보편적인 민주 선거권을 부여했다. 처음으로 모든 스리랑카인들이 정치에 참여할 수 있는 기회를 가진 것이다.

결국 제2차 세계대전 후 영국도 세계적인 민족해방운동을 이겨내지 못하고 마침내 스리랑카의 독립을 인정하였다. 1948년 2월 쎄나나여꺼(Sennanayake)가 지휘하는 UNP(통일국민당, United National Party)가 권력을 물려받고 독립을 이루어냈다. UNP는 보수적인 집단으로 식민지 시대에 영어로 교육받은 리더들과 민족 언어학자들로 구성되었다. 외부적으로 그들은 스리랑카의 민족주의와 의회 민주주의, 그리고 지속적인 경제성장이라는 공동의 주제로 결합되었다.

영국으로부터 독립 초기에는 세계시장에 수출이 늘어나는 등 스리랑카 경제에 많은 이익이 발생하였다. 하지만 정치적 지배집단에서 영국식 교육을 받은 엘리트들의 인식이나 주장이 부각되면서 그들의 이데올로기가 스리랑카에 적합하지는 않게 되자 충돌이 자주 생겼다. 학교 교육이 늘어나면서 교육받은 사람들도 실업률이 늘어났다. 게다가 세계시장에서 고무, 차 가격이 폭락하고 수입하던 식량의 가격이 상승해서 경제적인 어려움이 생겼다.[50)]

따라서 스리랑카에 평화와 정치적, 경제적 안정은 쉽게 이루어지지 않았

50 Daum백과사전, 스리랑카한인회 홈페이지. 스리랑카 역사(작성자 : 하샨떠) 참조함.

다. 그 이유는 민족적 갈등이 뿌리 깊었고 세계시장이 어려울 뿐만 아니라 1차산업 중심의 경제체제는 쉽게 국민의 생활을 윤택하게 할 수 없었기 때문이다. 특히 과거 인도 남부지방으로부터 왔던 수많은 타밀 노동자들도 해방 이후 UNP에 의해 갑작스런 자유를 찾게 되었음에도 불구하고 쎄나나여꺼 정부는 수백년 동안 살았던 타밀노동자들을 외국인으로 구분하여 인도로 송환하려고 했다. 독립 과정에서 주요한 권력들은 다수 싱할라족들이 장악하였고 소수 타밀족들에 대한 차별정책을 펼쳤다. 또한 싱할라족들은 타밀족들에게 타밀어 사용을 금지하고 싱할라어 사용을 강요하는 한편, 군대와 경찰, 장관 역시 타밀족들이 자리하는 것을 법으로 금지하였다. 게다가 이스라엘이 팔레스타인에 유대인 정착촌을 세우듯이 타밀족들이 거주하는 섬 북동부지역에 싱할라족들을 대거 이주시켜 타밀족 마을을 파괴하고 싱할라족 정착촌을 세웠다. 심지어 교육정책에서도 인구비례를 적용해 타밀족들을 억압하였다. 이러한 결과 두 민족 간의 감정은 더욱 나빠질 수밖에 없었다.

1956년 총선거에서는 자본가와 지주계층을 기반으로 한 통일국민당(UNP) 대신 농민과 중산계층에 뿌리를 둔 스리랑카 자유당(SLEP)을 중심으로 구성된 연합전선이 정권을 잡았다. 새로운 정부는 즉시 나라의 정치적인 분위기를 바꾸어갔고 민주화를 추진하였다. 싱할라어를 공식언어로 지정하고 영국이 남기고 간 기독교 문화에 대항하여 불교와 싱할라 전통문화의 계승과 발전을 시도하였다. 그러나 그들의 언어정책 역시 소수민족의 언어인 타밀어를 소외시켰고, 교육정책은 영향력 있는 기독교 공동체와 충돌을 일으켰다. 결국 이러한 새로운 정책들은 불행하게도 인종과 종교적인 영역에서 갈등을 증폭시켰다. 개혁이 추진됨에 따라 스리랑카는 처음으로 인종 폭동을 겪게 되었다. 타밀족은 콜롬보지역과 싱할러인들이 살고 있던 지역에서 쫓겨났고, 반면 싱할러인들은 북쪽과 동쪽 타밀지역에서 쫓겨났다. 이러한 심각한 민족적 갈등 속에서 1959년 9월 자유당의 리더이며 총리인 반다라나이케는 타밀과 대화를 시도했으나 불교 승려들에 의해 암살되었다.

총리의 사망 이후 반다라나이케의 미망인(Mrs Bandaranaike)가 그의 자리를 이었다. 그녀는 계속해서 싱할라 민족주의를 위한 정책들을 이행해

갔다. 모든 사립학교들은 기독교적인 영향력을 제거하기 위해 중립화되었고 중요한 국가사업들도 국유화되었다. 또한 그녀 역시 그 동안의 정책과 같이 50만 명의 타밀 노동자들을 인도로 추방했다.

그러나 이러한 민족주의적 정책이 문제가 있음을 인식한 그녀는 1960년의 총선거에서 세계 최초의 여성 총리가 되어, 인도계 타밀인에게도 시민권을 부여함으로써 민족대립을 해소하려고 하였다. 또한 사기업 폐지와 민족주의를 위한 사업을 증진시키는 반면 사회 불평등을 타파하는 정책 등을 시도하였다. 그러나 여전히 경제 정세는 호전되지 않았으며, 1966년 12월에는 식량위기로 인해 비상사태가 선포되었다. 1970년 5월의 하원 총선거에서 2/3 이상의 의석을 차지하고, 반다라나이케 부인을 다시 총리로 하는 통일전선 정부가 형성되었다. 이 정부는 1971년에 상원을 폐지하고 1972년 5월 제헌국회에서 새 헌법을 채택, 스리랑카 공화국의 성립을 선포하였다. 이때 국호도 타밀어인 실론에서 싱할라어인 스리랑카로 변경되었다.

이러한 다양한 변화들이 있었음에도 불구하고 스리랑카가 지니고 있는 기본적인 문제를 해결하지는 못했다. 스리랑카의 청년들은 무역적자나 경제문제를 비롯한 근본적인 변화를 요구했고 극단적인 좌익활동과 타밀을 반대하는 민중 해방전선 JVP(Janatha Vimukthi Peramuna)를 결성하여 적극적으로 나타내기 시작하였다. 1971년 JVP는 당시의 정부를 무너뜨리기 위해 반란을 시도했으나 군대에 의해 쉽게 진압되었다. 수천명의 학생들이 목숨을 잃었다. 그러는 동안 스리랑카의 경제는 계속해서 하락했고 정부는 막대한 권력을 남용했다. 반다라나이케 여사는 그녀의 민족주의적 정책을 계속 시행했고 차밭지역과 사유 농작지를 탈취했다. 그럼에도 불구하고 1977년 실업률이 50%까지 상승했다.

## 싱할라족과 LTTE(타밀족 무장 단체)의 내전[51]

인도 아래 조그만 섬나라 스리랑카에는 인도 남부지역에서 살다가 건너 온 타밀족과 인도 북부에서 건너온 아리안족 계통의 싱할라족들이 살고 있었다. 세계사에서 인접한 국가들이 거의 대부분 갈등과

51 위키백과, 「스리랑카 내전」, 「스리랑카의 고난의 역사」(작성자 : 진실된 사람)과 「스리랑카 역사」(작성자 : 하샨떠), 스리랑카한인회 홈페이지, 스리랑카프로젝트협회 등을 중심으로 재 작성함.

분쟁이 있는 것처럼 당연히 이 나라도 두 종족 간에 분쟁이 계속되었다. 인구의 70%가 넘는 싱할라족과 소수의 타밀족으로 구성된 스리랑카는 고대로부터 현대까지 뿌리 깊은 갈등과 분쟁이 지속적으로 이어졌다. 기원전 6세기경에 인도의 남부 촐라지역에서 이주를 시작해서 어떤 경우는 스리랑카를 괴롭히는 강국의 입장에서 침략을 했고, 혹은 스리랑카의 왕족을 도우는 용병으로 요청을 받았다. 그러다가 근대사회에 들어서면서 서양인들이 스리랑카를 지배하였을 시기에는 스리랑카인을 대신하는 노동자로 이주해 왔었다. 특히 영국의 자본으로 운영된 회사들은 인도로부터 타밀족 노동자를 이주시켜 농업과 산업제품을 생산시켰는데 이런 까닭에 고대사회로부터 이어져온 싱할라족과 타밀족 사이에서 종교적이고 민족적인 대립뿐만 아니라 자리다툼과 일자리 다툼으로 갈등이 더욱 심각해졌다. 따라서 독립된 스리랑카 정부는 타밀족들을 외국인으로 구분해 인도로 송환하려고 하였다. 스리랑카에서 오랜 세월 동안 살았던 타밀족들은 이주인으로서가 아니라 스리랑카 정주민으로서 그들의 권리를 위해 싸우게 되었고 그 이후에도 최근까지 극심한 갈등을 겪었다.

두 종족간의 분쟁은 여러 가지 요인에서 비롯되었다. 우선 두 종족이 종교가 달라 기본적으로 상황인식이 같지 않았다. 타밀족들은 인도의 힌두교를 믿으며 불교를 신봉하는 싱할라족들에게 때로는 싸우면서 때로는 돕고 함께 공존하면서 살아 왔으며 불안정한 평화를 유지했다. 그러나 고대 사회에서는 전투적인 타밀족과 온순한 싱할라족의 민족적 기질과 입장이 뿌리로부터 달라 더욱 갈등이 심화된 것이다.

그러다가 서구 열강들이 무역의 대상지로 혹은 식민지로 개척함에 따라 스리랑카도 속박과 억압에서 여유로운 상황이 아니었고 두 민족이 더욱 분쟁의 수렁에 빠지게 되었다. 어떤 경우는 오히려 제 삼자인 서양의 나라들이 부추기고 이들의 싸움을 이용하기도 하였다. 고대로부터 두 민족 간의 갈등이 끊임없이 지속되었지만 현대에 들어와서는 더욱 심화되고 집단적으로 나타난 것이다. 특히 1970년대 초반에 스리랑카 대학에서 타밀인을 반 이상 줄이는 법 개정으로부터 시작된다. 그 후 1972년 새로운 법 개정에서 불교를 스리랑카의 주된 종교로 지정한 것이 갈등을 더욱 증폭시켰다. 이런 법 개정들이 타밀인들의 사회적인 불안을 자극했고 스리랑카의 북쪽 지역은 몇 년 동안 소요사태가 지속된다. 또한 특별히 싱할라어를 말하는 사람만 관공서에서 일할 수 있게 한 법이 경찰과 군인들의 소요사태를 강화시켰다.

이런 까닭에 1970년대 중반 타밀 청년들이 폭력투쟁을 이어갔고 폭력적인 무력투쟁으로 스리랑카로부터 분리 독립하여 타밀족 독립 국가를 건설해야 한다는 강경 세력들이 득세하기 시작했다. 그들은 엘람(Eelam, 소중한 땅)이라고 불리는 타밀주로 분리 독립할 것을 호소했다. 타밀인들의 주된 거주지는 스리랑카 북쪽과 동쪽 정글 지역에 세워졌다. 가장 강한 그룹은 타밀 무장단체인 타밀 엘람 해방호랑이(LTTE : The Liberation Tigers of Tamil Eelam)인데 보통 Tamil Tigers로 알려졌다. 1976년에는 무력을 통한 타밀족 독립 국가건설을 주창하는 급진적 타밀족 강경 인사들이 LTTE라는 이름의 반정부 게릴라 단체를 결성했다. LTTE는 인도 타밀족들의 자금 지원과 소련과 동유럽 공산국가의 무기 및 군사고문단의 지원을 받으며 게릴라전과 폭탄테러 등으로 스리랑카 정부청사와 경찰서 등을 공격하였다.

그 후 이러한 민족문제를 해결하기 위한 노력으로 타밀지역에서 타밀어를 공식어로 인정하는 부분적인 양해와 개혁에도 불구하고 폭동은 타밀인들이 주로 정착해 있는 북쪽지역에서 계속해서로 일어났다. 그러던 1983년 7월 여름 LTTE는 스리랑카 북부 자프나 반도를 순찰하고 있던 스리랑카 정부군 차량에 총기를 발포하여 정부군 13명을 사살하였다. 특히 사살당한 정부군 병사들의 사체가 TV 방송을 통해 널리 대다수에게 공개되자 이를 보고 격분한 싱할라족들은 수도 콜롬보를 비롯한 스리랑카 전역에서 타밀족들을 공격하였다. 이 사건 때문에 2000명 정도의 타밀인들이 살해되었고 이 기간을 '검은 7월'(Black July)이라고

■LTTE(출처 : 위키피디아)

부르게 되었다. 이처럼 싱할라족들의 타밀족 학살을 계기로 평화적인 방식으로 문제해결을 주장하던 온건파들은 결국 힘을 잃고 말았다. 그 결과 LTTE는 급속도로 힘을 키워 스리랑카 타밀족의 주도권을 장악하게 되었고, 타밀족을 수호하기 위한 명분이 커져 수많은 타밀족 자원병들이 증가하게 되었다. 결국 스리랑카는 타밀족 LTTE반군과 싱할라족 스리랑카정부군 간의 기나긴 내전으로 이어졌다.

하지만 스리랑카 정부나 경찰, 군인들은 폭동을 진압하려 하지 않았다. 수만 명의 타밀인들은 섬의 북쪽으로 피난가거나 나라를 떠났다. 이와 같은 일은 싱할라인들에게도 일어났다. 싱할러는 자프나나 다른 타밀지역을 떠나야 했다. 1983년 폭동은 계속적으로 증가했고 대량학살은 지속되었다. 따라서 1980년대 중반 스리랑카 정부는 부분적으로 타밀 자치정부를 허락했다. 하지만 1985년말 LTTE는 북쪽지역에서 동쪽 아래 지역까지 내려왔고 동쪽 해안지역에서는 타밀과 무슬림들의 갈등도 있었다. 전쟁은 당연히 나라의 경제와 관광업을 어렵게 했고, 홍차사업 역시 하락세를 보였다.

그러나 아무리 민족적 결집이 뛰어날지라도 군사력이나 규모에 있어서 LTTE는 스리랑카 정부군에게 열세였다. 따라서 이들은 북, 동부 타밀족 밀집 지역을 중심으로 게릴라전과 야간 기습전등으로 스리랑카 정부군과 전투를 벌였다. 한편으로 LTTE는 스리랑카 북, 동부의 싱할라족 정착촌을 공격하여 비무장 싱할라인들을 학살하고 정부군도 타밀족들을 무차별 학살하면서 내전의 양상은 보복에 보복을 거듭했고 1985년과 1986년에 들어서면서 더욱 치열하게 전개되었다.

## 인도의 개입과 실패, 2009년 전쟁의 종료

한편 이런 스리랑카의 민족적 분쟁 상황은 스리랑카의 인접국이었던 인도에게도 큰 영향을 미쳤다. 당시 인도에는 1억명에 가까운 타밀족들이 살고 있었다. 이들 타밀족은 북인도 중심의 중앙정부에 불만이 팽배해 있었다. 특히 중앙정부의 힌디어 공용어 정책에 맞서 그들만의 타밀어를 공용어로 지정하였다. 오랜 세월 동안 북인도 중심의 인도정부의 정책에 자주 반기를 드는 등 인도의 남부 타밀족 역시 북부인도에 대한 정서적 반감이 만만치 않았다. 따라서 이러한 스리랑카의 내전을 방치하여 스리랑카의 타밀족들이 독자적인 타밀족 독립국가를 수립하거나 스리랑카 정부를 전복시킬 경우 그 영향이 인도 타밀족에게 미쳐 인도내부에서 타밀분리 독립운동을 촉발시키고 나아가 인도 내 다른 종족들에게까지 영향을 주어 국가분열로 이어지는 것을 두려워하였다. 그래서 은근히 타밀족과 내전을 벌리고 있는 스리랑카 정부를 간접적으로 지원하였다. 자국의 문제를 스스로 해결하기 어렵게 되자 국제사회에서 스리랑카와 가장 가깝고 이해관계가 있는 인도가 개입하였다.

그간 인도 정부는 언제나 자기 민족이라고 여기는 스리랑카 타밀인을 위해 식량을 공급했고 군사적인 지원을 했던 사실과 관련시켜 보면 스리랑카 내전이 더욱 심화될 때에는 민족적, 정서적으로는 타밀인을 도와야 하지만 현실적으로는 스리랑카의 내전이 반갑지 않은 양면적인 상황이 나타나게 되었다.

이러한 인도의 간접적인 지원에도 불구하고 스리랑카의 내전 상황은 더욱 격렬해졌다. 결국 내전이 장기전 태세로까지 번지자 인도 정부 내부에서도 내전중인 스리랑카에 군대를 파견해 사태를 평정해야 한다는 주장이 대두되었고 내전에 평화적으로 개입하기 시작하였다. 소위 인도 평화유지군(The Indian Peace Keeping Force)을 파견하였고 인도-스리랑카 협정의 내용대로 LTTE의 무장해체와 스리랑카의 평화정착 달성을 목표로 스리랑카 북동부 지역에 주둔하면서 스리랑카 내전에 개입하게 되었다.

그러나 스리랑카 현지 상황에 대해 잘 모르던 인도군 들의 행태와 개입은 한계를 드러냈고 결국 스리랑카군과 합동으로 LTTE 반군진압을 시도했지만 반군을 굴복시키는데 실패하였다. 더욱이 막대한 국가 예산들이 스리랑카에 주둔 중이던 인도 평화유지군의 전쟁비용으로 들어가면서 인도 경제에도 타격을 입혔고 끊이지 않는 LTTE의 공격으로 평화유지군 역시 사상자들을 많이 냈다. 그러는 동안 인도 평화유지군은 지속적으로 내전에 개

■인도평화유지군(출처 : http://archives.dailynews.lk)

입할 것인가 아니면 이를 철회할 것인가 진퇴양난의 위치에 있었다. 그러던 중 스리랑카 민족주의자들은 인도 평화유지군에게 스리랑카에서 떠나기를 요구했다. 결국 1990년 3월 인도는 별 다른 성과 없이 상처만 입고 스리랑카에 주둔 중이던 인도군 병력을 철수시켰다. 복잡한 정치적 상황과 서로 입장이 다른 인도의 개입은 문제해결에 도움이 되지 않았다.

그 후에도 내전은 지속되어 스리랑카는 세계인의 뇌리에 내전국가로 인식되었고 치안이 불안하여 여행하기를 꺼리는 국가가 되었다.

이러한 과정을 거치면서 1983년 7월부터 2009년 5월까지 26년에 걸친 스리랑카 정부와 타밀 엘람 해방호랑이(LTTE) 사이에 진행된 피비린내 나는 싸움은 수많은 재산의 피해와 귀중한 사람의 목숨을 앗아간 채 종료되었다. 근, 현대 세계 여러 나라에서 많은 내전이 있었지만 스리랑카의 내전 역시 민족간, 종교간의 처절한 싸움으로 스리랑카 정부군이 LTTE의 지배 지역을 제압하면서 오랜 내전은 결국 종식되었다. 민족과 종교가 다른 집단이 충돌하면 형용하기 힘든 질곡을 거치고 나서야 승자만 살아남는 역사로 기억되고 있다. 인류 현대사에서 수많은 내전이 있었지만 스리랑카의 내전 역시 민족간, 종교간의 처절한 싸움으로 정부군이 반군을 제압하면서 26년간에 걸친 종족간의 전쟁은 종식되었다. 그 후로 아직까지 내전과 관련한 큰 분쟁이 나타나고 있지 않음은 참으로 다행스런 일이다.

제4장

# 스리랑카의 다양한 문화와 볼거리

# 스리랑카의 다양한 문화와 볼거리

## 스리랑카의 풍습과 축제

### 인사방법

인사는 양손을 잡고 가슴 앞에 모아 합장한 다음 약간의 미소를 지으며 '아유 보완(Ayu Bovan)!' 이라고 한다. 아주 편리한 말로 만날 때나 해어질 때 언제나 쓸 수 있는 인사말이다. 이에 대답하는 말 역시 '아유 보완' 이라고 하면 된다. 원래의 뜻은 '오래 사세요!' 라는 의미이지만 '안녕하세요!' 라고 생각하면 된다. 한편 또 다른 인사말 '감사합니다!' 라는 말은 스뚜띠(Stutie)!라 한다.

### 긍정과 부정의 표현

스리랑카 사람들은 긍정의 대답인 경우 머리를 약간 좌우로 흔들면서 표시하고 부정인 경우는 고개를 흔들지 않거나 머리를 완전히 좌우로 분명히 세게 흔들면서 의사표현을 한다. 다른 나라사람들이 하는 보통의 표현과는 다르다.

1. 스리랑카 지도(출처 : http://smartraveller.gov.au)
2. 스리랑카 가족

### 각별한 가족애

스리랑카인들은 3세대가 함께 사는 것은 당연히 여긴다. 물론 처가도 모시는 경우도 많다. 부모와 장인, 장모도 함께 모시고 사는 경우도 있다. 장자가 상속을 주로 받으며 장자는 동생들을 책임진다. 형이 외국에서 돈을 벌어와 동생을 결혼시킨다. 부모 공경 뿐 만 아니라 자식의 양육에도 각별하다. 남자를 선호하고 여자가 시집을 갈 때엔 살림을 마련하여야 한다. 따라서 남자는 살림의 밑천이 된다.

어른에게는 엎드려 인사를 드린다. 이 모든 것은 마치 과거 우리의 아름다운 풍습과도 같다.

### 카레는 오른손으로

스리랑카사람들은 오로지 카레만 먹고 산다고 해도 과언이 아니다. 매끼니 마다 카레를 먹는다. 스리랑카는 불교국가이지만 육류를 즐겨 먹는다. 따라서 풍부한 육류나 생선, 채소 등을 넣어서 요리한다. 카레를 밥이 담긴 접시에 조금씩 담아 손으로 주물러 먹는다. 그래서 스리랑카 사람들이 손으로 카레 먹는 모습을 보고 경멸하는 여행자들은 흔히 볼 수 있다. 그러나 이는 오랜 습관이며 밥에 섞여 있는 작은 고기나 생선의 뼈를 포크나 나이프로 처리하기에는 어렵다. 오른 손의 제1관절을 이용하여 카레를 섞어 먹는 것이 자연스런 모습이다. 손으로 먹는다고 경멸하는 것보다 그들이 식사하는 모습을 잘 관찰하여 흉내 내 보는 것도 하나의 좋은 체험이 될 것이다. 다만 여느 카레보다 혀가 어릿 할 정도로 맵다는 것을 알고 먹어야 한다. 그래서인지 몰라도 근래에는 한국의 김치나 신라면을 즐겨 먹는 사람도 있다고 한다.

### 사원방문

사원을 방문 할 때는 모자와 신발을 벗고 조용히 참배해야 한다. 무릎이 보이는 짧은 바지를 입어서도 안된다. 사원은 신성한 지역이며 큰 소리로 이야기 한다거나 소리 내어 웃지 말아야하며 불탑 등을 구경하러 가면 바닥이 햇볕에 데워져 발바닥이 따가운 경우도 있으므로 양말은 그대로 신고 들어가는 것이 좋다. 근처에 꽃을 파는 곳이 있다면 꽃을 사서 헌화하고 깨끗한 마음을 가져 보는 것도 바람직하다. 사진을 함부로 찍어서도 안된다.

현재 스리랑카에는 스님이 15,000명 정도이고 비구니 스님은 600명 정도 된다. 스님을 만나면 가벼운 목례를 한다. 스리랑카 사람들은 스님에게 엎드려 인사하는 것은 당연하게 여긴다. 이럴 때 스님은 몸을 만져주고 복을 빌어준다. 우리가 생각하는 것보다 더 승려에 대한 존경심이 훨씬 크다.

불심이 깊은 신자들의 모습을 보면 불교가 이들의 삶 속에 얼마나 깊게 자리하고 있는 가를 짐작하게 한다. 사원의 안에는 하얀 연꽃과 촛불, 향 냄새가 가득하다. 현재 불교사원의 부지는 국가의 소유이다.

1. 스리랑카식 식사(출처 : seriou seats 홈페이지 An Intro duction to Sri Lankan Cui sine)
2. 사원 내 봉헌용 꽃

■제단 앞에서 기도하는 스리랑카인

**별 점보기와 결혼**

스리랑카에서는 인도와 마찬가지로 별을 보고 점보기가 성행하고 있다. 신문지상에도 그 날의 길시, 흉시, 운세 등이 실리고 일요일판에는 점성술에 관한 화제가 특집으로 꾸며지는 일이 많다. 개인의 생일과 출생시간에 근거한 별 점이 그 사람의 운세 특히 결혼할 때의 궁합 등과 깊은 관계가 있다고 믿고 있다. 그뿐 아니라 국가적인 행사의 개시 시간을 결정할 때도 점을 보고 하니 얼마나 그들의 생활에 영향을 미치고 있는지 알 수 있다. 점에 대한 풀이는 흔히 스님들이 한다.

별점 보기는 옛날 우리나라에서 길흉을 보고 여러 가지 행사를 계획했던 것과도 상통하는 것이라고 할 수 있다. 이처럼 별자리 운행에 근거한 생활의 운세는 특히 젊은이가 결혼을 생각할 때 궁합이 가장 큰 문제가 되고 있다. 더불어 카스트 신분이 다른 이들과의 결혼이나 여성의 지참금이 결혼시에 가장 큰 문제가 되고 있다.

흔히 스리랑카 신문의 일요일 판에는 구혼광고란이 있어 남녀를 불문하고 많은 광고가 게재되는데 그 광고에도 '조건을 따지지 않는다' 라고 내세우고 있는데 사실은 오히려 이런 조건에 대한 강한 집착을 쉽게 볼 수 있다. 스리랑카에서는 부모나 친척 등이 중간에 끼는 맞선을 통한 결혼이 대부분이고 자유로운 연애결혼 특히 다른 카스트와의 결혼은 큰 위험을 각오해야 한다. 특정 카스트로 태어나는 것은 그 사람의 업에 근거한 운명이며 움직일 수 없는 숙명인 것이다. 그리고 넓게는 그 사람이 타고 난 별의 영향이라 생각한다.

결혼이 개인 간의 일이 아니라 가족 간의 거사라는 성격을 강하게 보이고 있는 것이다. 이미 혼인관계가 있는 친족 간의 결합을 선호하는데 이때는 지참금이 별로 문제가 되지 않는다. 그러나 새로운 관계가 성립 될 때나 도시의 부유층에서는 신부 측이 신랑 측에게 지참금을 보내야 한다. 대개의 경우 다른 나라에서는 남자가 지참금을 내는 경우가 많은 것에 비하면 특이하다. 이는 남자가 상대적으로 여자에 비해 적은 탓에 기인한 것이 아닌가 한다. 결혼은 다소 조혼을 한다. 남자는 20세 정도 여자는 18세가 일반적이다. 여자가 대부분의 혼사준비를 하고 신행 첫날은 신부집에서 흰색 옷을 입고 둘째 날은 신랑집에서 붉은색 옷을 입고 잔다.

이처럼 스리랑카에는 인도의 영향으로 별 보고 점보기 등 우주의 운행을 기준으로 한 세계관이 일상생활을 크게 지배하고 있지만 실제적인 내용은 서구 유럽과 인도의 영향을 받았다고 생각된다.

**카스트 제도**

스리랑카에도 신분을 구분하는 카스트제도가 있는데 인도의 카스트제도와는 분명한 차이가 있다. 우선 인도의 브라만(바라문)에 해당하는 최고의 지위가 없다. 즉 브라만을 최고로 하고 수드라를 최하위에 두는 위계제도가 강하지 않은 것이 특색이다. 싱할라인과 타밀인이 각각 '웰라라', '고이가마' 라고 하는 농민 카스트가 상위라고 하지만 사실은 이들이 인구의 반을 차지하고 있다. 그 나머지가 여러 가지 직능을 담당해온 전통적인 직업 카스트제도이다.[52)]

싱할라인의 카스트제도는 옛날 왕조의 정치체제와 관련이 있다. 1818년에 멸망하기 전까지 고지에서 이어져 온 왕국의 영토는 국왕의 직할지와 국왕이 귀족(관료)사원 등에 하사한 토지로 나누워져 있다. 이들 토지의 영주는 국왕에게 하사받은 토지의 점유권을 가지고 수확의 일부나 부역을 국왕

52 cafe.daum.net/Sri Lanka

에게 바치게 되어 있었다. 토지를 실제로 경작하던 사람들이 농민 카스트이고 그들의 촌락 주위에는 여러 카스트의 촌락들이 있어 상호 보완적인 분업 체제였다.

이처럼 카스트제도는 국왕-영주-농민 형태의 경제적, 사회적 계층구조로 이해하는 것이 적절하다. 영국의 식민지 체제가 들어선 이후에 이 제도가 해체되어 카스트의 구성원도 농지를 보유하게 되면서 전통적인 직업 집단으로서의 기능도 거의 사라져 갔다. 애초 카스트를 의미하는 싱할라어는 없고 이들을 표현할 때에는 싱할라어로 친구 또는 사람들의 모임 등을 의미하는 캇티야란 말을 사용했다.

분명히 스리랑카의 카스트는 인도의 영향을 받고 있기는 하지만 그보다는 유럽인들이 분업 집단의 분류를 인도의 카스트 제도와 같은 용어로 설명하고 이해하려고 했던 데에서 오해가 생겨 오늘날에 이른 것으로 보아야 할 것이다. 또한 옛날부터 살았던 것이 아니고 떠돌아다니며 살던 집단도 정착해 가는 중에 기존제도와 사회구조의 밖에 있다고 하여 아주 낮은 카스트로 구별되었다.

타밀족 사회에서 최고 지위가 없다는 것은 브라만이 종교 직능자라는 지위에만 존재하는 점이 인도와 다르다. 그러나 소위 건드릴 수 없는 영역이

■스리랑카 사람들

있다는 점에서는 인도의 카스트제도와 유사하다고 할 수 있다.

### 스리랑카의 축제

스리랑카는 불교와 이슬람, 힌두와 기독교 등 다양한 종교와 문화가 어우러져 1년 내내 축제가 이어지는 땅이다. 기원전 3세기까지 올라가는 스리랑카 사람들의 문화유산과 전통은 그들의 일상적인 삶의 한 부분이다. 예술적 전통은 주로 불교와 힌두교의 사원건축을 비롯하여 불상, 조각, 그림 등이 주를 이루고 무용극도 대단하다. 민속무용극에는 가면무용극 콜람(타밀어로 의상이란 뜻), 춤을 통해 정령들에게 병이나 불행으로부터 구해줄 것을 비는 악마의 춤, 신화적이고 역사적이며 자연적인 주제를 다루는 중요한 민속춤인 칸디아무용 등 3가지 형태가 있다.

또한 스리랑카는 타종교에 대하여 매우 관용적이다. 곳곳에는 불교사원과 힌두사원, 교회 등이 여기저기 혼재되어 있고 불교신자, 힌두교도인, 그리스도교인, 이슬람교인은 종교에 의해 지배되는 각자의 생활 방식을 거리낌 없이 표현한다. 전통적인 종교축제와 오랜 식민지 생활 속에서 얻은 서양풍속이 혼합되어 주로 불교 사원이나 힌두교 사원, 회교 모스크 등을 중심으로 북과 춤, 코끼리를 장식하여 행렬에 등장시키는 행사를 자주 갖는다. 운행 중인 버스가 고대 힌두사원에 경의를 표하려고 멈추는 것을 보면 현재 스리랑카인들이 아직도 과거와 연결된 현재를 살고 있는 것을 알 수 있다. 이러한 힌두사원은 시타-엘리야(Sita-Eliya)라는 지역에 많이 위치해 있다.

특히 스리랑카의 아잔타(Ajantha)와 엘로라(Ellora)의 기념비들은 과거

1, 2. 스리랑카의 축제(출처 : https://lanka.com)
3. 1885년의 에살라 페리헤라 축제(출처 : https: //lankapura.com)

■ 에살라 페리헤라 축제(출처 : https://lanka.com)

불교문화의 위대함을 말해주는 중요한 증거이다. 스리랑카의 불교는 과거의 이러한 문화유산만을 소유하고 있는 것이 아니라 현재와 미래의 스리랑카인의 삶에 좋은 영향을 주고 있다. 스리랑카인들은 불교를 그들의 종교적 이상과 도덕 가치를 형성해 주는 일차적인 힘으로 인식하고 있다. 스리랑카는 고대 문명이 풍부하게 녹아 있는 문화의 보고이다.

불교신자들에게는 5월 한 달이 가장 특별한 만월(Full Moon)의 성스러운 축제날이다. 이 날은 고타마 부처가 태어나 깨달음을 얻고 해탈한 날로서 스리랑카 국민들은 절에 가서 종교의식에 참석하고 색종이로 웨삭(Vesak; 5월이라는 의미) 등을 만들어 집안, 사원, 거리를 장식한다.

스리랑카 사람들에게 가장 인기 있는 스포츠는 크리켓으로 많은 크리켓 클럽이 리그에 참가하며 스리랑카는 국제적으로 크리켓 강국이다. 경기가 쉽게 끝나지 않기 때문에 며칠이고 밤을 세워 본다. 그밖에 럭비, 테니스, 축구 등도 널리 사랑 받는다.

스리랑카에는 불교, 힌두교, 기독교, 이슬람교인들의 거창한 축제가 연이어 있다. 7월, 8월에 있는 캔디 에살라 페라헤라(Kandy Esala Pera hera)는 스리랑카에서 가장 중요하고 볼만한 행사로, 10일 동안 횃불을 들고 있는 사람들, 댄서, 북치는 사람, 채찍을 든 사람, 거대한 생일 케이크같이 불 밝힌 코끼리 등을 볼 수 있다. 이 행사의 절정은 캔디의 성스러운 불치佛齒를 공양하는 장중한 행렬이다.

두 번째로 중요한 축제는 붓다의 스리랑카 방문을 경축하는 두루투 페라헤라(1월)로 콜롬보에서 열린다. 이 외에 퍼레이드와 춤, 민속경기를 볼 수 있는 국경일(2월), 코끼리 경주, 야자게임, 베개싸움으로 거행되는 신년(3월/4월), 붓다의 탄생, 열반, 성도를 기념하는 성스러운 정월 축제 웨삭(5월), 전쟁의 신 스칸다(Skanda)의 의식용 전차가 두 사원 간에 당겨지는 콜롬보의 벨(Vel)축제(7월/8월), 주로 힌두교신자들이 갖가지 자기학대 의식을 행하는 카타라가마 신전의 카타라가마축제(7월/8월) 등이 있다.[53)]

카타라가마의 신은 어떤 기도든지, 설령 나쁜 일이라 해도 다 들어준다고 한다. 그래서 이 신은 인기가 좋다. 특히 휴일이 되면 전국에서 몰려든 사람들로 발 디딜 틈 없이 인산인해를 이룬다. 사람들은 예배공양의식인 푸쟈를 하기 위해서 공물을 들고 몇 시간씩을 서서 기다린다.

축제에는 다양한 춤이 따르기 마련이다. 한국과 스리랑카의 수교 40주년(2017년 5월)을 맞이하여 국립아시아문화전당이 마련한 특별공연에서 공연된 춤을 중심으로 소개한다.

'스와스티(Swasthi)' 라는 춤은 강렬한 북소리와 다양한 전통악기가 만들어내는 음악과 무용수들의 날렵하고 박력넘치는 움직임, 더불어 여성 무용수의 화려한 의상과 부드러운 율동이 조화를 이룬다. 한편 '나가 락샤(Naga Raksha)' 는 스리랑카 저지대의 전통적인 가면 춤으로 코브라 악마의 포악함을 표현하는 춤이다. '가자가(Gajaga)' 라고 하는 춤은 꼬끼리의 움직임을 형상화한 캔디지역의 춤으로 전통적인 바남 노래를 배경으로 하여 춤을 추는 작품이다. '게타 바라(Geta Bera)' 는 세 명의 캔디 북 연주자들이 스리랑카 전통의 복잡한 리듬과 음률을 북을 통해 표현한다. '크리슈나(Krishna)' 는 창작된 춤으로 힌두교의 신, 크리슈나가 신도들과 함께 춤을 추는 것으로 표현한 작품이다. '텔메(Thelme)' 는 스리랑카 저지대의 전통 춤으로 곡예에 가까운 무용적 요소와 강렬한 춤이 특징이다. '멕베스(Macbeth)' 는 거장 라비반두가 현대의 맥베스 발레를 각색한 부분 중 세 마녀들과의 만남을 소개한다. '살루 파리야(Salu Paliya)' 의 춤 의식은 고대에 사람의 몸을 아프게 하는 원인을 치유하는 18가지의 의학적 의식 중 하나이자 귀신을 쫓는 12가지 춤 중 하나로 행해졌다. '마유라(Mayura)' 는 캔디지역 춤으로 화려하고 현란한 공작새의 움직임을 표현하는 춤이다.

53 보옴비세상, 가보고 싶은 여행지(357), 스리랑카의 이모저모. 서주, '스리랑카의 소개' 를 참고로 재 작성함

'베리나다(Bheri Nada)'는 전통적인 네 가지의 스리랑카 북과 춤을 융합하여 역동적인 리듬을 표현하는데 스리랑카의 다양한 타악기를 폭 넓게 활용하고 있다.

**부처님 오신날, 웨삭데이(Vesak poya day)**

스리랑카에서 부처님 오신날은 언제일까? 우리는 당연히 음력 4월 8일인데 스리랑카는 음력 4월 15일을 기념일로 하고 있다. 불교에 있어서 부처님 오신 날인 탄생일과 더불어 깨달음을 얻는 날인 성도절, 그리고 돌아가신 열반일이 다 너무 중요하다. 그러나 흔히 소승불교라고 부르는 테라바다 불교와 대승불교라 부르는 동아시아의 불교가 이들을 달리 해석하고 있어 다소 혼란스럽다. 근본불교인 스리랑카에서는 성도, 탄생, 열반을 4월 15일 한 날로 기념하는 것이다. 반면 동아시아불교에서는 성도절은 음력 12월 8일이고 열반절은 음력 2월 15일이며 탄생절은 4월 8일로 하고 있다.

이처럼 스리랑카의 불교도들은 4월 15일을 웨삭(Vesak)이라고 부르는데 웨삭은 빨리어 위사카(visakha)에서 유래된 것이다. 산스크리트어로는 위사카(visakya)라고 하는데 인도 달력으로는 2월에 해당된다. 남방불교의 전통에 의하면 붓다는 위사카 달(月)의 보름날에 탄생, 성도, 열반하였다고 한다. 즉 붓다의 생애 중에서 가장 중요한 탄생, 성도, 열반이라는 세 가지 놀라운 일이 같은 날에 이루어졌다고 한다. 그럼에도 불구하고 1999년 12월 제 54차 국제연합총회에서 음력 4월 15일을 '유엔 웨삭데이(United

■웨삭데이 전, 불탑을 단장하는 행사

Nations Day of Vesak)' 로 지정하였다. 이로서 웨삭데이는 세계의 성스러운 날이 되었다.[54)]

그래서인지 모르지만 스리랑카는 매달 보름이 공휴일이다. 또한 웨삭데이를 포야데이라고도 하는데 이때마다 절에 가서 공양을 드린다. Vesak은 싯다르타가 탄생하여 깨달음을 얻고 돌아가시는 날을 동시에 기리는 날이며 또한 부처님이 스리랑카에 3번째로 방문한 날이기도 한다. 새해 설날인 아우루두가 가족끼리 고향에서 명절을 보내는 날이라면 웨삭은 나라전체가 시끄러울 정도로 축제를 거행하는 최대의 행사라고 할 수 있다. 이 날에는 크리스마스처럼 서로 카드를 주고받는다. 또한 이 날은 새벽 6시부터 오후까지 경전 독송회, 담마(빨리어 Dhamma, 산스크리트어 Dharma : 법) 강좌, 담마 토론, 부처 공양, 보시, 설교, 명상 등이 끊임없이 진행된다.

54 진흙속의 연꽃,(blog.bolee591)마성스님, 유엔 웨삭데이 참관기(1). 참고

#### 예배 공양의식, 푸쟈(Puja)

카타라가마 힌두 신전은 민중을 괴롭히는 악마를 퇴치해준 힌두신인 '데비요' 께 봉헌된 사원이다. 이 신은 힌두 시바의 아들로 종교를 떠나 모든 이들이 찬양을 올리는 곳이다. 이곳은 모든 스리랑카 사람들의 희망인 예배공양의식을 수행할 수 있어서 전국에서 순례자가 찾아온다. 그 중에는 가난한 사람들까지도 온갖 정성을 드린 공양의식, 예배 푸쟈를 위해 열심히 돈을 모아 오는 경우도 많다. 이곳을 참배하려면 신성하게 여겨지는 의식에 참가하는 것이니 반드시 공물을 가지고 간다. 공물은 대개 온갖 과일로 가득한 바구니를 만들어 공양한다. 하루에 3번 푸쟈의 시간이 되면 격렬한 북소리가 울려 퍼지며 문이 열린다. 그러면 밖에서 기도하며 기다리던 순례자들은 줄줄이 안으로 들어가 신전은 금방 꽉 차고 만다. 정면에는 공작을 탄 카타라가마 힌두 신상의 휘장이 드리워져 있고 공물을 가지고 온 사람들은 왼쪽으로 서고 공물을 가져오지 않은 사람은 오른쪽에 서게 된다. 북소리는 점점 더 크게 울리고 게다가 나팔소리까지 뒤섞여 실내의 열기는 점점 더 뜨거워진다. 이윽고 신관이 나타나 사람들이 가져온 공물을 하나하나 받아 들고는 그 반은 카타라가마 신에게 바치고 나머지는 성스러운 재를 뿌려 참가자들에게 되돌려 준다. 공물을 가지지 않은 사람들에게는 손바닥에 다른

신관이 성수를 뿌려준다.

이렇게 해서 참배 의식이 끝난 사람은 오른쪽에 있는 문으로 줄줄이 나간다. 돌려받은 공물 중에서 조금은 먹고 나머지는 거리의 걸인이나 소에게 나누어 준다. 가까이 있는 사람에게 재를 눈썹에 발라달라고 하면 푸자는 끝이 난다. 이러한 과정에서 음악과 춤이 따르기도 한다. 나팔수를 앞세우고 미친 듯이 춤을 춘다. 짧은 시간에 이루어지는 의식이지만 그 밀도 짙은 사람들의 기도 공간에서 엄숙하고 장엄한 신성함을 느끼게 한다.

## 세계인들의 차, 실론 티(Ceylon tea)

차는 중국에서 비롯되어 오늘날 전 세계인에게 전래되었다. 그 옛날 중국이 여러 문화권으로 나뉘었을 때 운남성 일대에 차를 발효하여 먹는 소수민족들이 살고 있었는데 그들이 처음에는 약초로 먹다가 나중에 끓는 물에 넣고 마시게 된 것이 오늘날의 차로 추정되고 있다.

스리랑카는 원래 커피가 많이 나는 곳이었다. 그러나 1840년 아편전쟁으로 중국에서 차 공급이 어렵게 되고 1869년 발생한 병충해로 커피농장이 전멸 지경에 이르자 인도 아삼지방의 차나무를 옮겨 심었다. 이것이 최고의 평판을 낳은 실론 티가 되었다. 아삼차와 실론 티는 같은 계통이지만 영국의 귀족이 실론에서 생산된 차를 가장 귀하게 여겨 비싸게 거래되었다.

세계인들에게 널리 알려진 실론티는 홍차를 말하며 바로 스리랑카의 옛 이름인 '실론(세일론)'에서 유래했다. 대항해시대 이후 세계열강들이 이 작은 섬나라를 두고 공방을 벌였던 이유도 최고급 차를 생산해 내는 차밭이 많기 때문이다. 스리랑카는 포르투갈, 네덜란드, 영국의 식민지배를 겪으며 이 세 나라에 많은 영향을 받았는데, 그중 특히 영국의 영향으로 스리랑카에서 홍차 재배가 시작됐다. 과거 영국 식민통치 당시 영국이 스리랑카의 캔디에 대대적인 차밭을 조성하면서 붙여진 이름이 실론티다. 유럽에서 차

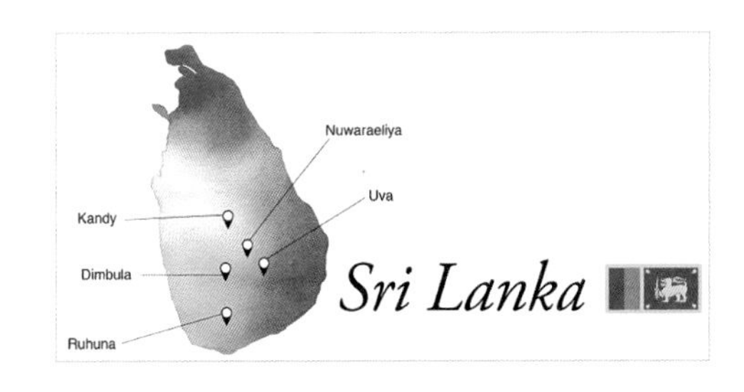


■다음백과사전 스리랑카의 홍차에서 가져온 사진

라고 하면 당연히 빛깔이 붉은 홍차(Black Tea)[55]를 가리킬 정도로 대중적이다. 70년대 전후에 수많은 세계인들은 '실론티'를 많이 마셨다. 특히 이곳의 차는 고지대의 기후에서 경작되기 때문에 가장 좋은 맛을 낸다. 아름다운 차밭의 한가운데는 홍차공장을 겸한 호텔 해리탄스 티 팩토리 호텔이 있다.

이 스리랑카의 홍차는 섬 중앙 산맥에서 주로 재배되고 있어 오늘날 이곳은 해외여행객을 끌어 모으는 여행지로서 각광을 받고 있다.[56] 스리랑카를 여행하면서 느낄 수 있는 호사는 최고급 차 시음과 함께 저렴한 가격으로 구매하는 즐거움이다. 실론 티의 고향인 스리랑카는 오늘 날 홍차의 생산량에 있어서 세계 2위이며 세계 최대의 차 수출국이다. 중국과 인도와 더불어 세계 3대 차 생산지 중의 하나다. 중국의 기문 홍차, 인도의 다즐링 홍차, 스리랑카의 우바 홍차가 세계 3대홍차로 일컬어지고 있다. 영국이 중국과 아편전쟁을 벌린 후 중국에서 차를 수입하기 어렵게 되자 1867년 스리랑카의 고산지대로 차를 옮겨 심었는데 이곳이 차 재배에 적합했고 맛도 부드러워 실론 티 산업이 급속도로 성장하게 되었다. 스리랑카에는 원래 커피를 주로 심었는데 병충해가 많아 그의 대체작물로 홍차를 키우게 되었다. 영국은 차 생산이 많아지자 인도의 타밀족을 스리랑카로 이주시켰고 이후 찻잎을 따는 일은 대부분 타밀족 여성들이 하고 있다. 머리에 큰 바구니를 메고 차를 따는 여성들은 힘들겠지만 구경꾼들에게 참으로 목가적인 풍경이다.

1. 누와라엘리야의 홍차공장
2. 차 생산지 누와라엘리야
3. 수확한 찻잎을 고르는 스리랑카 여성들

55 Black Tea는 흔히 알고 있는 홍차로 동양에서는 차의 빛깔이 붉다고 하여 홍차라고 하는데 서양에서는 제다한 찻잎의 검은 빛깔 때문에 Black Tea라고 부른다.

56 「EBS 세계테마기행」, 「인도양의 진주, 스리랑카」: 2014. 5. 26 ~ 5. 29(작성자 : 한맹)

1. 홍차(Black tea)
2. 생산지에 따른 홍차 색의 차이

홍차는 산지의 높이에 따라 다양한 종류로 재배된다. 스리랑카의 홍차는 스리랑카 섬 중앙 산맥에서 주로 재배되는데 산맥 중앙부의 누와라엘리야, 동쪽의 우바, 서쪽의 딤불라, 북쪽의 캔디, 남쪽의 루후나 등이 유명하다. 스리랑카 홍차는 해발고도가 낮고 바다와 가까운 곳에서 생산되는 로우 그로운(Low Grown), 산간지대에서 생산되는 미디엄 그로운(Midium Grown), 정상부근에서 생산되는 하이 그로운(High Grown) 등으로 분류된다. 우바와 누와라엘리아 등은 하이 그로운이고 딤블라(어떤 책에는 하이 그로운이라 함)와 캔디 등은 미디엄 그로운이며 루후나 등은 로우 그로운에 해당한다.[57)]

### 우바(Uva)

우바는 스리랑카 남동부의 산악지대로 해발 2,000m의 고도에 위치해 있다. 해발 1,200m 이상의 하이 그로운티(high grown)로 분류되어 고품질로 인정받고 상쾌한 떫은 맛과 미묘한 향, 밝은 색을 지닌 것이 특징이다.

좋은 품질(Quality season)은 8월초에서 9월까지의 기간이 최상의 차가 생산되는 시기이고 8월 중순 무렵이 차의 향기가 가장 고조되는 시기로 이 때를 향의 계절(flavory season)이라고 한다. 이 시기에 생산되는 차는 상쾌하면서도 우아한 장미향의 우바 향기를 풍부하게 느낄 수 있기 때문에 희소가치가 높다. 찻잎에 탄닌 성분을 풍부하게 함유하고 있는데 떫은맛보다는 오히려 감칠맛을 강하게 느낄 수 있다. 건조된 바람과 기온으로 낮은 20℃

57 네이버 지식백과, 스리랑카의 홍차 (홍차강의, 2011. 4. 30. 이른아침)

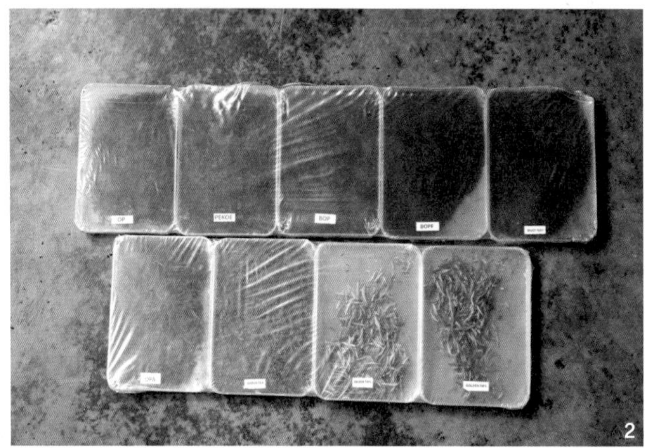


1. 찻잎의 크기 및 순서에 따른 홍차 분류
2. 스리랑카 찻잎의 분류. 순서대로 Golden Tips - Silver tips - OPA - OP - PEKOE - BOP - BOPF - Dust No.1)

정도이고 밤은 5~10℃ 로 맑은 날이 2주간 계속된 후 비로서 향기가 높은 홍차가 얻어진다. 만약 이 사이에 하루라도 비가 내리면 이 특유한 향기 높은 홍차를 얻을 수 없다.

황금색의 싹인 골든 팁(golden tip)을 많이 함유하고 있어 골든 링이라 불리는 코로나(corona)를 선명하게 볼 수 있다. 코로나를 즐기기 위해 아무것도 첨가하지 않은 스트레이트 티로 즐기기도 하지만 밀크 티에도 잘 어울리는 홍차 중 하나다. 골든 링 또는 골든 코로나가 품질이 우수한 우바 홍차의 조건 중 하나이다. 주로 분쇄된 BOP홍차로 가공되며, 분쇄되지 않는 OP 등급으로 가공되는 홍차가 최고급품이지만 생산량은 3% 미만으로 흔히 접할 수가 없다.

### 딤불라(Dimbula)

스리랑카의 남서부 고원지대에 위치한 다원으로 우바, 누와라엘리야와 함께 스리랑카 3대 하이 그로운(High Grown) 티로 알려져 있다. 중앙에 있는 산맥의 서부에서 주로 나며 주로 1~2월에 작은 찻잎을 수확하는 것이 좋다. Quality season은 10~11월에서 이듬해의 1~3월 사이에 건기를 맞게 된다. 색이 밝고 깨끗한 홍색을 띠며 남부 특유의 우아하면서도 달콤한 꽃향기 우바 보다는 풍미가 부드럽고 잔잔한 차이며 마시는 방법은 다양하며 다른 홍차에 비해 타닌 성분이 적게 들어 있어 아이스 티와 밀크 티로 만드는 데 적합하다. 블렌딩의 기본 재료로 많이 쓰인다.

### 누와라엘리야(Nuwara Eliya)

진하고 풋풋한 향과 부드럽고 감미로운 맛으로 알려져 있으며 차의 색깔은 밝은 오렌지색이다. 우유를 넣어 마셔도 되지만 향을 즐기려면 우유를 넣지 말고 마시는 것이 좋다. 생산되는 홍차는 대부분 BOP급 홍차이며, 탄닌 성분이 적어 발효가 덜 된 찻잎이 많이 들어 있는 것이 특징이다. 같은 스리랑카산인 우바와 딤불라에 비해 가볍고 섬세하며 깔끔한 맛을 지니는데 누와라엘리야산 홍차는 모두 비슷한 특징을 갖는다. 누아라엘리야 고산

58 2014년 설날 연휴, 〈EBS 세계테마기행〉, 「유별남 작가와 떠나는 인도양의 진주 스리랑카 여행」

지역은 스리랑카의 다른 산지보다는 인도 다즐링 품종의 홍차 재배 비율이 많은 편이다. 녹차와 같은 떫은맛과 꽃향기의 양질의 차가 생산되는 quality season은 1~3월에 해당하고 물색이 매우 맑기 때문에 스트레이트로 마실 때 참맛을 느낄 수 있다. 인도의 다르질링과 같이 고산지대 차 특유의 야생화 향취를 느낄 수 있다. 립톤(Lipton)사 최고품질의 연두색 포장을 보면 누와라엘리야가 주성분으로 "Champagne of Ceylon Tea"라는 별칭, 실론 홍차의 샴페인이란 뜻으로 실론 홍차의 제왕 자리를 지키고 있다.

캔디에서 남동쪽으로 70㎞가량 되는 지점에 있는 누와라엘리야는 높은 고도 때문에 좋은 차 생산지역으로 손 꼽히는 곳이다. 누와라엘리아는 모든 공공건물, 집, 거리, 길, 공원 등이 옛 영국식으로 되어 있다. 그래서 이곳의 맑고 시원한 산 공기를 마시며 가끔 내리는 비를 맞다 보면 마치 영국시골에 와있다는 착각이 든다.[58] 꼬불꼬불한 산길을 1시간 반 이상 올라가다 보면 초록색 카펫을 깐 듯 홍차 재배지가 아름답게 펼쳐진다. 규모가 어느 정도일지 상상도 되지 않을 만큼 산을 넘고 넘어도 끝없이 이어지는 홍차 밭의 풍경은 그야말로 장관이다. 기온이 적절하여 이 부근에서 생산되는 감자와 당근도 역시 최고의 맛이다.

1. 수확중인 차밭
2. 수확한 찻잎

### 캔디(Kandy)

캔디는 옛 스리랑카 싱할리 왕조의 수도였으며 15세기에 건설된 오랜 전통의 도시이다. 불치사 등의 불교유적이 있어 찾는 이들이 많다. 특히 도시 외곽지역에 대규모 다원이 여러 개 조성되어 있다.

차 생산량도 많은 편이며 인도 아삼종 차나무 이외에도 중국의 개량종인 차나무도 많이 재배되고 있다. 차를 마시는 법은 여러 가지이다. 탕색은 밝은 홍색이며 쓴 맛이 적어 부드럽게 우러나오는 중국 종 홍차와 진하고 깔끔한 맛을 내는 아삼종 홍차가 있다. 두 종류 모두 수출되기 때문에 회사별로 같은 캔디 홍차라도 맛에 차이가 있을 수 있다.

### 루후나(Ruhuna)

현재 루후나라는 지명은 남아 있지 않으나, 고대 왕정시대 당시의 왕국 이름 중 하나가 루후나왕국이다. 루후나라는 이름은 마하세나 왕자에 의하여 설립된 남부지방의 공국이었다. 아마도 루후나라는 공국의 넓은 지역 중에서 고지대에서 생산된 하이 그로운 차가 우바(Uva)차이고 바닷가 낮은 지역에서 생산된 로우 그로운 차가 루후나 차가 아닌가 한다. 그러니까 홍차에는 루후나라는 이름이 남아 있다. 로우 그로운(low grown)의 진한 홍차가 생산되는 스리랑카를 대표하는 홍차 산지 중 하나가 되었다. 그을음 향이 독특하고 차의 색은 진한 홍색이며 밀크 티로 마시면 좋다.

## 스리랑카의 다양한 문화와 볼거리

### 스리랑카의 보석

스리랑카의 실론티 이외에 스리랑카를 세계적으로 유명하게 만든 것 가운데 하나가 바로 보석이다. 스리랑카 보석의 역사는 아득히 먼 옛날로 거슬러 올라간다. 기원전 10세기에 솔로몬 왕이 '시바 여왕'의 환심을 사기 위해 선물한 루비가 스리랑카에서 나온 것이었다고 한다. 스리랑카의 보석으로 유명한 것은 사파이어와 알렉산드라이트 등이다. 따라서 이 섬을 지배해 온 여러 나라가 탐내던 것은 차도 있지만 풍부한 보

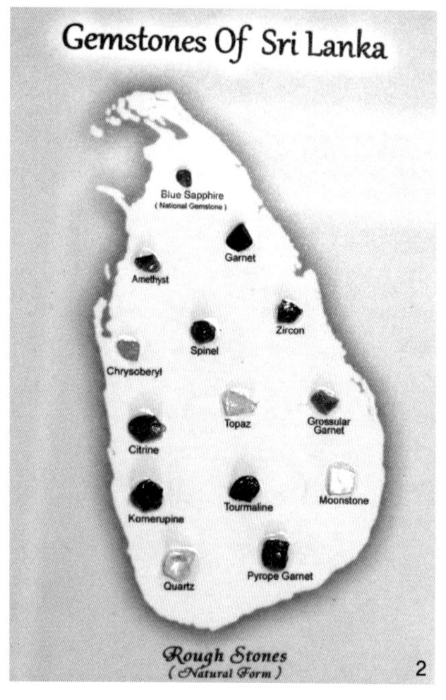


1. 채굴한 암석들
2. 스리랑카에서 생산되는 보석

석이었다. 영원한 빛을 발하며 사악한 것은 접근하지 못하게 한다고 전해지는 스리랑카 보석의 대표적 산지는 산 속의 작은 마을인 라트나푸라이다. 이곳에서는 오늘도 남자들이 그냥 전통적인 방법으로 계속 꿈을 캐고 있다.

최근에는 스리랑카가 세계적인 보석 브랜드와 생산 협정을 체결하였다. 특히 스리랑카는 최근 일인당 소득이 7.5% 가량 상승하고 관광객은 25%, 보석의 수출액은 20% 이상 늘고 있어 모든 면에서 고속성장을 전망하고 있다. 스리랑카는 2014년도의 보석 업계의 시장 규모는 약 2억 달러로 그 중 국내시장이 약 1억 달러, 관광객 시장이 약 7000만 달러, 그리고 수출이 약 2000만 달러이다. 보석의 수출액은 국가의 수출 품목 중에서도 4위를 차지하고 있다. 보석의 시장 규모뿐만 아니라 생산 기술도 향상 되고 있다. 고급 홍차에서 최근에는 건설 중인 고급 호텔까지, 스리랑카를 찾는 사람들로 하여금 고급스런 이미지를 얻고 있다. 최근 스리랑카의 보석 제작기술은 스위스와 독일, 일본과 같은 고급 시장에 수출할 정도로 기술이 향상되고 있다.

현재 스리랑카에서 수출한 사파이어는 모두, 스리랑카에서 연마되어 있지만, 과거에는 원석 상태로만 수출을 하였기 때문에 낮은 가격에 수출 해야 했다. 장차 스리랑카의 목표는 컷팅한 사파이어를 이용해서 액세서리로 만들어 생산부터 최종 상품화까지 일원화 하는 것을 목표로 하고 있다.

59 청년실업 스리랑카의 강력한 성장 동력 보석 산업!(작성자 : 이니셜D)

보물섬 스리랑카에서는 보석은 장식으로의 상징뿐만 아니라 어려운 시기에 현금으로 바꾸기 위한 수단으로도 구매된다. 스리랑카에서 보석을 담보로 한 대출이나 전당포 반입이 아주 많다. 또한, 스리랑카의 보석 업계에서는 직원의 30%가 여성이기 때문에 여성의 경제적 자립이라는 점에서도 중요한 산업으로 인정받고 있다.

위와 같은 보석가공 이외에도 전통적으로 상아조각, 금속세공, 칠기제작, 바구니세공 등을 꼽을 수 있다.[59)]

**즐겨 먹는 식사 카레**

외국인들이 스리랑카를 여행하면서 숙박이나 음식에 크게 어려움을 겪지 않는다. 물론 서양의 지배를 받은 영향도 있지만 그렇게 기름지거나 역겨운 향신료 냄새가 나지 않으며 맵지 않은 음식을 쉽게 먹을 수 있다. 카레는 15가지 이상이나 되는 씨앗, 나무껍질, 나뭇잎, 강황가루, 열매 등을 갈아서 만든다.

그러나 스리랑카 사람들은 오로지 카레만 먹고 산다 해도 과언이 아니다. 아침, 점심은 물론 저녁에도 카레를 먹는다. 스리랑카는 불교국가이지만 고기에 대한 제약은 없다. 돼지고기, 소고기, 닭고기 등 무엇이던 먹는다. 특히 자연의 혜택을 받아 풍부한 생선이나 야채를 넣어 만든 카레의 종류도 매우 많다. 인도나 동남아시아 여러 나라에서처럼 카레를 밥이 있는 접시에 붓고 손으로 조금씩 주물럭거리며 섞어서 먹는다. 그렇다고 그들의 식사방법을 탓할 수는 없다.

그런데 스리랑카 카레의 특징은 맵다. 특히 여러 종류의 향신료를 섞어

■다양한 향신료와 카레

혀끝이 짜릿할 정도로 맵게 먹는다. 그러나 외국인들에게는 특별히 덜 매운 카레를 주기 때문에 그렇게 매운 카레를 먹을 기회는 많지 않다. 또한 스리랑카의 빵은 의외로 맛이 좋다. 별로 맛이 없을 것 같이 보이지만 실제로는 식빵이나 핫도그용의 가늘고 긴 빵도 있다. 당연히 이러한 음식에 홍차를 함께 마시지만 어디에서든지 다양한 현대식 음료를 쉽게 마실 수 있다. 물론 홍차와 함께 커피도 많이 마시는데 우유를 많이 타서 마신다.

세계적으로 유명한 실론티의 원산지인 만큼 그들만의 독특한 방식으로 홍차를 즐긴다. 날씨에 관계없이 뜨거운 홍차에 설탕을 듬뿍 넣어 마시는 것이 스리랑카식 홍차이다. 설탕물처럼 단 홍차를 마시고 싶지 않은 사람은 처음부터 별도로 설탕을 요청하는 것이 현명하다. 매운 카레와 뜨겁고 달콤한 홍차는 단연 스리랑카 먹거리의 상징인 것이다.

### 해양도시 히카두와(Hikkaduwa)와 코갈라(Koggala)의 스틸트 피싱(Stilt fishing)

또한 스리랑카 남부 최대의 항구 도시 갈레(Galle)는 과거 서구 열강들이 항상 노리던 곳이었다. 아픈 식민지의 역사를 간직하고 있는 도시이지만 유네스코가 인정한 항구도시의 아름다움을 뽐내는 곳이기도 하다. 특히 갈레에서 북서쪽으로 약 20km를 가면 작은 해안마을 히카두와가 있는데 다양한 수상리조트를 즐길 수 있는 소도시이다. 다이빙과 윈드서핑, 쉬레스겔을 할 수 있는 곳이다. 한편 코갈라와 웰리가마에서는 스리랑카에서만 있는 인도양의 어부들의 독특한 전통 낚시법 스틸트 피싱(Stilt fishing)을 볼 수 있다. 이는 세계 어디에서도 보기 드문 이곳의 어부들만이 하는 장대를 이용한 낚시방법이다. 갈레지역은 물고기가 많은데 파도가 심해 배를 타고 바닷물고기를 잡는 조업을 하기 어렵다. 따라서 파도 영향을 덜 받는 육지에서 가까운 얕은 바다에 말뚝을 단단히 박고 그 위에 올라 앉아 장대낚시를 하는 전통낚시방법으로 오랜 세월 동안 살아왔다. 그런데 요즘은 낚시를 한다기 보다는 관광객을 위해 낚시하는 모습을 연출해주고 돈을 받기도 한다.

■전통낚시 스틸트 피싱(Stilt fishing)

### 야자수액 '라'의 채집

수도 콜롬보에서 한 시간가량 떨어진 벤토타(Bentota beach)는 스리랑카 남방의 아름다운 해변으로 대표되는 곳이다. 영국인과 프랑스인들을 비롯한 유럽인들의 휴양지로 유명하며 365일 코코넛 야자수액 '라'의 채집이 이뤄진다. 평균 높이 15m 이상에 달하는 야자수 위를 제대로 된 안전장치 하나 없이 오르내려야 하니 웬만한 강심장이 아니고서야 어려운 일일 것이다. 밧줄 하나만을 의지해 나무와 나무 사이를 오가며 채취하는 '라' 사냥꾼들에게는 고되고 위험한 일이지만, 야자수액은 가족의 생계를 이어가게 해주는 고마운 일자리임에 틀림없다. 열대지방을 대표하는 식물, 야자수는 버릴 것이 하나도 없는 식물이다. 열매나 줄기, 잎까지 식용, 섬유, 건축자재 등으로 다양하게 사용된다. 특히 스리랑카에서는 야자수에서 나오는 수액으로 위스키 등 술을 만들기도 한다. 위장약과 설탕등도 만든다. 그런데 이 수액을 채취하는 과정이 보통 어렵고 고난도의 기술을 요구하는 것이 아니다.

### 버릴 것 없는 야자수 코코넛

스리랑카의 길 가에는 온통 코코넛나무가 가득하다. 야자수가 코코넛이다. 스리랑카의 기후와 토질이 코코넛의 생육에 최적의 조건을 갖추고 있는

1. 야자수액 라의 채집(출처 : http://mapio.net)
2. 코코넛
3. 코코넛 나무
4. 다양한 과일들

데다 토양에 포함되어 있는 약간의 염분이 코코넛의 성장을 더욱 촉진한다는 것이다.

코코넛이 인기를 끄는 이유는 또 있었다. 무엇하나 버릴 게 없다는 것이다. 반찬을 만들 때 가정마다 매일 한 개씩 사용하는 게 코코넛이란다. 이렇게 만든 밑반찬인 볼 삼볼라는(sambol) 루누미리스라는, 한국인으로 치면 김치와 같은 음식이다. 갈아서 즙을 내 우유처럼 만든 액체를 카레요리에 첨가하기도 하고, 잎은 지붕으로 쓰고 껍질을 밧줄이나 실을 만들고 기둥과 빗자루로도 쓰이는가 하면 코코넛 술도 있다. 과자와 빵, 케이크 등도 만든다. 흔히 스리랑카 양주로 알려져 있는 아락(Arrack)이 바로 코코넛으로 담근 술로서 알콜 도수가 40도에 이른다. 또 한 가지 코코넛의 매력은 수확철이 따로 없다는 것이다. 1년 내내 수확이 가능하다. 보통 세 달에 한 번씩 수확을 하는데 한꺼번에 약 30개 정도를 딸 수 있다고 한다. 심은 지 5년이면 수확이 가능하고 수령이 100년에 이를 때까지 열매를 맺는다.[60] 물론 100년이 넘은 나무는 가구를 제작하는데 쓰인다.

### 마두강(Madu River)의 물고기 잡이

스리랑카 남부 벤토타에서 아래로 30여 분을 가면 해안에 위치한 마두

60 http://blog.daum.net/eulchi/18190487(강철무지개 2014. 10. 16)

■대나무 발로 물고기 잡기(출처 : https://harrogatewine.wordpress.com)

강에 이른다. 마두강은 다양한 동식물이 서식하고 있는 습지대로 그 보존가치가 높이 평가되는 곳이다. 람사르습지 협약에서 보호하는 약 277만 평이 넘는 방대한 넓이의 자연습지에 303종의 식물과 248종의 동물들이 살고 있다. 이곳에서 2시간 정도의 투어는 다양한 희귀 동식물을 관찰할 수 있는 귀중한 자연체험을 할 수 있다. 특히 넓은 마두강을 보트로 가면 맹그로브 숲을 지나 작은 섬에 이르게 되는데 이곳 사람들은 섬 내에서 자라는 계피와 강에서 잡은 새우로 생계를 이어가고 있다. 갈대나 대나무로 만든 발을 치고 작은 물고기나 새우를 잡는 전통적 방식이 특이하다. 우리나라에서도 남해안의 갯뻘에서 죽방렴竹防簾이라 하여 유사한 고기잡이 방법이 있는데 그물로 잡는 것보다 작은 물고기를 잡을 수 있어 고기가 상하지 않아 깨끗하고 맛도 좋다.[61] 한국에도 조선시대에 간만의 차가 심하고 완만하며 물살이 드나드는 좁은 바다 물목에 대나무발 그물을 세워 물고기를 잡는 원시어업이 있었다. 물고기를 잡아서 살아가고 있는 그들에게는 일상의 삶을 살아가기에 부족함이 많지만 욕심내지 않고, 하루하루 오늘에 감사하며 살아가고 있는 것 같은 느낌이 든다.

61 여행을 사랑하는 부부의 해피 블로그, 「쟈니오와 안젤라의 세상구경, 스리랑카13」, 2014. 4. 3.

제5장

# 스리랑카의 전통문화유산

스리랑카의 세계문화유산
상좌부불교의 스리랑카와 최초의 수도 아누라다푸라 신성도시(Sacred City of Anuradhapura)
스리랑카 최초 불교성지, 미힌탈레(Mihintale)
두 번째 수도 폴로나루와 고대도시(Ancient Kingdom of Polonnaruwa)
요새궁전 시기리야(Lion Rock Citadel, Sigiriya)
담블라 황금석굴사원(Golden Dambulla Rock Temple)
중세 왕도 캔디(Kandy)와 불치사(佛齒寺, Sri Dalada Maligawa)
패엽경이 만들어진 아루비하라 석굴사원(Aluvihara Cave Temple)
대승불교의 흔적 웰라와야와 부두루바가라 (Wellawaya & Buduruvagala)
부처의 세 번째 방문지 켈라니야의 라자 마하 비하라(Raja Maha Vihara)사원

# 스리랑카의 전통문화유산

## 스리랑카의 세계문화유산

좁은 섬이지만 스리랑카는 종교적으로나 인종적으로 복잡한 나라이다. 불교와 힌두, 이슬람과 기독교 등 다양한 종교와 싱할라족과 타밀족 등 인종간의 갈등으로 오랜 세월 동안 갈등이 반복되었기 때문이다. 그렇기 때문에 오히려 스리랑카에는 다양한 볼거리가 있는데 그 으뜸은 단연 불교유적지들이다. 문화삼각지대(Culture Triangle)를 이루는 아누라다푸라, 플로나루와, 캔디를 비롯하여 삼각지대 안에 위치한 미힌탈레, 담불라, 시기리야 등 여러 도시들이 모두 고대나 중세 스리랑카 왕국의 수도였던 만큼 다양한 역사유적들이 산재하고 있다.

스리랑카에는 국가의 크기나 역사에 비하여 유네스코가 지정한 세계유산이 여러 곳 있다. 그중 대표적인 문화유산은 본지에서 여러 편으로 나누어서 소개할 아누라다푸라 신성도시(Sacred City of Anuradhapura), 폴로나루와 고대도시(Ancient City of Polonnaruwa), 시기리야 고대도시(Ancient City of Sigiriya), 담불라 황금사원(Golden Temple of Dambulla), 캔디 신성도시(Sacred City of Kandy), 갈레 구도시 및 요새(Old Town of Galle & its Fortifications) 등이다. 또한 세계유산으로서 자연유산은 신하라자 삼림보호지역(Sinharaja Forest Reserve)과 스리랑카 중앙산악지대(Central Highlands of Sri Lanka)가 있다.

스리랑카의 세계문화유산 중에 아누라다푸라 신성도시, 폴로나루와 고대도시, 담불라 황금사원, 캔디 신성도시 등은 불교유산이라 할 수 있으며 나머지 시기리야 고대도시와 갈레 구 도시와 요새는 불교와는 별로 상관이 없는 방어적 성채로서 성격을 지닌다.

이들 뿐만 아니라 스리랑카의 고유한 동식물종이 가득하여 세계자연유산으로 지정된 신하라자 삼림보호지역과 스리랑카 중앙산악지대, 그외에도 호튼 평야가 있다.

### 시기리야 고대도시

고대부터 불교 승려들의 수련장이였던 시기리야 록(Sigiriya rock)에 만들어진 고대도시는 5세기 후반에 11년이란 짧은 기간 동안 거대한 바위산에 요새를 만들어 방어와 치세를 하였던 카샤파왕의 걸작으로 이제 세계적인 명소가 되었다. 아버지를 살해하고 억지로 왕좌에 오른 젊은 왕은 동생의 복수가 두려워 이 성을 쌓았는데 기어오르듯이 경사가 급하고 좁은 바위산 꼭대기에 어떻게 왕궁을 짓고 살았는지 신비스럽다. 이복동생 목갈라나가 인도에서 군대를 이끌고 그의 형과 싸우러 왔고 전쟁에 패한 카샤파왕은 자살하고 말았다. 그 후 목갈라나는 시기리야의 왕궁을 불교 승려들에게 기증하고 수도를 다시 아누라다푸라로 옮겼다. 이곳은 결국 불교 승려의 수련장으로 출발하여 다시 불교도량으로 마감한 것이다.

### 갈레 구(舊) 도시 및 요새

갈레는 동양과 서양을 잇는 스리랑카 남부의 최대 항구이다. 특히 14세기경에는 아라비아 상인들의 동방에 대한 무역기지로 번성하였던 곳이다. 그 후 1589년에는 유럽의 해양강국인 포르투갈인들이 식민지 개척을 위하여 최초로 성채를 이곳 해안에 세웠는데, 이를 계기로 외국인들의 지배가 시작되었다. 1640년에는 네덜란드가 성채를 확장하면서 그 안에 마을이 형성되었는데 이것이 갈레 성의 원형인 것이다. 그 후 영국 식민지시대에도 지배의 거점으로 중요한 위치를 차지하면서 견고한 성채를 가진 해안의 요

1. 시기리야 요새 궁전
2. 갈레 해안가

새도시로 완성되었다. 갈레의 역사는 바로 스리랑카의 피지배 역사라고도 할 수 있다.

### 신하라자 삼림보호지역(Sinharaja Forest Reserve)

스리랑카의 남서부지역에 위치하는 마지막 원시 열대우림지역으로 스리랑카 고유의 동식물종이 가득한 곳이다. 이 보호구역에 서식하고 있는 60%의 수목은 토종이고 그들 상당수는 희귀종이다. 이외에도 다양한 생물종이 자라고 있으며 곤충, 파충류, 양서류와 50%에 달하는 토종 포유류와 나비의 서식지이기도 하다.

### 스리랑카 중앙산악지대(Central Highlands of Sri Lanka)

스리랑카 남중부에 있는 산악지대는 최고의 생물다양성 핵심지역으로 평가받아 2010년 유네스코 세계자연유산으로 등재되었다. 이를 스리랑카 중앙산악지대(Central Highlands of Sri Lanka)라고 한다. 이들은 스리랑카 남중부 지역에 있으며, 피크야생보호지역(Peak Wilderness Protected Area), 호튼평원 국립공원(Horton Plains National Park), 너클스 보호림(Knuckles Conservation Forest)의 세 보호구역으로 이루어진다. 최고의 생물다양성 핵심지역으로 평가받는 곳으로, 본래는 문화유산과 자연유산이 합쳐진 복합유산의 등재를 신청하였는데 2010년 유네스코가 자연유산으로서의 가치만 인정하여 세계자연유산으로 등재하였다.

해발고도 2,500m에 위치한 산림지역으로, 랑구르원숭이(western-purple-faced langur), 호튼평원 홀쭉이 로리스, 스리랑카 표범 등 멸종

■1, 2, 3, 4. 신하라자 삼림보호지역(출처 : 유네스코 홈페이지)
5, 6, 7, 8. 호튼 평야(출처 : glorious lanka.com)

위기에 처한 종을 비롯해 매우 폭넓은 식물상과 동물종이 서식한다. 스리랑카고유의 현화식물(flowering plants)의 절반과 척수동물의 51%가 이곳에 있다.[62]

특히 호튼 평야는 스리랑카에서 가장 고원지대에 위치한 국립공원으로 아주 멋진 경관을 지닌 곳이다. 구릉지대로 드넓게 펼쳐진 초원이 아름다운 광경을 선사하고 멸종위기의 동물들을 관찰할 수 있는 특별한 곳이다. 남부

62 Doopedia에서 '스리랑카 중앙산악지대' 항목을 참조하여 작성한 내용임.

산악지대의 해발 1,200m 고도에 3,169ha 이상의 넓은 평야는 자생하는 식물과 서식하는 동물들이 많아 2010년 유네스코 세계자연유산으로 지정되었다. 호튼 평야의 최초 발견자는 Thomas Farr로 알려져 있으나 1831~37년까지 스리랑카 총독을 지낸 '로버트 윌모트 호튼경'의 이름을 따서 1834년 호튼 플레인스로 명명되었다.

## 상좌부불교 스리랑카와 아누라다푸라 신성도시 (Sacred City of Anuradhapura)

### 상좌부上座部 불교의 전통

스리랑카는 기원전 3세기경에 불교를 받아들인 이래 오늘날까지 가장 확실하게 상좌부불교의 전통을 계승 발전시켜 오고 있다. 상좌부란 부처가 열반하고 나서 100년경에 교단이 두 부파로 나뉘었는데 그 중 보수적인 상좌들에 의한 일파이다. 흔히 이를 소승불교, 혹은 남방불교南方佛敎라고 한 반면, 대비적 입장에 있는 일파는 대승불교, 혹은 북방불교라 한다.

남방불교는 인도에서 스리랑카로 전해져, 그곳을 근거로 해 동남아시아 여러 나라로 퍼진 불교로서 남전불교南傳佛敎라고도 한다. 한편 북방불교는 인도에서 서역(중앙아시아)을 거쳐 실크로드를 통해 중국으로 전파됐고, 다시 베트남과 한국에 전래되었으며, 일본에까지 전해진 불교로서 북전불교北傳佛敎라고도 한다.

일반적으로 남방불교 국가는 해로를 거쳐 전래된 스리랑카, 미얀마, 태국, 캄보디아, 라오스, 베트남 일부이고, 북방불교 국가는 간다라지방과 중앙아시아의 육로를 거쳐 전래된 티베트, 중국, 한국, 일본, 몽골, 베트남 등으로 알려져 있다. 단 인도네시아는 원래 남방불교국가였으나 지금은 회교국가가 되었다.

대승불교인 북방불교의 자료에 의하면 부처 입멸 후 약 300여년이 지난 아쇼카왕 때, 마하데바(Mahadeva)라고 하는 진보파 비구가 교의에 관한

5개조의 신설新說을 제창하고 교단에 승인을 구하였다. 이때, 불교교단이 신설에 찬성하는 진보적인 대중부大衆部와 이에 반대하는 보수적인 상좌부로 양분되었다. 이것을 근본분열이라 하며, 이를 계기로 부파불교의 시대로 들어가게 된다.

때문에 남방불교를 소승불교라고 칭하기도 했지만, 이는 대승불교 우위적인 발상에서 비롯된 오해이다. 오히려 남방불교에서는 자신들이 정통이라는 자부심을 강하게 지니고 있으며 부처 당시의 초기 교단적인 전통을 잘 보존하고 있는 것이 그들이다. 그러므로 대승불교의 유신론적 경향에 의거하여 깨달음 자체보다도 청정한 믿음이 좀 더 강조되어 온 북방불교와는 달리 남방불교에서는 아직도 엄격한 계율과 수행을 중시하고 있는 것이 특징이라고 할 수 있다.

전설에 의하면 부처님은 생존 시 스리랑카를 세 차례 방문했으며, 캘라니아에서 설법했다고 한다. 이곳에 사원이 세워져 있으며, 부처님이 앉았다는 황금의자는 대탑에 봉안되어져 지금까지 참배객들에 의해 예배되고 있다. 그 후 스리랑카에 불교가 전래된 것은 기원전 3세기[63] 인도 마우리아왕조 아쇼카왕의 아들 마힌다(Mahinda)왕자에 의해 이루어졌다고 한다.[64] 기원전 236년[65] 마힌다는 4명의 비구와 사미沙彌[66]인 수마나를 데리고 스리랑카로 건너와 수도인 아누라다푸라의 동쪽 산에 머물고 있었는데, 마침 사냥 나온 데와낭피야 티사(Devanampiya Tissa, 기원전 250~207년 재위)왕을 만나 설법하고 교화되어 불교신자가 되게 하였다. 마힌다에게 교화된 티사왕은 불교포교를 위한 편의를 제공해 주었으며, 큰 사원大精舍인 티사 아라마[67]를 건립하여 봉정했다고도 한다. 나중에 왕은 도시에서 너무 멀지도 않고 가깝지도 않은 곳인 '마하메가와나(Mahāmeghavana, 大雲林)' 를 승가에 기증하였다. 마힌다는 이곳을 불교의 본부로 삼았다. 이 사원은 후에 〈마하 위하라(Mahāvihāra, 大寺)〉라 불리는 남방불교의 근거지가 되었다. 또한 마힌다는 신통력을 가진 수마나를 시켜 인도에서 불사리와 발우를 가져오게 하여, 그것을 봉납한 아마라탑[68]을 건립했다.[69] 그런 이후부터 티사왕은 불교를 적극적으로 보호하여 스리랑카가 대표적인 불교국

63 스리랑카 불교사는 불멸 265년(기원전 246년) 아쇼카왕이 그의 아들 마힌다 장로를 파견한 것으로 시작된다. 이는 스리랑카 최초의 왕으로 아누라다푸라에 수도를 건설한 판두카바야왕의 후손인 데바남피야 티사왕 때(기원전 246년)이다.

64 스리랑카엔 고대역사서가 전한다. 그것은 島史로 번역되는 디파밤사(Dipavamsa)와 大史로 번역되는 마하밤사(Mahavamsa)이다.

65 스리랑카로 불교가 전래된 시기는 기원전 246년 아소카왕이 아들 마힌다왕자를 파견한 시점과 그로부터 10년이 지난 기원전 236년 스리랑카로 들어와 당시 스리랑카의 왕인 데와낭피야 티사를 만나 불교를 전도한 시점의 두 가지 경우로 알려지고 있다.

66 출가하여 10계를 받고 나서부터 250계를 받는 비구가 되기 이전까지의 견습승려를 말한다.

67 티사 아라마는 여러 문헌에 달리 표현되고 있다. 즉, Royal park, Nandana garden, Jotivana garden 등으로 나타나고 있다. 또한, 아누라다푸라에 스리랑카 최초의 사원인 마하메가와나(Mahāmeghavana, 大雲林) 사원을 세워 기증했는데, 이 사원이 정비된 후 마하 위하라(大寺, Mahavihara) 사원이 돼 남방불교의 거점이 되었다고 하는 내용도 있다.

68 이 탑이 구체적으로 어느 탑인지 분명치 않다. 짐작하건데 최초의 사원에 건립한 것이 아닌가 한다.

69 K.M. de Silva, A History of Sri Lanka, p.12
스리랑카 불교의 역사, 임기영, (출처 : cafe.daum.hongsasung/H8pL /4)

가가 되는 기반을 이루었다. 현재 아누라다푸라에 남아 있는 투파라마 다고바와 이수루무니야 정사精舍도 당시에 건립된 것이라고 전한다.

또한 마힌다의 누이동생인 상가미타(Sangamitta)도 비구니가 되어 스리랑카에 건너가 불교를 포교했다. 그는 부처가 탁발하였던 그릇, 부처의 쇄골과 깨달음을 얻은 부다가야의 보리수나무 가지를 잘라 아누라다푸라의 마하보디사원에 심었다. 이 나무는 몇 대에 걸쳤는지 모르지만 지금도 흔적이 남아 있어서 부처님의 상징으로 숭배의 대상이 되고 있다. 결국 이들 보리수와 불탑, 그리고 사원이 현재 스리랑카불교의 핵심대상이 되고 있는 것이다.

스리랑카에 불교가 전해진 이후 새롭게 불교는 국가의 정체성을 이루었고 국민들의 정신적 중심이 되었다. 특히 티사왕은 불교를 적극적으로 지원하여 불교가 중흥하였으며 많은 불교유적이 건립되었다. 이에 따라 독특한 스리랑카 고유의 불교문화가 형성되면서 거대한 사원과 불탑들이 세워지기 시작하여 오늘에 이르고 있다. 불교는 아누라다푸라를 시발점으로 하여 스리랑카 전역으로 전파되었고 점차 미얀마·태국·캄보디아를 비롯한 동남아시아 각지로 퍼져나갔다. 스리랑카는 남방 상좌부 불교의 종주국으로서 11세기에 미얀마, 13세기에는 태국, 그리고 14세기에는 캄보디아로 각각 불교를 전파했다. 하지만 16세기 이후 포르투갈의 침공을 받아 불교는 억압과 배척을 당했고 뒤를 이어 네덜란드가 지배(1655~1799)하게 되자 다시 승단의 법통이 끊어지고 말았다.

이처럼 상좌부 불교의 전통을 가장 잘 계승하고 있는 스리랑카는 현재

1, 2. 투파라마 스투파
3. 투파라마 사원의 불교전각

인구 2천 200만 여명 가운데 70%가량이 불교도이며 이에 비해 힌두교는 15%가량인데 이 가운데 불교도는 대부분이 싱할라인이다. 힌두교는 남인도의 타밀계 인종에 한정되어 있고 이슬람교와 기독교의 숫자도 적지 않다. 현재 인도는 사실상 힌두국가이다. 불교가 발생한 나라로서 불교의 잔재는 남아 있으나 종교로서 의미가 사라져버린 인도와는 달리 스리랑카는 오늘날까지도 불교신앙이 면면히 잘 이어지고 있는 지구 최고의 불교국가이다. 한편 거의 대부분의 기독교인들은 포르투갈의 영향으로 로마 가톨릭신앙을 갖고 있으며, 영국과 네덜란드의 영향으로 성공회와 개신교자들도 있다. 힌두교신자는 주로 인디아 출신의 노동들이다.

### 불교유적이 가득한 최초의 수도 아누라다푸라 신성도시(Sacred City of Anuradhapura)

인도에서 발생한 불교는 대륙 아래로 바다를 건너 스리랑카에서 찬란한 불교문화를 꽃피웠다. 스리랑카에 불교가 전래된 이후 국가의 중심 도시는 아누라다푸라, 폴로나루와, 그리고 캔디였다. 이른바 문화삼각지대로 엮어진 이들은 모두 스리랑카의 수도였던 만큼 다양한 불교 역사유적들이 산재하고 있다. 이 도시들은 세월의 풍상 속에서도 나름대로 특색을 달리 하며 옛 모습을 잘 지키고 있고 현재 유네스코 세계문화유산으로 지정되어 보호받고 있다.

"아누루따(Anurudda)"라고도 하는 아누라다푸라는 스리랑카 중북부의 아루비아루 강변에 있는 고대도시로 기원전 5세기부터 약 1,500년간 지속된 최초의 수도였다. 아리안인인 싱할라족은 현재 스리랑카인구의 약 70퍼센트를 차지하는 종족으로 북인도 벵골 지방에서 기원전 5세기경 스리랑카 섬으로 건너와 처음 왕국을 세웠는데 그 수도가 아누라다푸라인 것이다. 아누라다는 장군의 이름에서 유래되었고 푸라는 시내라는 의미로서 설계에 의한 계획도시로도 유명하다.

스리랑카 초기불교미술의 원형을 간직하고 있는 아누라다푸라는 판두카바야 왕[70]에 의해 기원전 380년경에 스리랑카의 수도로서 자리를 잡게

70 Pandukabhaya (재위, 기원전 437~367) : 스리랑카의 전설적인 역사에서 나타난 인도 왕자인 Vijaya가 스리랑카에 온 이래 Upatissa Nuwara왕조와 Anuradhapura 왕국을 통치한 왕. Vijayan이 스리랑카에 도래한 이후 외래족인 싱할라와 토착민족사회를 통합한 실질적인 최초의 왕이다. 그러나 그의 행적은 신화와 전설에 쌓여 있어 구체적인 부분이 부족하다.

■이수루무니야 정사의 불상

되었다. 그후 판두카바야 왕의 후손인 데와남피야 티사왕 때(B.C.246년) 마힌다가 스리랑카로 건너와 티사 왕을 개종시켰다. 왕의 통치기에 크고 작은 수많은 사찰이 건립되었다. 이 새로운 종교인 불교는 빠른 속도로 국민에게 전파되었다. 불교의 영향으로 평화와 화합으로 나라가 번영하였다.

그러나 불교를 도입한 100년쯤 뒤에 스리랑카는 유례없는 성전聖戰을 경험한다. 남인도 타밀족의 한 왕조인 촐라(Chola)왕조의 왕자 엘라라(Eḷāla)가 스리랑카에 침입하여 왕을 체포한 뒤, 45년간 이 섬을 통치하였다. 즉 힌두교를 신봉하는 남인도의 타밀족이 침입해, 불교를 믿는 싱할라인을 지배하려 한 것이었다.

이러한 장기간의 외국인 통치는 결과적으로 스리랑카의 역사에서 매우 중요한 전환점이 되었다. 이른바 국가와 불교에 헌신해야 한다는 국민적 자각이 일어나게 된 것이다. 로하나(Rohaṇa) 지역의 둣타가마니(Duṭṭha-gāmaṇī, B.C. 101~77, 혹은 161~137년)가 나타나 분쟁을 평정하였으니 그는 스리랑카의 초기불교사에서 가장 위대한 국가적 영웅이었다. 그는 '왕조를 위해서가 아니라 불교를 위해서' 적과 싸워야 한다고 외쳤다. 젊은 둣타가마니의 기치 아래 전 싱할라 민족이 하나로 뭉쳤다. 이것이 싱할라 민족주의의 시작이었다. 특히 불교도가 아니면 인간으로 간주되지도 않았기 때문에 싱할라 민족은 단 한 사람의 예외 없이 불교도가 되었다.[71] 둣타가마니는 자신의 창에 붓다의 사리를 넣어서 다니면서 싸웠다. 결국 둣타가마니는 외국의 통치자였던 엘라라를 물리치고 왕위에 올랐다. 또한 그는 마하투빠(Mahāthūpa, Ruvanvālisāya)를 비롯한 많은 종교적 건축물들을 세웠다. 국왕이 불교도가 되어 불교를 보호한 예는 많으나, 불타의 가르침을 수호하기 위해 전쟁까지 한 일은 드문 일이었다.[72]

이처럼 스리랑카는 인도와 같은 동질적 불교국가가 되었지만 지리적으로 워낙 가까워 남인도로부터 공격을 자주 받게 되었다. 따라서 이에 대응하기 위해 자신들을 대신해서 싸워줄 용병이 필요했는데 결국 인도남부 등 여러 지역에 살고 있던 타밀 용병을 불러들이게 된다. 그러나 이 타밀용병들이 오히려 쿠테타를 일으키는 경우가 자주 있었다. 이런 이유로 싱할라족은 993~1070년 촐라족[73]에게 아누라다푸라에 대한 지배권을 빼앗겼으나 폴로나루와 시대(1070~1200경)에 다시 지배권을 찾았다. 1200~1505년에는 스리랑카 남서부지역까지 싱할라족의 지배가 확대되는 한편 인도 남부지역에서 온 타밀이 스리랑카 북부지역을 지배하면서 14세기에 타밀 왕국을 세웠다.[74] 위와 같은 역사로 보아 스리랑카에서 타밀의 영향력이 컸다는 것을 알 수 있다. 특히 현대에 들어와서는 국민의 대다수를 차지하는 싱할라족과 타밀족간의 반목도 이러한 역사적 사건들이 그 근저를 이룬다고 할 것이다.

신성도시 아누라다푸라는 타밀족의 침공으로 수도를 폴로나루와로 옮긴 1017년까지 1,500년 가까운 세월 동안 119명의 싱할라족 왕이 통치하면서 화려한 문화를 꽃 피운 곳이다. 아누라다푸라지역에서 전개되었던 왕조는 매우 수준 높은 문화를 갖고 있었던 것으로 보인다. 지금도 사람들이 사용하고 있는 관개시설이나 상·하수도, 저수지는 그때 만들어진 것이다. 즉 웨와스(Wewas)로 알려진 석조 연못을 만들고, 관개시설을 확충함으로써 농업이 번창하였다. 뿐만 아니라 7~9세기경에 만들어진 것으로 21×40m 크기로 깊이가 4~5m나 되는 목욕시설, Kuttam Pokuna(Twin Ponds)도

71 마성, 「스리랑불교의 역사와 현황」, 『불교평론』, 2017년 3월
72 스리랑카 불교의 역사, (출처 : cafe.daum.hongsasung/H8pL/4)
73 인도 남부지역의 타밀족이 세운 왕조으로 9~13세기 중엽까지 이어짐
74 브리테니카 백과사전, 스리랑카의 역사

갖추고 있다. 아누라다푸라의 전성기에는 둘레가 80킬로미터에 달하는 외벽이 도시 외곽에 건축되었다고 할 정도로 규모가 컸다.

그러나 아누라다푸라에서 번영했던 싱할라 왕조는 남인도에서 쳐들어온 침입자와의 거듭된 전쟁 끝에 1,500년에 가까운 영화의 막을 내리게 된다. 얼마 전 까지만해도 스리랑카에서는 싱할라족과 타밀족간의 인종문제가 끊이지 않았지만 분쟁의 시발점이라 할 수 있는 아누라다푸라는 마치 그런 일 따위는 전혀 없었던 듯이 평화로운 모습이다. 세계 각국에서 순례하러 온 불교신자들과 근엄한 표정으로 경을 외우는 승려들, 길가엔 원숭이들이 먹이를 찾아 싸움질하며 오가고, 한가하게 달리는 우마차와 함께 도시화 과정에서 자꾸만 늘어가는 차량의 홍수 속에서 유구한 세월을 느끼는 듯하다. 이곳에 사는 사람들의 해맑은 웃음과 누구나에게  인사하는 모습에서 행복함을 느낀다. 불교의 가르침과 신성한 공기가 이 땅에서 사는 사람에게 참 행복을 선물한 것 같다.

아누라다푸라의 옛 도시구역은 현재 고고학 공원으로 보존되어 있고 스리랑카의 고대도시로서 가장 유명한 곳이 되었다. 전체 도시면적은 25㎢에 달하고, 궁전을 비롯한 불교사원 등의 건축 유적이 즐비하다. 5만여 명이 넘는 승려를 위한 불교사원 및 주거지역과 스리랑카에서 가장 높은 불탑인 다고바, 의례용으로 사용되었던 목욕탕, 옛 저수지, 또한 부처가 깨달음을 얻은 보드가야의 보리수가지를 심은 보리수 등이 남아 있어 고대 싱할라 불교건축과 예술의 시작을 한눈에 볼 수 있는 신성도시이다. 즉  2,000년 이

1. 목욕시설인 연못, Kuttam Pokuna
2. 천진한 어린이들의 웃음

1. 제타바나의 유물함(5~6세기) (출처 : The Cultural Triangle p.84)
2. 제타와나 다고바
3. 제타바나의 나가라자(Nagaraja)(9~10세기) (출처 : The Cultural Triangle p.71)
4. 제타바나의 마야데비 부조(4~5세기) (출처 : The Cultural Triangle p.82)
5. 수많은 기둥으로 이루어진 Lovamahapaya 건축유적

상 된 불교사원인 투파라마 다고바(Thuparamaya dagoba)에는 부처의 뼈가 모셔져 있다고 한다. 가장 큰 불교사원으로 제타와나 다고바(Jetavana dagoba)가 있으며, 1,600개의 기둥이 있는 로와마하파야(Lovamahapaya) 7층 궁과 지극히 아름다운 부처의 조각으로 평가받는 사마디부다 상(Samadhi Statue), 이수루무니야의 연인들이라는 조각이 일품인 이수루무니야 사원(Isurumuniya), 그 밖의 박물관 등 많은 유적지와 관광지가 산재해 있어 신성도시로서의 격조를 높게 한다.

이곳 아누라다푸라는 사람이 살지 않은 채 버려져 밀림으로 덮여 있었는데 1800년대 초 영국의 한 젊은 관리가 우연히 밀림 속에서 유적들을 발견하면서 비로소 잊혔던 왕국의 모습도 다시 깨어났고 현재는 세계불교도들이 우선하여 찾는 불교 순례지가 되었다. 옛 수도의 유적을 보존하기 위해 20세기 중엽에 시가지 대부분이 옮겨진 지금의 도시는 스리랑카 북부의 주요도로의 교차점이며 철도도 옆으로 지나간다. 스리랑카 고고학 탐사부의

본부도 있다. 이런 이유로 유네스코에서는 신성도시 아누라다푸라라고 칭하여 세계유산으로 지정하였다.

아누라다푸라(Anuradhapura)를 중심으로 발전하였던 왕조는 매우 수준 높은 문화를 갖고 있었던 것으로 보인다. 말와투(Malwatu)강 사이에 티사 호수(Tissa Wewa)와 아바야 호수(Abhaya Wewa)라는 거대한 인공의 관개灌漑 호수가 만들어졌고 그 사이에 아누라다푸라가 위치하기 때문에 농업지대로 크게 발전하고 수도가 된 것이다. 지금도 사람들이 사용하고 있는 상·하수도나 관개시설을 비롯하여 불교문화유적은 그 시절에 만들어진 것이다.

이러한 배경으로 아누라다푸라에 소재한 불교사원들은 역사가 길고 규모도 크며 불교건축적 조형수법이 뛰어난 것들이 많다. 이들은 대부분 기원전에 건립되어 12세기경까지 이어지는 불교사원들이다. 중국을 비롯한 북방계 불교국가의 불교사원과는 달리 가람배치형식은 강한 축선을 이루지 않고 자유스럽게 다양한 시설들이 배치되는 모습을 하고 있다. 사원의 크기는 200헥타 이상이며, 불교사원이 지녀야 할 불교수도원과 수도원 대학을 갖추고 있다. 불교수도원은 스투파, 보리수나무를 모시는 사당, 집회가 이루어졌던 챕터하우스, 명상센터, 식당으로 이루어진다. 수도원 대학에는 주거단지와 함께 우물, 연못, 증기목욕시설도 갖춰져 있으니 당대의 문화적 수준을 짐작하게 한다.

불교사원 안에서 가장 중심적 위치를 차지하고 있는 것은 스투파(스리랑카어로는 Dagoba)이다. 스리랑카의 불교문화를 상징하기라도 하듯 도시의 곳곳에 있는 탑은 하늘을 향해 장대한 모습으로 우뚝 솟아 있다. 탑은 탑 홀로 있지 않고, 주변을 에워싼 목조 건축과 수많은 조각으로 이루어져 있으니 어느 것이나 의미 있고 장엄한 표정을 짓고 있다. 인도 산치불탑형식의 복발식覆鉢式다고바 중에서 규모가 큰 것은 제타와나 라마야(Jatavana Ramaya) 사원의 탑, 아바야기리 사원의 탑이 있다. 역사가 오랜 것으로는 투파라마 다고바와 루완웰리 마하세야대탑(Ruwanweli Maha Seya Dagoba)이 있

1. 암바스탈라 마하세야의 식당
2. 나가 포쿠나 연못

다. 그 외에도 랑카라마 다고바, 마리사바티야 다고바도 있다. 이 지역의 탑은 벽돌로 만들어진 것으로 중인도의 탑과 같은 모습인데 정상의 상륜부까지 벽돌로 만들었기 때문에 다소 변형되었으며, 탑신의 네 방향에 일종의 제례를 모시는 돌출부를 만들어 조각으로 장식했다. 또 인도불탑 주위에 있는 난간은 없으나 와타다게(Vatadage)라고 하는 복도형식의 목조회랑이 있어 불탑의 중심성을 더욱 강하게 한 것으로 보인다. 이 회랑의 아래 축부는 여러 개의 돌기둥을 3열로 세웠고 그 위에 목조로 지붕을 올려 Stupa House를 지었기 때문에 멀리서 보면 목조건축의 가운데 다고바가 서 있는 모습을 하고 있다. 특히 기단부는 방형의 테라스를 맨 외곽에 두고 그 다음은 원형의 테라스로 만든 다음 그 중심에 원형의 다고바를 자리하게 하였다.

또한 스투파를 중심으로 그 주변에는 다양한 전각들이 자리한다. 부처를 모시는 불전을 비롯하여 강학공간이나 승려들의 거처, 식당, 목욕시설, 심지어 병원시설까지도 있다. 이들은 대부분 석조건축으로 되어 있는데 지붕은 목조이다. 현재 그 모습을 확인할 수 있는 부분은 기단부와 벽, 기둥 정도이다. 이들은 나름의 고유한 장식을 하고 있다. 주된 이미지는 꼬끼리와 사자, 괴수怪獸, 식물문양 등이다. 특히 사원 앞 층계 밑에 설치한 반원형 석판(Moon Stone, 月石)에 정교한 부조를 새긴 것이 있다. Moon Stone에는 다음과 같은 의미가 있다. 우선 가장 바깥쪽에는 불의 테두리가 있다. 이것은 인간 세계와 그 세계에 소용돌이치는 욕망을 의미한다고 한다. 그 안쪽에 있

1. 고대병원시설
2. 계단장식

는 네 종류 동물(코끼리, 말, 사자, 소)의 테두리는 생명의 힘과 활력을 나타낸다. 코끼리는 태어남(生), 말은 늙음(老), 사자는 병(病) 소는 죽음(死)을 상징하는데 이 모든 것은 윤회를 의미한다. 꽃의 테두리는 사랑하는 마음을, 그 안쪽의 입에 꽃을 물고 있는 새는 순결을 상징한다. 여기서 사람들은 생명의 의미를 깨닫는다. 그 꽃의 테두리 위에는 거위들이 한 줄로 새겨져 있다. 그리고 마지막으로 한가운데 있는 연꽃은 천국을 의미하는데, 인간이 죽은 뒤에 이곳에 이른다고 한다. 도상적인 의미에서 볼 때 여기에 새겨진 장식들은 사르나트에 있는 돌 기둥에도 나타나며 네 마리의 동물은 네 방위와 관련이 있거나 혹은 인도의 커다란 강을 상징하지 않나 생각된다. 또한 거위는 산치대탑 주변의 마우리야시대 돌 기둥에서도 보이는데 다섯 번째 방향으로 천상을 의미한다. 따라서 이는 우주의 축소판이라고 해석되기도 한다.

월석月石과 함께 계단의 양 옆에 서 있는 문지기(Guard Stone), 즉 불교 사원의 출입구를 지키는 수호신 드바라팔라(Dvarapala) 역시 참 인상적이고 아름답다. 이들은 보통 머리 뒤쪽에 아홉 개의 코브라 머리가 달린 나가(Naga)형상이다. 이들 나가는 번영과 행운을 상징하는 단지를 들고 머리에는 보관을 쓰고 있다. 풍만한 여성상을 하고 있는 경우는 대단히 장식적이고 남성상인 경우는 가다(Gatha)라 부르는 철퇴를 들고 무릎을 반 정도 꿇

1. 반원형 석판((Moon Stone, 月石)
2. Ruwanweli Seya Dagoba 입구의 드바라팔라(Dvarapala)

은 자세로 거대한 몸집을 가진 무시무시한 모습의 마귀나 거인으로 표현된다. 앙코르 와트에서는 이때 남성을 드바라팔라라 하고 여성을 데바타(Devata)라 부르기도 한다. 특히 우리나라에서는 일주문 다음에 있는 금강문을 지키는 금강역사상으로 표현된다.

1) 아누라다푸라 최고의 투파라마 다고바(Thuparama Dagoba)

아누라다푸라에는 다양한 불교유적이 있으나 가장 대표적인 것은 불교사원과 그 중심에 자리한 스투파(stupa, 불탑)이다. 거대한 이들 사원과 스투파는 최초로 지어진 모습이라기보다는 원래의 것이 파손되고 그곳에 옛 모습을 본 따 새롭게 지어진 것들이다.

스리랑카의 스투파 유형은 크게 인도불탑에서 유래된 인도 초기불탑형 스투파, 차이티야 가라(Ceitiya-Ghara)형 스투파[75], 스리랑카에서는 독특한 방형기단 위에 복발형의 스투파, 또한 방형의 고층형 스투파[76]로 구분할 수 있다. 물론 현재 스리랑카에서는 인도 시원불탑인 복발형 스투파가 주종을 이루지만, 방형 기단을 가지는 스투파와 방형의 고층형 스투파도 있어 다양한 모습을 보여주고 있다. 특히 사트 마할 프라사다와 같은 고층형 스투파는 특수한 모습을 하고 있어 인도 보드가야의 마하보디 스투파와 관련 있는 스투파이긴 하나 그 독특한 양식으로 인해 스리랑카 스투파의 전형양식이라 하기엔 적절하지 않고 이색적이다.

인도의 시원형 스투파를 대표하는 산치 스투파는 기단과 큰 복발, 하미

75 Ceitiya-Ghara(차이티야 가라)는 Caitya-house나 Shrine house의 팔리어 표현으로, 스투파를 보호하는 방(chamber)같은 구조를 말한다. 초기에 지어진 소형 스투파를 보호하기 위한 장치이며 차이티야 가라의 지붕은 나무로 만들어졌던 것으로 추정된다.

76 현재 남아 있는 스투파인 '사트마할 프라사다(Sat mahal Prasada)' 의 경우 고층형 스투파로 분리된다. 사트마할 프라사다는 폴로나루와 편에서 다루도록 한다.

1. 투파라마 다고바와 주변의 기둥
2, 3, 4, 5. 투파라마 사원 내부

카, 산개, 산간의 상부구조, 다양한 문양과 장식이 부가된 탑문과 난간 등으로 구성되어 있다. 이 탑의 특징으로는 작은 상부구조, 그리고 화려하게 장식된 탑문과 난간을 들 수 있다. 스리랑카에는 인도 시원형을 유지하고 있는 다수의 스투파가 많이 남아 있어 주목되며, 인도를 비롯해 동아시아 불탑의 전래양상을 알 수 있는 귀중한 자료가 되고 있다. 다만 취약한 벽돌구조로 되어 있고 또한 수차례의 증축 과정을 겪으면서 원래의 모습을 잃고 있어 아쉽다.

투파라마 다고바(불탑)는 루완웰리 세야 대탑에서 북쪽으로 약 500m 떨어진 푸르른 숲속에 우뚝 서 있다. 사와쿨라마 저수지와 가깝다. 아누라다푸라에 현존하는 여느 불탑보다는 규모는 작으나 넓은 2단의 기단 위에 서 있는 종 모양의 높이 19m짜리 흰 탑으로, 기원전 4세기 후반에 석가의 오른쪽 쇄골鎖骨을 모시려고 Devanam piya 왕이 세운 것이라는 전설이 있다. 스리랑카 최초의 불탑인 이 탑이 초창기에는 어떤 모습이었는지 분명하지 않으나 아마도 건초를 쌓아놓은 듯한 산 모양이었던 것 같다고 전한다. 현재의 모습은 1984년에 재건되어 지금의 형태를 하고 있다. 탑 둘레에는 오래된 것으로 보이는 몇 개의 돌기둥도 세워져 있다. 이것은 탑 주변에 회랑 모양의 목조건물을 원형으로 돌렸던 것 같다. 지금은 상부의 지붕이 없어지고 건물의 몸 부분을 지탱하였던 기둥이 쓰러져 가고 있어 옛날의 아름다운 모습을 상상하기 어렵다.

현재의 모습은 당연히 그다지 오랜 것이 아니기 때문에 고격을 잃고 있다. 그러나 스리랑카에 현존하는 여느 탑과 같은 모습으로 기단과 복발, 상륜부로 나누어져 있다. 기단부는 3단으로 구성되었는데 여러 개의 링을 돌려 나름대로 3단 구획을 하였다. 그 위의 복발은 스리랑카의 불탑 중에서 다소 높은 모습을 보인다. 즉 복발이 반구半球보다 다소 높아 종鐘 모양을 하고 있다. 상륜부는 탁자 형식의 노반을 놓고 그 위에 여럿의 원형 링을 규모를 줄여가면서 중첩시켜 보륜을 구성하였다.

투파라마 사원의 현장에 있는 안내판에는 다음과 같은 내용이 있다.

"마하 밤사의 기록에 의하면 투파라마[77]는 판두카바야(Pandukabhaya)왕[78]에 의해 건설되었으며, Yakkha maheja 를 위한 사원이 위치했던 곳에 세워졌다. 판두카바야 왕의 후손인 데바남피야 티사 왕은 이 투파라마에 부처의 유물을 모셔 스리랑카의 첫 번째 불교 정사(Shrine)로써 건립하

77 아마도 탑이 아닌 사원에 해당된다고 추정됨.
78 B.C 380년 아누라다푸라를 스리랑카의 수도로 삼은 왕. 불교를 수용한 티사왕은 그의 후손이다. 아누라다푸라는 수도로 자리 잡게 된 후 1,500여 년간의 화려한 문명을 이루었다.

■투파라마다고바 주변의 건축유구

였는데 이 탑은 옥수수(corn) 모양이었다고 한다. 이후 바사다(A.D. 67~111)왕이 돌로 된 벽으로 스투파의 방을 막았다. 고타바야(A.D. 249~263)왕은 부처의 유물이 든 방을 만들었고 다른 여러 왕들도 수차에 걸쳐 투파라마 스투파를 개축하였다. 그후 투파라마는 촐라족의 침략이 있었던 10세기에 무너졌다가 이후 빠라끄라마 바후 대왕(A.D. 1153~1186)에 의해 재건되었다. 개조작업이 계속되어 왔고 1842년에 그 결과로 투파라마 스투파는 종 모양을 갖게 되었다. 이곳은 스리랑카 고고학 유산으로 보호받고 있다."

2) 바위 위에 세워진 이수루무니야 정사精舍 (Isurumuniya Rajamaha Vihara)

인공호수인 팃사 웨와(Tissa Wewa) 저수지 근처에 지어진 이수루무니야[79] 정사는 흔히 바위사원(Rock Temple)이라고 불린다. 그다지 크지 않은 불교사원인 이곳을 비하라라고 칭한 것은 교육적 기능이 더 강조된 사원이기 때문이다. 바위를 파낸 듯이 지어진 불당과 목조 전실, 바위 위에 세운 하얀 다고바, 밝은 색으로 칠해진 불상을 모신 본당, 귀중한 발굴 물품을 보관하는 박물관은 아누라다푸라의 어떤 유적에서 볼 수 없는 이색적인 풍취를 느낄 수 있는 사원이다. 스리랑카 최초의 사원으로 기원전 3세기 데바남

79 풍농이라는 뜻

■이수루무니아 정사

1. 조각상 : Parjanya(비의 신)와 Agni(불의 신)를 표현한 작품이라고 하지만 확실하지는 않다.
2. 이수루무니야 사원의 박물관에 전시된 연인의 상(Isurumuni Lovers : 4~6세기 경)

피야 티사(Devanampiya tissa)왕에 의해 건립된 사원이라고 전하지만 분명하지 않다. 비구로 입적한 귀족계급의 자제 500명의 거처로 쓰기 위한 목적이었으며 스리랑카에 불교를 전한 마힌다도 이곳에서 수행했으며, 처음에는 부처님 치아도 여기서 모셨다고 하지만 이 역시 분명하지 않다.

기원전 3세기에 세워진 승원僧院(Vihara)의 일부가 복원될 때 지금과 같은 사원으로 만들어졌기 때문에 건물이 비교적 새롭다. 본당에 모신 불상 역시 도쿄에 있는 일본 천초사淺草寺의 도움을 받아 원색에 가까운 색을 다시 입혔다고 한다.

다고바가 자리한 사원 뒤 바위 위로 올라가 보면 주변의 도시가 한눈에 들어온다. 여러 저수지가 자리하고 그 사이 나무가 많은 곳에 위치한 것을 알 수 있다. 바위 표면에 새겨진 몇몇의 불교적 조각도 귀한 흔적이다. 예부터 쓰던 코끼리, 풍요의 신 파리쟈니와 불의 신 아구니의 조각 등을 보면 옛날 사람들이 무엇을 기원했는지 알 수 있을 것 같다.

본당 옆에 있는 박물관에는 사원 북쪽의 왕궁정원에서 발견되었다는 연인의 상과 왕족의 상이 있다. 연인의 상은 5세기 무렵의 작품이라는데, 여기 조각된 남녀는 어떤 사람들은 시바와 아내 파르바티라고 하는데 대개는 기원전 2세기 두투가무누(Dutugamunu) 왕의 아들 사리야(Saliya) 왕자와 그의 연인 아소카 마라(Asoka mara)라고 전한다. 연인상이 아름다워 이수루미니야 사원에서 가장 널리 알려진 예술작품이다. 두투가무누 왕이 그들의 사이를 인정하지 않자 사리야 왕자는 사랑하는 사람과 결혼하기 위해 왕위도 포기했다고 한다.[80] 왕에게는 동생 티사와 아들 살리아가 있었는데 이곳이 왕자가 아소카 마라를 만난 곳이라 한다.

또 다른 하나의 왕족의 상은 사리야 왕자와 마라의 결혼 후 모습이다. 한가운데 두투가무누 왕과 왕비가 있고, 왕의 왼편에 사리야 왕자, 그리고 왕비 바로 곁에는 마라가 있다. 그러나 아소카 마라의 신분이 낮았기 때문에 이 조각에서는 구석에 조심스럽게 조각되어 있어 찾기 어렵다.

### 3) 스리 마하 보리수(Sri Maha Bodhi Tree)

이 나무는 원래 기원전 3세기경에 아소카왕의 딸인 상가미타공주가 석가모니가 깨달음을 얻은 인도 보드가야의 성스러운 보리수 가지를 꺾어 스리랑카에 준 것을 심어서 자란 것이라고 전한다. 2,300년이라는 오랜 세월을 살아온 이 보리수는 가지는 버팀목으로 지지하고 나무 둘레에 금속울타리가 둘러져 있다. 신발을 벗고 들어가야 한다. 스리랑카인들은 특히 보리수를 각별히 아끼고 경배한다.

1. 상가미타가 가져온 보리수의 한 종류
2. 왕의 가족상(6~8세기)

80 http://cfile215.uf.daum.net/original/

루완웰리 세야 다고바에서 조그만 걸어가면 스리마하 보리수가 자리하고 있다. 또 이수루무니야 정사에서 북쪽으로 약 1㎞ 정도의 거리이기도 하다. 기원전 3세기에 인도 아쇼카왕의 아들인 마힌다 왕자와 딸 상가미타 공주가 스리랑카에 불교를 전하였는데 상가미타가 부처가 깨달음을 얻었다고 하는 부다가야의 성스러운 보리수 가지를 가져와서 당시 스리랑카의 티사왕이 심은 것이라고 전해진다. 보드가야의 보리수가 이슬람교도에 의해 불타 버렸을 때 이 스리마하보리수 가지를 꺾어다 다시 심었다고 한다. 설화적인 전설에만 의존하면 2,300년이라는 오랜 세월이나 된 이 나무는 아누라다푸라가 불교의 성지라는 사실을 더욱 강하게 인식 시켜 주는 곳이다. 19세기에 들어와서 코끼리를 비롯한 동물로부터 이 보리수를 지키기 위해 주변에 석축으로 쌓은 단과 철책을 만들었기 때문에 가까이에서 손으로 만지듯 접할 수는 없으나 좀 떨어진 곳에는 많은 순례자들이 참배하기 위한 시설이 갖추어져 있다.

4) 대승불교의 흔적 아바야기리 사원과 대탑(Abhayairi Dagoba)

아바야기리란 '용감한 언덕'이란 뜻으로 불교식으로 해석하면 '용맹정진의 승가람'이란 뜻이다.[81] 마하세나 궁전 남쪽에는 아바야기리 사원(Abhayagiri. 기원전 1세기~기원후 11세기)이 있는데 그 중심에 붉게 구운 벽돌을 쌓아 올린 거대한 아바야기리 대탑이 자리하고 있다. 그 표면을 자세히 보면 틈새에 초목이 무성히 자라 있고, 군데군데 흙이 드러나 있는 곳도 보인다. 이곳은 옛날에 스리랑카에도 부분적으로 있었던 대승불교의 총본산으로 소승불교의 나라인 스리랑카에서 이제는 사라져버린 대승불교의 자취를 보여주고 있다.

이 사원은 아누라다푸라에서 가장 큰 사원이고 불교초창기에 건립된 도량으로 스리랑카의 역사에 있어 큰 사건들이 발생한 곳이다. 즉 기원전 1세기 타밀군과의 전쟁에 대한 내용과 대승불교파와의 갈등이 이곳에서 이루어지고 이를 상징하는 의미가 담겨 있는 곳이다. 12세기에 들어서면서 아누라다푸라에서는 이 아바야기리 다고바를 중심으로 한 대승불교파와 마하비

81 송필경, 붓다의 땅 스리랑카, 아바야기리사원.(출처 : http://blog.naver.com/ysdc2875/30150588216)

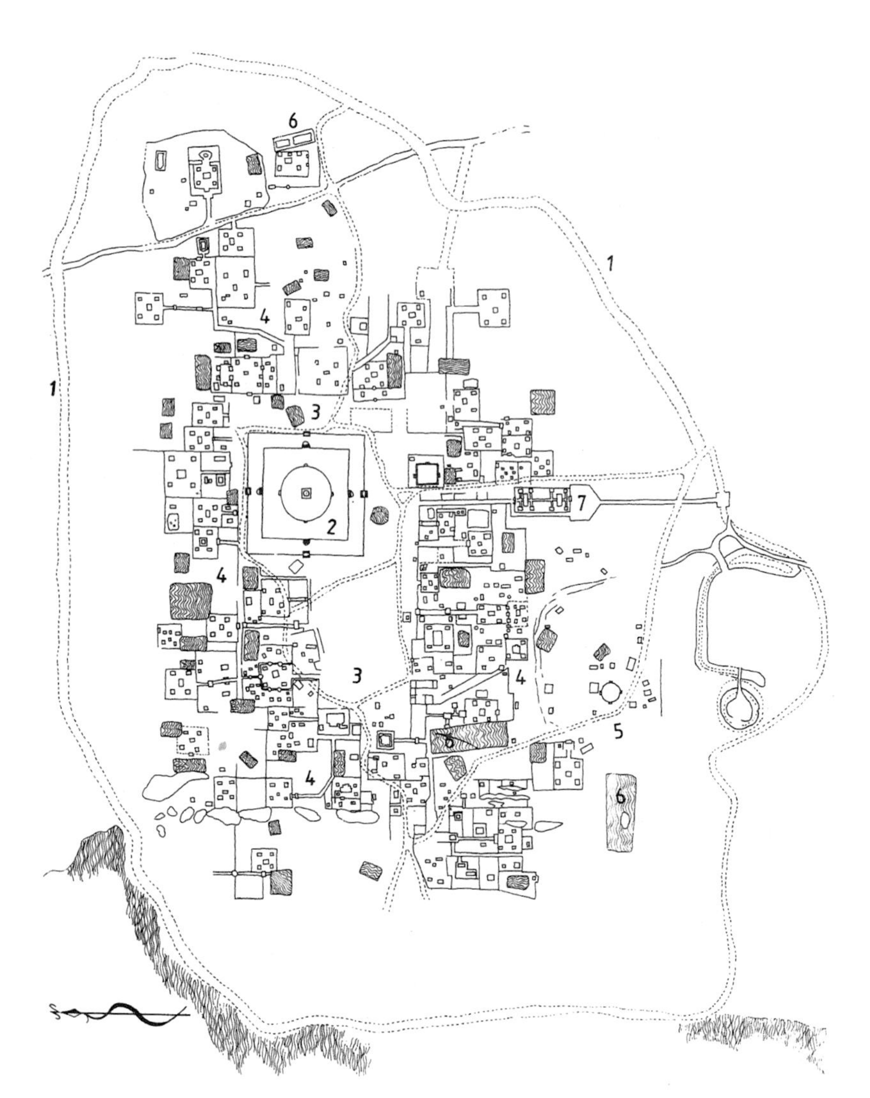


■아바야기리 평면도(출처 : The Cultural Triangle p.43)
① 주변부길
② 불탑
③ 수풀
④ 거주구역 뜰
⑤ 란카라마
⑥ 욕조
⑦ 현대 주거지와 박물관

하라 사원을 중심으로 한 소승불교파의 세력 다툼이 심해졌다. 그때 왕이었던 빠라끄라마 바후1세는 대승불교파를 억압하며 불교계를 통일시켰다. 그 뒤로 스리랑카에서는 대승불교가 모습을 감추게 되었다.

아바야기리는 상좌부 불교인 소승불교의 역사에서 중요한 자리를 차지하고 있었다. 아바야기리 근처에는 불교를 최초로 접하고 인정한 데바남피야 티사(BC 307~267)왕이 지은 큰 사원이 있었는데 예로부터 종교권력과

82 브리태니커 사전

세속권력의 중심지였던 이 사원과의 제휴관계를 맺고 있었기 때문에 중요한 지위를 확보할 수 있었다. 그러나 바타가마니 통치 말년에 승려와 평신도 공동체의 관계를 어떻게 할 것인가라는 점과 팔리어 원전을 불경으로 증보할 때 산스크리트로 제작된 저술을 어떻게 이용할 것인가 하는 문제를 둘러싸고 논쟁을 벌인 끝에 서로 결별하였다. 티사왕이 건립한 사원의 승려들은 아바야기리 도량을 이단으로 간주했지만, 아바야기리 사원은 가자바후왕의 후원을 받아 더욱 명성을 높였으며 경제적으로 부유해졌다. 아바야기리 사원은 아누라다푸라가 13세기에 수도의 위치를 잃을 때까지 계속 번영을 누렸다. 그 뒤에도 이곳에 있던 주요대학들 가운데 2개는 16세기까지 계속 운영되었다.[82]

아누라다푸라의 규모가 큰 수도원들 중 두 번째로 오래된 아바야기리사원의 넓이는 200hα(약 60만 평) 이상이 되며, 불교사원이라면 응당 기본적으로 갖추어야 할 불교수도원과 수도원대학이 건립되어 있다. 불교수도원은 스투파, 보리수 사당, 도서관이거나 집회가 이루어졌던 챕터하우스, Padhanaghara라는 명상원, 식당으로 이루어진다. 수도원 대학에는 주거단지와 함께 우물, 방형 연못, 증기목욕시설이 갖춰져 있다. 이처럼 아바야기리 사원은 네 가지 주요 시설(Mula)이 있는데 Uttara Mula, Vahadu Mula, Kapara Mula, Mahanethpa Mula라 한다.

현장에 있는 안내판에 의하면 아바야기리 사원의 스투파는 우타라 마하

1. 아바야기리 다고바
2. 아바야기리 다고바의 상륜부

■아바야기리 사원의 우물(좌)
아바야기리 다고바 정면의 장식 제단 (frontispiece)(우)

차이티야(Uttara Maha Cetiya)라고도 불리며, 발라감바 왕(Valagamba, B.C. 89~77) 때 세워졌다.[83] 이후 가자바후 왕(Gajabahu, A.D. 112~134)의 통치시기에 이 스투파를 더 크게 만들었으며 마지막으로 빠라끄라마 바후 대왕(A.C. 1153~86)의 통치시기에 새로 지었다. 현재 탑의 깨진 첨탑부분까지의 높이는 71.5m로 아누라다푸라에서 제일 높다. 맨 아래 테라스의 한 변 길이는 120m이다. 이 테라스는 모래가 깔려 있는데 이를 포함하여 전체의 넓이가 5.6㏊나 된다. 탑 앞에는 조그만 사당을 4방에 두었는데 열반상을 비롯한 불상이 자리하고 있다. 근자에 수리를 자주 하였고 초창기의 모습이 어떻게 생겼는지 분명하지 않으나 스리랑카불탑의 전형적인 모습이라고 이해되고 있다.

한편 이 탑은 한국인들이 만든 개인적인 답사 블로그나 인터넷 검색에 건립자에 대한 내용이 서로 다르게 나타나고 있다. 이는 아마 오랜 역사에 있어 여러 대에 걸쳐서 파손된 것을 새롭게 복원하거나 증축, 수축된 것을 건립이라고 표현한 것이 아닌가 생각된다. 건립자가 다른 내용은 기원전 1세기경에 이 다고바를 건설한 우타가미니 아바야 왕은 아누라다푸라를 타밀군에게 빼앗기고 14년 동안 유랑 생활을 했다고 한다. 다시 아누라다푸라에 돌아온 왕은 유랑 생활 동안에 자이나교의 승려에게서 받은 굴욕에 보복하기 위해 자이나교의 사원을 부수고 그 자리에 이 다고바를 세웠다고 한다.

현재의 모습은 예전의 호화로움에 비하면 현재의 모습은 거대한 불탑만 덩그러니 서있어 다른 불전과 부속시설들은 기단부를 비롯한 돌기둥과 벽돌의 흔적만 남아 있을 뿐이다. 전체적인 모습은 정사각형의 대지에 담장을 두르고 정 중앙에 본당이 자리하고 그 주위에 4개의 부속건물이 위치한다.

83 탑의 건립에 대한 내용이 다른 경우가 많다. 이 탑 역시 기원전 1세기에 와타가미나 아바야 왕(BC 29~17 재위)에 의해 건설되었는데 당시에 최고 높이로 110m였다는 루완웰리 세야 대탑과 같은 높이였다고 한다. 아마 이는 여러 대에 걸쳐서 증축되거나 새롭게 건립된 것을 표현한 것이 아닌가 생각된다.

84 월간 『아시아문화』 2015년 3월호, 「아누라다푸라 신성도시 2」 참조.
85 란카라마 스투파 옆의 스틸 안내판의 내용을 참조함
86 Wikipedia의 내용

이 이외에 장방형의 저수용 연못, 목욕시설, 화장실이 있다. 본당 입구의 계단 중앙에는 아주 크고 아름다운 월석(Moon Stone)이 바닥에 깔려 있다.

### 5) 란카라마 스투파(Lankarama)

란카라마 스투파는 아타마스타나(Atamasthana)라고 불리는 8개의 신성한 장소 중 하나로, 투파라마 스투파[84]보다 크기는 더 작다.

원래 기원전 1세기 발라감바 왕(Valagamba, B.C.89~77)의 통치 시기 아누라다푸라의 고대 왕국에 있던 갈레바카다(Galhebakada)에 세워진 스투파로 알려져 있으나, 안타깝게도 현재 상태로 복원되기 전까지의 자료는 알려진 바 없다. 본래 불탑건축으로서 특징적인 부분을 지니고 있었으나 나중에 보수되면서 현재의 모습으로 변하였다. 복원 이후 현재의 돔 직경은 12m이고[85] 기단으로 보이는 원형의 단(courtyard)는 비교적 넓고 높이는 3m이다.[86]

옛 명칭은 정확히 알려져 있지 않으나 밧타가마네-아바야(Vattagamane Abhaya)가 세운 '실라솟바칸다카(Silasobbhakandaka)' 라는 탑으로 추정된다. 처음에는 왕의 목숨을 구해주었던 소마 왕비(Soma devi)를 기리기 위한 스투파인 소마라마 스투파(Somarama Stupa)로 불렸고, 이후 마니소마라마 혹은 란카라마(Mani-Somarama, Lankarama)로 불리게 되었다. 마니 투파라마 (Mani thuparama)라고도 알려져 있다.

란카라마에는 투파라마와 유사하게, 스투파를 보호하기 위해 높은 돌기

■1. 란카라마 스투파(Lankarama) : 석조기둥으로 된 '원형 스투파 하우스' 와타다게(Vatadage)가 둘러싸여 있었다.
2. 란카라마의 돌기둥

둥을 원형으로 돌리고 그 위에 목조건축을 올린 '원형 스투파 하우스' 와타다게(Vatadage)가 있었는데, 현재는 돌기둥만 남아 있다. 그 돌기둥은 높이가 50피트, 둘레가 150피트이다. 스투파 하우스 와타다게는 최초의 복발형 스투파에 새롭게 더해진 시설로 보이며 카닛타팃사 왕(A.D. 164~192) 시기에 지어졌다. 란카라마의 도면과 전체 모습을 보면 투파라마를 모방했음을 알 수 있으나 그 특징은 서로 다르다. 란카라마의 둥근 기단은 4개의 계단을 통해 올라갈 수 있으나 투파라마는 남북 쪽 2개의 지점에 계단이 위치한다. 스투파를 둘러싸고 있는 돌기둥은 3개의 동심원을 형성하고 있는데, 첫 번째 원에는 20개의 기둥이 있고, 두 번째 원에는 28개, 세 번째 원에는 40개의 기둥이 있다. 가장 안쪽 첫 번째 원을 형성하는 기둥은 높이가 16피트 8인치로서 스투파의 바닥면보다 높이 세워져 있으며, 두 번째 원의 기둥 높이는 16피트 11인치로서 포장된 부분보다 높은 곳에 세워져 있기 때문에 두 원의 기둥의 꼭대기는 5인치의 차이가 난다. 세 번째 원의 기둥은 높이가 12피트 5인치이다. 투파라마와 같은 유형의 기둥머리에는 장부(tenon)나 받침(pad)이 없다. 투파라마와 달리 이들은 분리되어 있지는 않으며, 축은 장부 구멍과 장부에 맞게 맞추어져 있다. 투파라마와 마찬가지로 스투파를 둘러싸고 있는 벽돌 벽이 2개의 바깥 원 돌기둥 사이에서 발견되었다.

돌기둥의 용도는 명확하게 알려진 바가 없으나, 『인도와 동양 건축의 역사(History of Indian and Eastern Architecture)』의 저자 퍼거슨(Fergusson)은 "돌기둥은 기둥머리 위에 얹힌 나무 들보에 의해 다른 돌기둥과 서로 연결되어 있어 거기서 커튼이 내려져서 불교장식인 그림을 가리는 역할을 했을 것이다."라고 하였다.

퍼거슨의 이런 이론에 대해 스미서(J.G. Smither)는 두 번째와 세 번째 돌기둥의 간격이 좁고, 기둥에 커튼 같은 것을 걸었다면 스투파의 전체 윤곽과 장식을 가리기 때문에 타당하지 않다고 반박했다. 또 기둥머리를 조사한 후에는 "일부 기둥머리의 꼭대기 부분의 유형을 볼 때 모든 기둥들은 서로 연결되는 관계가 아니며, 들보를 지탱하기에는 불필요하게 큰 장부(tenon)의 용도는 아마도 안쪽 2개의 원을 구성하고 있는 돌기둥의 장식을 받치기 위한 것이었을 것이다. 그런 장식은 불교의 상징물로서 기둥에 의해

■투파라마의 돌기둥 머리부분

지탱되는 조각이나 그림 같은 것이며 이들은 언제나 일정한 높이의 같은 위치에 놓여 있었다."라고 말했다.

기둥은 어떤 용도로 사용되었음에는 틀림없으며, 바깥쪽 원의 기둥 높이가 안쪽 기둥 높이보다 낮게 배열된 그 방식 또한 의문의 여지를 남기지는 않는다. 아누라다푸라의 유적에서 상부구조를 지탱하는데 쓰였을 수많은 기둥을 살펴보더라도 장부나 장부구멍은 보이지 않았다. 아누라다푸라에서 발견된 양각 부조에는 기둥과 기둥 위에 걸쳐놓은 수평부분인 쇠시리와 띠장식의 집합체인 엔타블레이처(Entablature)사이에 4개의 받침이 있어서 그 위에 가로 목재가 놓여 있었다. 그와 유사한 건축 방식이 칸드얀(Kandyan)에서도 발견되었기 때문에 란카라마와 그 외 다른 스투파의 기둥머리에도 지붕의 목재부분과 맞추기 위해 그런 장치가 채택되었음을 추정할 수 있다.

한편 호카트 교수는  투파라마에서 볼 수 있는 기둥의 유형은 12세기에 유행했던 형식이라고 한다. 그 연대는 8세기의 특징을 보여주는 미힌탈레의 암바스탈라 차이티야(Ambastala cetiya)의 돌길에서 발견된 비문의 연대보다 한참 늦은 것이다. 부서진 돌기둥의 축에서 발견된 한 비문에는 8세기의 글이 적혀있었다. 따라서 암바스탈라 차이티야의 기둥이 8세기 것이라는 사실은 분명하며 그와 동일한 유형인 투파라마, 란카라마 등의 기둥 또한 같은 시대로 추정할 수 있다.[87)]

### 6) 1,600개의 기둥이 있는 7층 궁전, 로바마하파야(Lovamahapaya)

스리 마하 보리수사원(Sri Maha bodiya)에서 르완 웰리세야 탑에 이르는 길은 가로등이 있는 곧고 아름다운 돌길로 이어진다. 길의 오른쪽에는 로바마하파야(Lovamahapaya), 또는 로하 파사다(Loha pasada)라는 궁

87 실론의 스투파, the Stupa in Ceylon, S. Paranavitana, (1946~1988)

1. 로바마하파야(Lovamahapaya) 전경
2. 로바마하파야의 돌기둥

전으로 알려진 유적이 있다. 어떤 글에는 수도원이라고도 한다. 혹은 지붕이 청동기와로 덮여있다고 하여 브라즌궁(Brazen palace)이라고도 불린다. 이 궁전은 기원전 161년 두투게무누 왕[88](B.C. 161~137)이 세웠다고 전한다. 한 변의 길이가 120미터이며 40개의 행렬에 모두 1,600개의 돌기둥으로 이루어진 1,000개의 방이 있었던 거대한 왕궁이라 한다. 특히 9층의 목조건축이라고 하지만 이 또한 확실한 근거는 없다. 지붕은 구리 청동판으로 덮여있었다고 하는데 좀 과장된 것이 아닌가 한다.[89] 중앙에 있는 조그마한 건물은 후대에 건립되었는데 현재까지도 대사원의 주요한 성전(Uposatha ; chapter house)이 되고 있다.

현재 남아 있는 기둥 유구만을 보아도 거대하고 매우 인상적인 건축물임에 틀림없다. 외관상으로는 1m 정도 높이의 방형 기단 위에 수많은 석주石柱들이 좁은 간격으로 서 있다. 그러나 중앙에 작은 건물이 있는 건물지일 뿐 주의를 기울일 만한 유적이 아니어서 그런지 아누다라푸라를 방문하는 사람들에게 큰 관심을 받지 못하는 것 같다.

이 건축유적은 불교 경전을 공부하며 연구, 암송하는 장소뿐만 아니라 식당을 포함한 여러 용도의 건물로 활용한 것으로 알려졌다. 이 건물이 구체적으로 어떻게 활용되었는지 정확히 고증되지는 않았지만 최소한 불교 초기 경전을 비롯한 불교의식 등과 깊은 관계를 가진 것만은 틀림없는 것으로 보여 진다. 이 건물을 건설하는데 약 6년 정도 시간을 들여 완성하였지만 사다팃사Saddhatissa(B. C. 137~119)왕 재위 때에 화재로 파괴되었던

88 두타가마니(Dutthagamani) 왕이라고도 한다
89 Wikipedia의 내용

것을 그는 7층으로 다시 지었다고 한다. 이탑의 높이는 한국의 황룡사 목탑이나 익산 미륵사 목탑과 같이 9층으로 축조되었고 또한 건립의 연기緣起 또한 황룡사의 자장법사의 설화와 비슷한 내용이 포함하고 있다.

### 7) 아누라다푸라의 상징, 루완웰리 세야 대탑 (Ruwanweli Seya Dagoba)

루완웰리 세야 대탑은 아누라다푸라 유적지구 중심부에 세워진 희고 거대한 스투파이다. 그 거대한 규모 때문에 루완웰리 마하세야 다고바(Ruwanweli mahaseya)로도 불리며, 여기에서 '마하'는 거대한 규모의 메가 스투파임을 나타낸다. 시내 중심에 솟아 있는 대탑은 현재 55m 정도 높이의 탑이지만 원래는 110m에 이르렀고, 불탑에는 부처님 사리가 봉안돼 있다고 전한다. 거대하여 쉽게 멀리에서도 쉽고 보이는 이 탑이 나타나면 아누라다푸라에 도착했음을 알리는 것이다.

최초의 탑은 기원전 140년경에 두투게무누 왕 때 스리랑카를 통일한 기념비적 성격으로 110미터 크기로 건립 되었다고 하는데, 왕이 완성을 보지 못하고 세상을 떠나자 사다 팃사(Saddha Tissa, B.C. 137~119) 왕자[90]가

■루완웰리세야 다고바

아버지의 뜻을 이어 완성시켰다고 전한다. 건립 당시에는 이집트의 피라미드에 필적할 만큼 대단한 크기의 대탑이었던 것으로 그 위용을 자랑하고 있다.

두투게무누 왕은 남인도에서 침략해 온 타밀 군을 물리친 것으로 유명하다. 여러 차례의 전쟁이 있었는데, 왕 말년에 남인도의 엘라라 왕이 싸움을 걸어왔다. 이때 사다 팃사왕자는 선두에 서서 싸우기를 원했으나 아들을 염려한 왕은 허락하지 않았다. 뒷날 아버지의 심정을 이해하게 된 왕자는 이탑의 완성을 보지 못하고 타계한 부친을 위해 대나무와 천을 이용해 하루 밤 사이에 탑이 완성된 모습을 만들어 죽기 직전의 아버지에게 보여드렸다고 한다. 이러한 설화적인 이야기의 주인공인 두투게무누 왕의 모습은 정문 왼쪽에 있는 조각을 통해 알 수 있다. 특히 코끼리사원이라고 불리는 이 사원은 탑을 받치고 있는 거대한 테라스 기단에 수많은 코끼리가 새겨진 것으로 유명하다. 한 변에 475개씩 모두 1,900개이다. 새하얗고 엄청나게 큰 코끼리를 비롯하여 조그마한 부조 코끼리에 이르기 까지 다양한 모습이다. 사역전체가 습하고 낮기 때문에 두 단의 기단을 만들었는데 그 아래 부분을 큰 코끼리가 등에 받치고 있다. 가까이에 있는 이수루무니야 사원에서도 저수조에 코끼리 조각이 있다. 이는 스리랑카에서 코끼리가 성수聖獸로서 불교 조형물에서 흔히 나타나고 있는 예를 보여준다.[91]

입구를 지나면 석조가 왼편에 보이고 양손에 물병과 불꽃을 각각 든 용

90 팃사는 왕자가 아니라 조카라고도 한다.

91 흰 코끼리는 마야부인의 꿈에 나타나 이 세상을 구원할 왕의 탄생을 예고하였으며 흰 코끼리는 법(法), 보살의 탈것, 동정, 사랑, 친절을 상징한다. 코끼리는 아촉여래(阿閦如來:不動如來), 대일여래(大日如來)의 원으로 환희국(歡喜國)에서 설법하는 부처의 탈것 이라는 종교적 차원 이전에 이들의 생활과 밀접한 관계를 가진 동물임이 틀림없다.

1. 코끼리가 둘러싸인 기단
2. 루완웰리 세야 대탑의 1890년 당시 모습과 현재의 모습을 비교해 놓은 안내판
3. 아잔타 19굴의 나가와 그의 아내 나기니

왕여신으로 알려진 무라갈라(Nagini로 해석)가 있고 악어와 코끼리가 합성된 마카라(磨伽羅; Makara) 가 조각된 소맷돌 계단을 오르면 대탑이 눈앞을 우뚝 선다. 탑의 四方에는 불단과 같은 그러나 불단이 아닌 높은 석조 축조물(frontispiece)이 있는데 아마도 제물을 올려놓는 기단으로 쓰였을 것으로 추정된다.

### 8) 가장 큰 불교사원 제타바나 라마야 다고바 (Jetavana Ramaya Dagoba)

아누라다푸라에서 남쪽부분에 아바야기리 대탑과 아주 흡사한 거대한 다고바가 제타바나 다고바다. 서로 가장 크다는 언급이 있는데 아무래도 제타바나 다고바가 큰 것 같다. 이탑은 3세기에 세워진 탑으로 높이가 73미터에 이르며 9천여만개의 벽돌로 만들어졌다고 한다. 사마디부다 불상에서 구시가를 향해 상가미타 로(路, Sangamiththa Mavata)를 따라 남쪽으로 내려가면 나타난다.

이 탑은 기원후 3세기경에 마하세나 왕이 대승불교의 스님들을 위해 지은 것이라고 전해진다. 탑의 현재 높이는 73m 정도이지만 원래 높이는

■제타바나 다고바. 첨탑부분이 사선으로 파손되어 있다

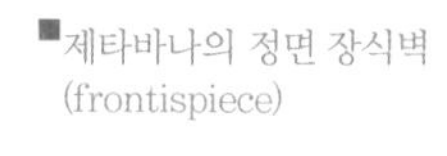

■제타바나의 정면 장식벽 (frontispiece)

121m였고 수정이 붙어 있던 꼭대기까지 합치면 152m나 됐다고 한다. 대탑은 9천 3백만 개의 벽돌로 쌓아 올렸고 구조물의 기초는 지하로 8.5m 내려가며 16년에 걸쳐 완성되었다고 한다. 처음 세워졌을 때에는 한 변이 175m이고 높이 8.5m의 기단 위에 쌓은 121m의 탑이었는데, 당시 세계에서 이집트의 피라미드 2개 다음으로 높은 건축물이었으며, 벽돌로 지은 건조물로서는 세계에서 가장 높은 건물이라고 한다. 그리고 벽돌로 된 토대는 직경이 113m, 두께가 8m였다고 한다. 마하세나가 3세기경 건축한 이 거대한 다고바는 불교가 사가리야(Sagaliya)까지 전파되었음을 입증하고 있고, 또한 그의 막강한 힘을 표현하기도 한다.

이 탑은 루완웰리 세야 대탑·아바야기리 대탑[92]과 더불어 옛날로부터 오늘날까지 아누라다푸라의 상징물로 남아 있다. 이 다고바를 유명하게 만든 것은 그 거대한 모습 때문만이 아니라 1982년에 발견된 9세기 무렵의 산스크리트 문자로 되어 있는 마하세나 경전이 새겨진 금판金板 때문이다. 이것은 현존하는 산스크리트 문자 경전으로서는 가장 귀중한 것으로 평가되고 있다.

세월이 흘러 무너져 지금처럼 붉은 벽돌로 몇 년 전에 복구했다. 사발 모양인 복발은 엎어놓은 모습인데 정면에서 보면 위에서 아래로 내려오는 가장자리 선이 매끄럽지 못하고 울퉁불퉁하다. 대부분 현존하는 스리랑카의 다고바는 흰색으로 회반죽이 발라져 있는데 이탑은 벽돌의 형태만 그대로 노출되어 남아 있다. 이 주변으로는 승려가 3,000명이나 머물러 있는 대가람의 흔적이 남아 있다.

### 9) 지극히 아름다운 부처의 조각 사마디 부다 상 (Samadhi Buddha Statue)

명상에 잠겨 있는 사마디 부다 상은 아누라다푸라 지역에서 가장 뛰어난

92 아바야기리 다고바는 아누라다푸라 왕조 13번째의 왕인 와라감바 왕에 의하여 세워졌다. 그는 인도 타밀족의 침입으로 왕위를 되찾는 것을 기념하기 위해 탑을 세웠다 한다.

1. 1896년경의 사마디부다 상(출처 : a mazinglanka.com)(아래)

2. 3. 사마디부다 상(출처 : amazing lank a.com)

작품으로 평가되는 불상이다. 이 불상은 3~4세기경에 조성된 것으로 추정되는데 약 2.21m 높이이며 백운암으로 만들어졌다. 현재 위치한 곳에서 1886년에 발견되었는데 당시에는 땅에 떨어져 있었으며 코 부분이 없어져 이를 보수하여 다시 세웠다 한다. 1914년에는 보물 도굴꾼에 의한 손상으로 또다시 보수가 이루어지기도 했다.

사마디 부다 불상의 눈은 움푹 꺼져 있는데 이는 과거에 크리스탈 또는 아름다운 돌이 박혀있었던 것으로 보인다. 불상이 원래 이 자리에 있었는지 아니면 주변 사원에 위치되어 있던 것인지는 명확하지 않다.

불상의 얼굴을 3면으로 보면 모습이 각각 다르게 보인다. 불상의 좌 우면을 보면 약간의 슬픈 표정과 슬며시 미소를 지은 얼굴이 각각 보인다. 불상의 정면에서는 중립적인 표정을 느낄 수 있다. 오늘날 이 불상은 콘크리트 재질로 덮여 있어 불상이 가지고 있던 본연의 아름다움이 그대로 느껴지지는 않는다. 다시 보수된 코의 모양도 자연스럽지 못하여 아쉽다.

## 스리랑카 최초 불교성지, 미힌탈레(Mihintale)

미힌탈레는 스리랑카에 불교가 최초로 전래되어 발생한 성지로서 아누라다푸라에서 그다지 멀지 않은 곳에 자리하고 있다. 싱할라어로 Mihin-Thalé는 미힌두의 높은 언덕(plateau of Mihindu)라는 뜻으로, 여기서 'plateau'는 Arahat[93] Mihindu[94]가 사냥을 하고 있던 데바남피야 팃사 왕을 불러 멈추도록 하던 언덕 꼭대기의 평지이다. "Mihin Thalé"는 싱할라어이며, 이곳이 예전부터 미힌탈레로 불려왔던 것은 싱할라어에서 비롯된 것이기 때문이다. 1934년, 정글 속에서 숨어 있던 유적군이 발굴된 이래 스리랑카에서 가장 중요한 성지가 되었다. 미힌탈레가 '마힌다의 언덕', '마힌다의 꼭대기'라는 뜻으로 전하는 것처럼 이들 유적은 대부분 다소 높은 언덕 위에 있다. 그러나 요즘 미힌탈레는 조용한 농촌 마을처럼 시가지라고 할 만한 곳도 없고 간선도로가 교차하는 주변에 작은 집이 드문드문 있을 뿐이다.

부처님은 살아계실 때 스리랑카를 세 번 방문했다고 전해지지만 이는 설화적인 얘기로 어디를 다녀갔는지 분명하지 않다. 그러나 인도를 통일한 아쇼카왕은 그의 아들로서 승려인 마힌다(Mahinda)를 스리랑카에 보내 불교를 전래시켰다. 즉 마힌다스님이 스리랑카에 이른 곳이 미힌탈레이고 말씀을 처음으로 전한 곳이 바로 미힌탈레이다. 이처럼 마힌다스님이 기원전 236년 스리랑카로 파견되어 당시 스리랑카의 고대국가인 아누라다푸라의 왕인 데바남피야 팃사(Devanampiya tissa)왕을 처음 만나 불교에 귀의시킨 곳이다. 이처럼 미힌탈레는 스리랑카에 불교가 처음으로 전해져 불교의 역사가 시작된 가장 의미 있는 성지이다. 그래서 지금도 많은 순례자들이 이곳을 끊임없이 찾아오고 5월에는 불교전래를 기념하는 축제가 열리고 있다.

마힌다 승려는 스리랑카로 건너와 수도인 아누라다푸라에서 12㎞ 떨어진 마시카 산에 머물고 있었는데, 어느 날 사냥을 나온 국왕 데바남피야 팃사를 만나게 된다. 마힌다는 팃사 왕에게 설법했고 왕은 스님의 말씀에 크게 감명 받아 불교에 귀의하게 된다. 따라서 팃사 왕은 마힌다 승려에게 68개나 되는 수많은 동굴과 승원僧院을 지어서 바쳤는데 당시의 유적이 아직도 많이 남아 있다.

다음과 같은 〈법보신문〉의 기사는 미힌탈레와 불교의 전래, 그리고 마힌다스님의 행적에 대하여 상세히 설명하고 있다.[95)]

미힌탈레로의 불교도래는 스리랑카 불교사에 있어서도 매우 드라마틱

93 Arahat(혹은 Arhat, Arahant))은 팔리어 Arahati에서 비롯된 말로, 부처의 가르침을 듣고 실천하여 깨달음을 얻은 사람을 뜻한다. 阿羅漢과 羅漢이다. 부처와 같이 아라핫은 완벽한 지혜와 연민을 가지며 더 이상 갱생의 대상이 되지 않았다.
94 Mihindu는 Mahinda를 말한다.
95 http://www.beopbo.com/news/articleView.html?idxno=41859

한 기록이다. 인도의 법왕으로 칭송되는 아쇼카왕은 재위기간(B.C. 268~232년 경) 동안 불교 전파를 위해 외국으로 총 아홉 차례에 걸쳐 전도사를 파견했는데 그 마지막 파견지가 바로 스리랑카였다. 이 아홉 번째 전도사로 파견된 인물이 아쇼카왕의 아들, 바로 마힌다 스님이다.

20세에 모가리 푸타를 스승으로 출가해 상당한 수행을 쌓았던 마힌다 스님은 불법을 전하라는 부왕의 명을 받들어 32세였던 기원전 247년 스리랑카로 향했다. 4명의 비구와 2명의 사미를 동행한 채 신통력을 발휘해 하늘을 날아 바다를 건넌 마힌다 스님은 아누라다푸라에서 13킬로미터 떨어진 이곳 미힌탈레의 바위산 정상에 내려앉았다. 마힌다 스님이 스리랑카에 도착한지 며칠 후인 음력 5월 보름날, 당시 아누라다푸라의 왕이었던 데바남피야 티샤는 사슴 사냥을 위해 이곳 미힌탈레 지역을 찾아왔다.

마힌다 스님은 왕이 붓다의 가르침을 이해하기에 충분한 지성을 갖췄음을 알고 그 자리에서 왕에게 『상적유소경象跡喩小經』을 설하였다. 마힌다 스님의 법문을 들은 왕은 곧바로 불법에 귀의하였고 7일 만에 왕비와 신하, 백성 등 8,500명이 왕의 뒤를 이어 불교도가 되었다. 불교는 순식간에 전국으로 퍼져나간 것이다. 왕은 마힌다 스님에게 아누라다푸라에서 멀지 않은 마하메가와나(Mahameghavana)숲과 68개의 동굴사원 등을 보시했다고 하니 불교를 접한 왕의 기쁨과 신심이 어느 정도였는지 가늠해볼 만한 일이다.

**미힌탈레의 역사**

아누라다푸라의 동쪽으로 12㎞ 정도 가면 다다르는 트린코말리 길(Trincomalee Road)은 '미사카 파바타(Missaka Pabbata)' 에 있다. 이 '미사카 파바타' 는 산맥의 여러 봉우리 중 하나로, 300m의 고지에 위치해 있다. 이 산은 세 개의 언덕으로 이루어지는데, Ambastala와 Rajagiri, Aanaikuddy가 그것이다. 이 중 암바스탈라는 '망고의 고원' , 라자기리는 '왕의 산' , 아나이쿠디는 '코끼리의 산' 을 뜻한다. 특히 아나이쿠디는 타밀어로 이 산맥들이 타밀족, 그중 타밀족 불교 승려들과 관계가 있음을 추정해볼 수 있다.

고대 스리랑카의 역사서인 Dipavamsa와 Mahavamsa에 따르면 인도에서 온 마힌다 승려가 스리랑카에 온 것이 6월, Poson[96]의 보름달이 뜨는 날이었는데, 그가 데바남피야 팃사 왕과 스리랑카 사람들을 만나서 불교 교리를 설법했다고 한다. 이 때문에 6월에는 특히 많은 불교 신자들이 아누라다푸라와 미힌탈레로 성지순례를 가는데, 특히 스리랑카에 불교가 처음 전래된 것을 기념하기 위한 포손 축제가 열려 각지에서 모여든 수천 명의 불교신자가 단체로 미힌탈레의 바위산에 올라 보름달을 향해 절을 올린다.

■미힌탈레 주변의 모형, 마하세야대탑과 암바스탈라대탑, 바위산이 보인다.

스리랑카에서 5~8월은 불교의 기간이다. 이 동안에 아주 중요한 불교 행사들과 전례들이 이루어진다. 스리랑카가 불교의 종주국 내지는 중심국임을 표명하고, 세계적인 불교의 중흥을 도모하는 시기인 현재, 스리랑카 정부는 불교를 강력한 국가종교요 민족종교로, 또한 불교를 국가 통합의 일환으로 선전한다. 특히 5월에는 부처의 탄생과 삶을 기리는 웨삭축제, 6월에는 스리랑카에 처음 불교가 포교된 날을 기념하는 포손축제, 7월과 8월에는 기우제에 기원을 둔 축제로, 부처의 치아를 봉헌하는 의식을 통해 스리랑카를 봉헌하는 페라헤라축제 등 다양하고 의미심장한 날들이 많이 있다.[97]

구릉이라고 할 수 있는 낮은 산, 미힌탈레로 올라가는 길에는 1,840개에 이르는 수많은 계단이 길게 펼쳐진다. 데바남피야 팃사왕이 68개의 동굴과 1개의 승원을 바쳤다고 알려져 있는데, 수많은 동굴이 구체적으로 어디에 있는지 분명하지 않으나 각 시대에 따라 다른 특징을 갖는 불교 승원과 부속 건물들이 점차 늘어난 것으로 보인다.

### 미힌탈레의 다양한 시설물

#### 1) 미힌탈레 고고학 박물관(Mihintale Archaeological Museum)[98]

팃사 왕과 마힌다스님이 만난 곳이나 승원, 그리고 이제까지 발굴된 도자기 등을 전시, 설명하고 있다. 규모가 너무 작은 박물관이지만 미힌탈레의 역사에 대한 자료가 전시되어 있다. 이 박물관은 1984년 지어졌고 스리

96 6월의 fullmoon day

97 하응원 선교사의 글에서 인용함, 아름다운 하늘, 아름다운 사람들 스리랑카

98 스리랑카에는 총 4개의 국립 박물관(콜롬보Colombo, 캔디Kandy, 갈레Galle, 라트나푸라Ratnapura)과 다섯 개의 국립테마박물관(콜롬보 National Museum of Natural history, 콜롬보의 Dutch Museum, 갈레의 National Maritime Museum, 독립기념박물관, 아누라다푸라의 민속박물관 Folk Museum)이 있다. 고고학부서 the Department of Archaeology에서 운영하는 박물관은 총 27개로 스리랑카 전역에 골고루 분포되어 있다. 그 중 중북부지방의 박물관에 속하는 것이 미힌탈레 박물관Mihintale Archaeological Museum이다.

1. 미힌탈레 고고학박물관(출처 : 강철무지개, 2014. 10. 23.)
2. 옛 병원 터
3. 옛 병원의 목욕시설

랑카의 고고학 부서에 의해서 유지되어 왔다. 지금까지 미힌탈레와 그 주변에서 발견·발굴된 고고학적 유물들을 전시하고 있으며 청동으로 된 작은 조각상과 고대의 도구, 프레스코 벽화나 그림 등 다양한 유물들을 볼 수 있다. 9세기의 나뭇잎에 기록된 문서나 탑에 봉안되었던 사리함 모형 등도 전시되어 있다. 박물관 안내원은 고대 병원 터에서 출토된 약 제조 도구와 당시 수술대와 수술 도구, 목욕탕, 화장실, 도자기 등 유물들을 설명해 준다. 특히 고대 병원에서 발굴되었다고 하는 수술대나 수술 도구를 보면 당시에 어떤 수술을 하였을까 궁금하다.

### 2) 오래된 병원 시설

미힌탈레로 가는 평지에 폐허가 된 병원건물과 치료용 목욕탕 시설[99]이 있다. 또한 산 정상으로 올라가는 산기슭에서는 식당유적과 병원, 목욕탕을 갖춘 복합적 단지가 있다. 뿐만 아니라 돌에 새긴 비문과 고대에 쓰였을 항아리 등이 발견되기도 하였다. 이곳을 다시 오르면 미힌탈레의 정상에 이른다.

병원건물과 계단의 사이에는 큰 수도원의 흔적인 바위가 있다. 한쪽 면이 38미터 정도였던 방형 건물의 바닥면에는 아름다운 조각과 돌 난간, 건물 입구의 수호신 격인 가드스톤 등을 찾아볼 수 있다. 특히 한 덩어리로 된 큰 석재에 욕조로 추정되는 홈이 파여 있어 당시에 환자들에게 청결을 유지시켰던 상황을 상상해 볼 수 있다.

하인츠 뮐러(Heinz E. Müller-Dietz)는 「Historia Hospitalium(1975)」에서 미힌탈레 병원을 세계에서 가장 오래된 것이라고 말하기도 했을

99 목욕하거나 환자들이 약효가 있는 오일에 몸을 담갔을 목욕탕 시설로 추정된다.

만큼 오래된 병원으로 추정된다.

### 3) 제단 위 동물상이 인상적인 칸타카 차이티야(Kantaka Cetiya)

미힌탈레의 정상까지는 1,840개의 화강암 단으로 이루어져 있다. 첫 번째 쉬는 계단참에는 작은 언덕이 있는데, 이 작은 언덕에 유명한 칸타가 차이티야(Kantaka Cetiya)가 자리하고 있다. 흔히 다고바 혹은 스투파라고 불러야 하는 불탑인데 장소적인 의미가 강조되면 차이티야라고 한다.

무너진 칸타카 차이티야는 높이 12m, 기단부 둘레의 길이가 130m로 기원전 60년경에 세워졌다고 하는 대형불탑이다. 이것이 발굴된 것은 1930년대이다. 영문판 도서에는 'circular stupa' 라고 하고 있으나 오히려 dome stupa 정도로 해석해도 무방할 것 같다. 칸타카 차이티야는 문스톤과 기둥, 가드스톤 등의 조각과 부조가 매우 아름답다. 3층의 기단이 하부를 장식하고, 4개의 제단이 동서남북에 있다. 이 제단은 'Frontispiece' 라고 하는데 다른 말로 'Vahalkada' 라고도 한다. 바할카다에는 난쟁이나 동물, 일반적인 사람의 모습과 신화적인 모습들이 함께 꽃이나 식물 문양이 조각되어 있다. 칸타카 차이티야의 바할카다에 나타난 중요한 부조 중 하나는 신을 향해있는 코끼리 조각된 것인데, 시바 신을 섬기는 종파[100]에서는 이를 'Gana pati' 혹은 'Ganeesaa' 라고 부른다. 칸타카 차이티야의 바할카다에 조각된 가나파티 부조는 역사가들이나 고고학자들에게 혼란스러운 존재였는데, 가나파티 신과 불교교리 간의 상관관계에 대해 아무도 설명할 수가 없었기 때문이다. 물론 싱할라 역사학자들과 고고학자들은 상상을 통해 해석을 하려는 시도를 하였다.

1. 칸타카 차이티야
2. 차이티야 앞의 석굴
3. 바할카다의 난장이 조각

100 힌두 종파. 시바 신을 섬기는 종파의 일원을 saiva 혹은 saivite 라고 한다.

■칸타카 차이티야의 동쪽 면, 코끼리 조각 바할카다

네 개의 바할카다는 동서남북의 네 방향을 향해 있고 각각의 네모난 기둥 꼭대기에는 다른  동물이 조각되어 있다. 즉, 동쪽에는 코끼리, 북쪽에는 사자, 서쪽에는 말과 남쪽에는 수컷 소가 조각되어 있다. 대부분의 인도와 스리랑카 고고학자들은 네 방향과 동물들 간에 상징적인 관계가 있다고 믿어왔으나, 특정한 방향과 동물이 일치하지는 않는다. 그러나 스리랑카의 반월석(Moonstone)과 사르나트의 사자주(Lion Capital)에서는 이 네 가지의 동물이 위치가 조금 바뀐 상태인 것이 확인되었다. 동시에 스리랑카의 북부에 위치했던 Ruhuna국의 Akurugoda와 Jaffna peninsula에서 수집된 동전에서 다음과 같은 세 가지 방법으로 심벌들이 표시되어 있음을 알 수 있었다. ① 한쪽 면에는 사자가 새겨져 있고, 다른 쪽 면에는 원의 한 가운데에 네 개의 점이 사각형을 이루며 찍혀 있다. ② 한쪽 면에 말이 그려져 있고 다른 쪽 면 또한 원 안에 네 개의 점이 찍혀 있다. ③ 한쪽 면에 숫소가 그려져 있고 다른 쪽 면에는 원 안에 네 개의 점이 사각형을 이루며 그려져 있다.

또한 스리랑카의 남부와 북부에서는 한쪽 면이 소이고 다른 쪽 면이 코끼리인 동전도 발견되었는데, 인도에서는 한쪽이 소, 다른 한쪽이 사자인 동전이 발견되었다. 따라서 사자와 말, 소는 숫자 4와 아주 밀접한 연관을 가지고 있음을 알 수 있으며, 사자, 말, 소는 숫자 4와 관계를 갖는 인간을 상징한다. 혹자는 부조와 동전으로 미루어 보아 '사자, 말, 코끼리와 소' 가 4개의 고귀한 진실과 연관된 부처를 상징한다라고 할 수 있겠다.

싱할라 고고학자와 역사학자들은 Suratissa 왕이 칸타카 차이티야를 세웠다고 말한다. 칸타카 차이티야의 기단 Pesavalalu과 제단 Frontispiece 은 증축된 상태로 잘 보존되어왔으나 바닥으로부터 약 12m 높이 이상으로는 훼손이 되어 있다. 아마 이 차이티야는 돔이 손상되기 전인 초기에는 30m이상의 높이를 자랑했을 것으로 보인다.

칸타카 차이티야와 멀지 않은 곳에 있는 동굴에는 승려들이 내부에서 생활을 했을 것이며, 수라팃사 왕에 의해 지어진 후 Lajjitissa왕 통치기(기원전 1세기) 때 새로 보수되었다. 물론 후에 보수가 이루어졌을 것이지만 기록에 따르면 이 탑은 기원전 60년경에 세워진 탑으로 보고 있다.

#### 4) 수도승 식당, 다나 살라와(Dana Salawa)

암바스탈라 다고바로 가는 계단의 세 번째 참 끝에 위치한 마당의 왼쪽에는 수도원의 식당이 있다. 안내판에는 이를 다나 살라와라고 함과 동시에 영어로는 Alms Hall이라고 한다. 기다란 장방형 평면으로 된 건축물로 이곳에서 매일 비구들이 공양하던 곳임을 짐작하게 한다. 아마도 중앙에 아주 넓은 공간이 있고 그 주변을 한 단 높은 시설로 돌려 있는 것으로 보아 중앙에 의자들을 두고 식사를 하는 뷔페식이 아니었나 한다.

더욱이 이곳에 있는 다양한 시설들은 이곳 미힌탈레가 과거에 얼마나 융성하였고 문화적으로 발전하였는가를 보여주고 있다. 바닥은 석재로 잘 마감하였고 실의 주변에는 저장실을 비롯한 실들로 둘러싸여 있다. 또한 축대로 쌓은 윗 단에서 내려오는 수도관이라 생각되는 부분이 있는 것으로 미루어 보아, 계획적이고 체계적으로 배관 설비 계획이 있었음을 알 수 있다. 뿐만 아니라 두 개의 돌로 만들어진 그릇이 발견되었는데, 이 그릇들은 식당 근처에서 음식을 저장하는 용도로 쓰인 것으로 여겨진다.

또한 거대한 석조石槽를 보면 이곳에 얼마나 많은 수도승과 불자, 또한 그들을 따르는 무리들이 있었을지 짐작하게 한다. 이 돌로 된 통, 즉 석조는

1. 수도원의 식당. 주변이 저장실로 둘러싸여 있고 수로가 정비되어 있었다.
2, 3. 미힌탈레 식당의 석조

아마도 500여 명이 한꺼번에 밥을 먹을 수 있을 정도로 크다. 이는 때에 따라서는 밥통과 물통이 번갈아 가면서 되기도 하였다. 이 시설들은 잘 다듬어졌고 치밀하게 맞추어졌으며 고도의 치석기술을 보여주고 있다.

### 5) 미힌탈레의 석비石碑와 회의실

회의실 건물 입구의 양쪽에는 비문이 새겨진 2개의 대형 화강암 석판을 볼 수 있는데, 이것은 '미힌탈레 석비(the Mihintale stone inscriptions)'로 알려진 비문이다. 이 미힌탈레 석비는 Mahinda 4세(A.D. 956~976) 왕에 의해 세워졌는데 사원의 규정과 함께 직원들에게 지급된 급여의 비용이나 사원의 고용에 대한 기록이 새겨져 있다. 당시 사원에서 일하던 종업원이나 하인에게 월급 대신 땅을 지급했는데 이들에 대한 토지 지급기준도 표시되어 있다.

1. 미힌탈레 회의실의 석비
2. 비문

이곳은 승려들의 토론을 위한 회의장이었는데 이곳에서 아마도 그들은 불법과 율장을 논했을 것이다. 특히 현재 이 회의실 건물은 개방된 공간으로 48개의 돌기둥으로 이루어졌고 한 변이 각각 19m인 정방형의 건물이다. 건물의 중앙에는 4개의 출입구가 있는 연단이 위치하였다.

또한 수도원 식당 건물의 동쪽에는 둘레가 27m인 스투파가 있는데, 현재까지 구체적인 내용이 밝혀진 바가 없다.

### 6) 미힌탈레 유적의 중심, 암바스탈라 다가바(Ambasthala Dagaba)

플루메리아 꽃으로 둘러싸인 1,840개의 계단 중에서 615개의 계단을 오르면 그다지 크지 않고 새하얀 암바스탈라탑(Ambastala Dagoba)이 눈앞에 나타난다. 암바스탈라는 '바위 꼭대기' 혹은 '망고나무'라는 뜻인데 산의 정상부와 가까운 평지에 놓여 있으며, Makalantissa 왕 시대에 세워진 것으로 알려져 있다. 이 탑은 스리랑카의 다른 탑들에 비하면 규모가 작은 편이다. 하지만 기원전 3세기 스리랑카에 불교를 전한 마힌다스님과 불교를 수용한 데바남피야 티샤(B.C.E. 250~210) 왕이 처음 만난 자리에 세워진 탑이라는 점에서 그 의미가 특별하다.

탑 주위의 돌기둥으로 미루어 보아 아누라다푸라의 여러 탑, 특히 투파라마탑과 마찬가지로 돌기둥의 위에는 거대한 목조지붕이 얹혀져 탑 주위로 둥그런 돔형식 건축을 이루었을 것으로 추정된다.

또한 이 탑은 아소카왕의 아들로서 스리랑카에 불교를 전한 마힌다 스님

101 〈법보신문〉 기사에서 발췌. (출처 : http://www.beopbo.com/news/articleView.html?idxno=41859)

이 83세에 입적하였는데 그의 유골이 모셔져 있다고 하니 이 탑의 역사가 얼마나 오래된 것인지 쉽게 짐작할 수 있다. 또한 데바남피야 팃사 왕이 마힌다를 처음 만난 곳이 바로 이곳이라 하여 더욱 유명하다. 탑이 있는 곳에는 마힌다가, 그 오른쪽에는 왕이 서 있었을 것이다.

탑 옆에는 마힌다 스님의 동상이 세워져 있어 눈길을 끈다. 법보신문[101]에 의하면 1992년 조성됐다고 한다. 이 입상은 온통 도금을 한 후 눈동자만 까맣게 칠해 놓아 일반적인 불상과는 영 다른 모습이다. 하지만 반듯한 자세로 서 있는 마힌다 스님의 얼굴은 넓은 이마, 적당한 크기의 점잖은 콧대, 엷게 미소를 머금은 입술, 곧고 당당한 어깨와 훤칠한 키, 군살 없이 매끈한 몸매를 보면 풍모에서 과연 법왕 아소카왕의 후손다운 위풍이 느껴졌다. 스리랑카 사람들이 어떤 기록에 근거해 마힌다 스님의 모습을 이처럼 빚었는지는 알 길이 없지만 스님에 대한 그들의 존경심이 듬뿍 담겨 있음이 분명하다.

사리와 유골이 비슷한 내용이지만 사당에는 마힌다의 사리가, 다가바 안에는 마힌다의 유골이 모셔져 있다고 알려져 있다. 이는 유골과 사리가 동일체일 수 있고 이들이 다른 장소에 모셔져 있다고 하기보다는 암바스탈라 다가바 안에 사리가 모셔져 있다고 보는 것이 더 적절한 표현이라 할 것이다.

또한 탑 왼쪽 산 위에는 최근에 조성된 대불이 있고, 그 우측 멀리에는 마치 흔들바위와 같은 바위산(Aradhana Gala)이 있는데 마힌다 스님이 구름을 타고 내려 온 곳이라는 이

1. 암바스탈라 다가바. 출입구와 탑 주변에 석주가 나열되어 있다.
2. 최근에 조성된 대불

야기가 있다. 하지만 지금의 모습은 멀리 주변의 경관을 바라보기에 좋고 스님들이 명상하기에도 적절한 장소이다.

### 7) 꼭대기 바위산 아라다나 갈라(Aradhana Gala)

언덕 위 평지에 있는 암바스탈라 스투파에서 마하 세야 대탑을 바라보는 방향의 또 다른 언덕 꼭대기에 위치한 이 바위는 불교 순례자들이 꼭 찾는 성스러운 곳이다. Gala란 바위란 뜻이다. 마힌다 스님이 인도에서 스리랑카에 올 때 이곳으로 날아와 내렸다는 그의 행적과 관련한 설화가 전해지고 있기 때문이다. 그런 까닭에 많은 이들이 이곳을 찾고 있는데 현재는 이들 순례객들이 오르는 것을 돕기 위해 철로 된 난간이 설치되어 있다. 마하밤사(Mahavamsa) 같은 고대 스리랑카의 역사서에는 마힌다 스님이 스리랑카로 올 때 바람을 타고 왔다는 전설이 적혀 있는데, 그가 스리랑카에 도착한 곳이 바로 이 바위산 아라다나 갈라였다고 한다. 이 바위는 가파르고 거대한 암반위에 경사지게 놓여있고, 계단은 경사의 서쪽 부분에 위치하고 있다.

이곳 바위산 정상에서는 미힌탈레의 다양한 유적들을 살펴볼 수 있고 경치가 뛰어나다. 미힌탈레 뿐만 아니라 13㎞ 가량 떨어진 아누라다푸라의 유적들까지도 멀리서 내려다볼 수 있는 조망시선이 넓은 곳이다.

■바위산, 아라다나 갈라

■마힌다스님이 기거했을 것으로 추정되는 68개의 동굴중의 하나(아래)

8) 마힌다스님의 동굴(Mihindu Guhawa)

암바스탈라 다가바에서 좁은 길을 따라서 걷다보면 언덕에 마힌다 승려가 기거했다고 하는 동굴이 나온다. 이 동굴은 '미힌두 구하와(Mihindu Guhawa)' 혹은 '마힌다 아라한의 동굴(the cave of Arahant Mahinda)'로 알려지고 있다. 여기에서 미힌두는 마힌다와 같은 말이다.

이곳 미힌탈레에는 불교를 처음으로 접한 팃사 왕이 마힌다 왕자에게 파준 68개의 굴이 있다. 인도나 중국 등 여타의 불교석굴과는 달리 그다지 크고 깊거나 높지 않으며 굴착하기 좋은 곳에 만들어 졌다. 오히려 그리스 아테네에 있는 소크라테스의 동굴과 같이 초라하고 조그만 모습이다. 아마도 이들 굴은 날씨가 무더운 스리랑카에서 초기불교의 수행자들을 위한 공간으로서 혹은 강학의 장소로 사용되었을 것이다.

68개나 되는 동굴을 파서 봉헌하였는데 이들 여러 동굴 중 마힌다의 동굴은 당연히 불교 신자들에게 가장 유명하고 가장 신성한 곳으로 여겨지고 있다. 또한 이 동굴에는 마힌다 승려가 쉴 수 있도록 마련된 평평한 돌이 깔려 있다.

9) 불발(佛髮)이 모셔져 있는 마하 세야 스투파
(Mihindu Maha Seya Stupa)

Maha Seya 혹은 Maha Stupa[102)]로 알려진 이 거대한 스투파는 미힌탈레의 언덕 꼭대기에 웅장한 모습으로 자리하고 있다. 정상에 있기 때문에 거대한 암반을 올라가야 한다. 탑의 계단을 다 내려오면 정면에는 전망대가 있어 저 멀리 미힌탈레 지역을 더욱 자세히 살펴볼 수 있다.

마하다티카 마하나가왕(Mahadathika Mahanaga. A.D. 7~19)에 의해 지어졌다고 한다. 여기에서 미힌두는 마힌다와 같은 말이고 Maha란 크다는 뜻으로, 그래서 거대한 모습을 하고 있는 것이다. 다른 탑에는 사리나 유골이 모셔지고 있는데 이탑 내부에는 부처의 머리카락이 모셔져 있다고 알려져 있다. 현재 불탑의 기단 직경은 41m로, 발견 당시 폐허가 되어 있었던 것을 현재는 완벽하게 복원하여 장대한 모습을 보여주고 있다. 너무 깔끔하고 흰색으로 된 타일로 마감되어 있어 오랜 고격을 잃고 있다.

102 현지 가이드에 의하면 Maha stupa, Maha Seya 등 여러 명칭이 있지만 정확한 명칭은 미힌두 마하세야 스투파 Mihindu Maha Seya Stupa 인데, 여기에서 Maha는 거대함을 뜻한다.

1. 마하세야 스투파로 올라가는 가파른 계단
2. 플루메리아 나무
3. 마하세야 스투파

마하세야 대탑으로 향하는 수많은 계단을 오를 때에는 플루메리아의 달콤한 향이 난다. 부다 플라워라 불리는 이 꽃을 흔히 들고 오르는데 성지로 향하는 수많은 계단을 오르는 순례자들의 피로를 씻어주는 것 같다.

### 10) 연못 나가 포쿠나, 싱하 포쿠나, 칼루디야 포쿠나 (Naga Pokuna, Singha Pokuna, Kaludiya Pokuna)[103]

고대의 왕들은 인공적인 연못을 건설하여 농업을 번성케 하며 국민의 건강과 생활에 도움을 주며 국가를 안정시키는 것이 큰 과업이었다. 특히 아누라다푸라와 폴로나루와를 비롯하여 고대 스리랑카에서는 수많은 연못이 건설되었는데 이는 농사와 생활용수, 목욕 등을 위하여 필수적이고 중요한 시설이었다.

미힌탈레지역에서도 언덕의 마힌다스님 석굴 옆을 내려간 곳에 싱하 포쿠나를 비롯한 몇몇의 연못이 있다. 포쿠나란 옛날 연못이나 저수지, 목욕탕 등 물을 저장한 곳을 말한다.

5개의 머리를 가진 코브라 조각으로 유명한 나가 포쿠나는 미힌탈레 언덕에 있는 암바스탈라야(Ambasthalaya) 다고바 아래 계단을 내려가는 길의

103 Wikipedia, Mihitale를 참고하여 현장답사 내용을 첨가함.

1. 나가 포쿠나(Naga Pokuna)
2. 칼루디아 푸쿠나(Kaludiya Pokuna)

중간, 왼편에 위치한다. 둥글거나 네모난 모습이 아니라 자연스럽게 형성된 연못 중 하나이면서 뱀 모양을 한 나가[104] 신의 이름을 본 따 이름 붙인 연못이다. 나가 조각은 물을 담아두는 벽 부분에 새겨져 있다. 마하밤사에서는 '나가카투스카(Nagacatuska)' 라는 이름의 연못이 마힌다 승려의 스리랑카 도착과 관계가 있다고 하였고, 그보다 훨씬 후에 아가보디 1세왕(Aggabodhi I[105], A.D. 575~608)이 나가손디(Nagasondi)라는 이름의 연못을 만들었다는 연대기적 기록이 남아 있다. 즉 나가카투스카로 본래 알려져 있던 연못이 아가보디 왕에 의해 변경되었다는 것을 알 수 있다. 맨 위에 있는 나가 포쿠나 연못은 빗물로 채워져 있어, 싱하 포쿠나(혹은 the Lion pond)에 물을 공급했고, 연회장과 미힌탈레의 승려들에게 있어 물 공급원이었다.

싱하 포쿠나(Singha Pokuna)라는 이름은 두 다리로 서 있는 사자상이 근처에 있어 유래된 것이다. 뒷발로 서 있는 이 석상은 스리랑카 조각 중 최고의 걸작으로 일컬어진다. 특히 싱하 포쿠나는 수로를 통해 멀지 않은 나가 포쿠나에서 물을 공급받았다. 이렇게 모아진 물은 비구들이 사용하였다.

나가 포쿠나가 거대한 암반 아래에 만들어진 조그만 연못이라면 칼루디야 포쿠나(Kaludiya Pokuna)는 오히려 큰 저수지이다. 칼루디아 포쿠나 역시 미힌탈레의 유명한 연못 중 하나로, '칼루디야' 라는 이름은 연못의 물색깔이 검정색처럼 보이는 것에서 유래되었다. 칼루디야 포쿠나에서 'Kalu' 는 검정색을 뜻하고, 'diya' 라는 물을 가리키며, 'pokuna' 는 연못을 말한다. 칼루디야 포쿠나 근처의 팀비리야 나무(Thimbiriya tree) 아래에 앉아 있던 칼루 부다 라키타 테라(Kalu Buddha Rakkhita Thera)가 새로운 달이 뜨는 날에 설교를 했다는 전설이 있다.

104 여러 개의 머리가 펼쳐지는 뱀의 모양을 가진 신
105 Aggabodhi I를 Agbo I라고도 한다.

## 두 번째 수도 폴로나루와 고대도시 (Ancient City of Polonnaruwa)

### 플로나루와의 역사

스리랑카는 좁은 섬이지만 종교적으로나 인종적으로 매우 복잡한 나라이다. 불교와 힌두, 이슬람교와 기독교 등 다양한 종교가 함께 있고 싱할라족과 타밀족 등 인종간의 분쟁으로 오랜 세월 동안 갈등이 반복되었기 때문이다. 그래서 오히려 스리랑카에는 다양한 문화와 볼거리가 있는데 그 으뜸이 단연 불교유적지들이다. 흔히 문화삼각지대(Culture Triangle)라고 일컫는 아누라다푸라, 폴로나루와, 캔디를 비롯하여 문화삼각지대 안에 위치한 미힌탈레, 담불라, 시기리야 등 여러 도시들이 모두 고대나 중세 스리랑카 왕국의 수도였던 만큼 다양한 역사유적들이 오늘날까지도 산재해 있다.

이처럼 스리랑카는 국가가 그다지 크지 않고 역사가 오래되지 않았음에도 유네스코가 지정한 세계유산이 여덟 곳이나 있다. 여섯 곳의 문화유산과 두 곳의 자연유산이다. 그중 대표적인 문화유산은 아누라다푸라 神聖都市를 비롯하여, 폴로나루와 고대도시(Ancient City of Polonnaruwa), 시기리야 고대도시(Ancient City of Sigiriya), 담불라 황금사원(Golden Temple of Dambulla), 캔디 신성도시(Sacred City of Kandy), 갈레 구 도시 및 요새(Old Town of Galle & its Fortifications) 등이다.

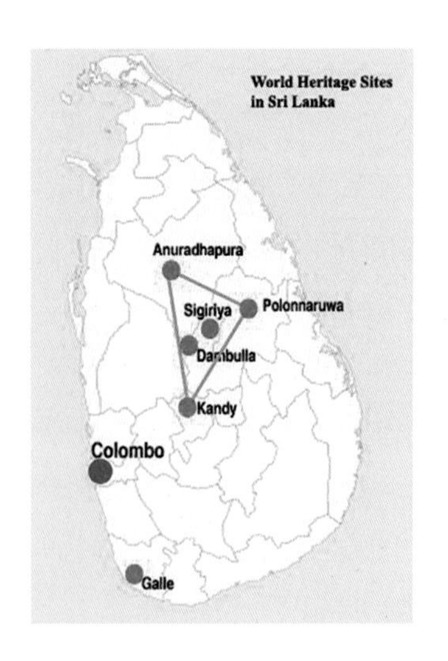


■스리랑카의 문화삼각지대(Culture Triangle)

스리랑카의 세계문화유산 중에 아누라다푸라 신성도시, 폴로나루와 고대도시, 담불라 황금사원, 캔디 신성도시 등은 불교유산이라 할 수 있으며 나머지 '시기리야 고대도시' 와 '갈레 구 도시와

■플로나루와의 안내도

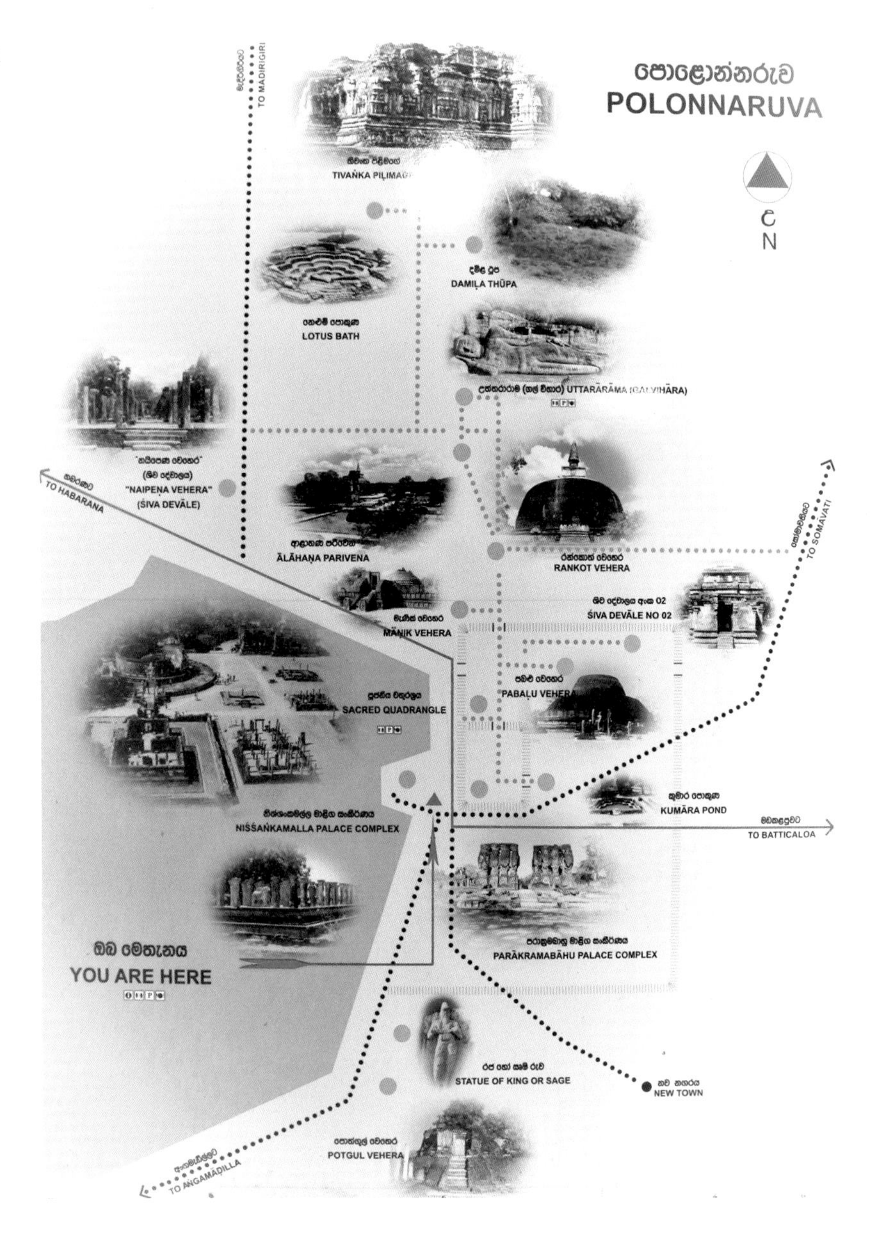


요새' 는 불교와는 별로 상관이 없는 방어적 성채로서 성격을 지닌다.

싱할라왕조는 기원전 3세기에 인도로부터 불교를 받아들여 독자적인 불교문화를 발전 시켰고 싱할라족을 중심으로 아누라다푸라에 왕국을 건설하였다. 불교를 받아들인 그들은 상당히 고도화된 생활과 문화를 가지고 있었을 뿐만 아니라 스리랑카의 북부를 중심으로 지금까지도 잘 남아 있는 대규모의 쌀 생산을 위한 관개시설을 건설했다. 그러나 기원전 2세기경 인도 남부에서 타밀족이 스리랑카를 침입하여 스리랑카의 북부의 넓은 지역은 그들의 지배를 받게 되었다.[106] 그 후 기원 원년으로부터 4세기경까지 스리랑카는 혁신적인 경작의 발전을 가져온 람바카르나(Lambakarna)왕조의 지배를 받는다. 람바카르나왕조의 마하센(Mahasen, 기원전 3세기)왕은 큰 저수지와 관개수로를 건설한다. 큰 저수지의 건설은 마하센왕 뿐만 아니라 다투세나(Dhatusena)왕[107] 때에도 이루어졌다.

106 스리랑카의 고대와 중세 역사 (스리랑카 개황, 2010.5, 외교부)(출처 : 네이버 지식백과), 두산백과, 스리랑카의 역사 편 참조.

107 다투세나 왕은 바위정상에 요새와 시기리야 도시를 건설한 그의 아들 카샤파에 의해 죽는다.

중세에 들어서 스리랑카의 싱할라족과 인도 남부에서 건너온 타밀족간의 대립이 더욱 심해졌다. 5세기~6세기 인도 남부 지방의 타밀족은 싱할라 왕족의 내분으로 혼란스러운 틈을 타 싱할라 왕족을 침입하면서 세력을 키워 나갔고 결국에는 스리랑카 북부지역에 타밀왕국을 세웠다. 이들 타밀족은 힌두교를 믿으며 불교를 믿는 싱할라족과는 전혀 다른 문화와 관습을 유지하였다.

■인도 아잔타 17석굴 사원에 나타난 Vijaya Bahu 1세

아누라다푸라가 쇠망의 길로 들어설 때에도 마찬가지 상황이 발생하였다. 아누라다푸라는 1017년 촐라족의 지배를 받은 9~10세기경까지 약 백 년이 넘게 라자라타(Rajarata)문명의 중심지였다. 지배자의 무능함과 민중의 난, 내부의 분쟁, 남인도인들의 침입 때문에 무너진 것이었다. 새로운 두 번째의 수도인 폴로나루와는 라자라타(Rajarata)지역과 로하나(Rohana)지역 사이에

108 H.T. Basnayake, The Glory of Ancient Polonnaruva, Jaya singhe Balasooriya, 2004.

자리한다. 아누라다푸라로부터 약 100여 ㎞ 가량 떨어져 있다. 스리랑카의 고대사에 있어서 폴로나루와는 종교적으로나 정치적으로 그리고 경제적으로도 가장 중요한 곳이다.[108)]

아누라다푸라를 파괴한 타밀족의 촐라(Chola)왕조는 새로운 도시 폴로나루와로 천도하고 75년간 스리랑카를 통치하다가 싱할라족의 비자야 바후(VijayaBahu, 1055~1110) 1세에 의해 1070년 패망하고 만다. 다시 싱할라족의 나라를 되찾은 비자야 바후는 아누라다푸라에서 1073년에 왕위에 오른 다음 원래의 수도였던 아누라다푸라로 천도하지만 인도의 침략에 방어하기 좋은 폴로나루와로 또다시 천도를 하게 되며 이곳에서 폴로나루와 왕조를 세우고 마지막 싱할라족의 황금시대를 열었다. 용맹하고 현명한 그는 역사적으로 싱할라 왕조의 아버지로 널리 칭송되고 있다.

폴로나루와 왕국의 전성기는 왕국의 개창자인 비자야 바후 1세의 손자이고 Manabarana의 아들인 빠라끄라마 바후(Parakrama Bahu, 1153~1186) 1세 때인데 폴로나루와의 유적은 모두 그가 세운 건축물이라고 해도 과언이 아니다. 특히 그가 만든 거대한 저수지와 왕궁을 비롯하여 세 곳의 불치정사는 대단한 걸작이다.

비자야 바후 1세 이후에 3인의 왕이 있었지만 그들의 업적은 미미하였고 사실 개창자의 후계자로 여겨졌던 빠라끄라마 바후 1세는 스리랑카의 왕 중에서 가장 훌륭한 왕이었다. 그는 국가의 안정과 조화를 이루었고 스리랑카의 경제를 새롭게 정비하였으며 폴로나루와를 서남아시아에서 가장 훌륭한 도시로 바꾸었다. 그러나 그의 뒤를 이어 왕위에 오른 Vijaya Bahu 2세와 다시 그를 이은 타밀족인 니상카 말라(Nissanka Malla, 1187~1196)에 의해 왕국은 점점 쇠락의 길을 걷게 된다. 분쟁이 발생하였고 경제는 어려웠다. 역사에 남을 많은 건축물을 남기고 싶었던 니상카 말라에 의해 국고는 바닥이 났고 그가 후계자를 남기지 않은 상태로 사망하자 혼란에 빠지게 된 것이다. 국내 각지에 왕을 칭송하는 글이나 작은 나라와의 관계를 기록한 비문을 비롯하여 역사에 남을 건축물을 만들고자 국가의 자산을 탕진하였다 한다. 그가 죽은 후, 폴로나루와는 아누라다푸라와 마찬가지로 인도 촐라 왕조의 침략을 받아 13세기 후반에 싱할라 왕조가 이 섬의 중앙부로 쫓겨 가게 된다.

1200~1505년에는 스리랑카 남서부지역까지 싱할라족의 지배가 확대되는 한편 인도 남부지역에서 온 타밀이 스리랑카 북부지역을 지배하면서 14세기에 타밀 왕국을 세웠다.[109] 이처럼 아누라다푸라왕조는 타밀족의 침공으로 수도를 폴로나루와로 옮긴 1017년까지 1,500년 가까운 세월 동안 119명의 싱할라족 왕이 통치하면서 화려한 문화를 꽃 피운 곳이다. 아누라다푸라에서 번영했던 싱할라 왕조는 남인도에서 쳐들어온 침입자 타밀족과의 거듭된 전쟁 끝에 1,500년 동안에 가까운 영화의 막을 내리게 되었고 그 후의 수도가 폴로나루와가 된 것이다.

그러니까 싱할라족은 10세기 말 인도 남부지역에서 온 타밀이 세운 촐라족에게 실론의 지배권을 빼앗겨 아누라다푸라왕조가 망하게 되었고, 그 후 폴로나루와 시대(1070~1200년경)에 다시 되찾았던 것이다. 즉 위에서 말한 바와 같이 11세기에 등장한 비자야 바후 1세는 타밀족 침략자를 몰아내고 폴로나루와에 다시 싱할라족의 두 번째 수도를 세우게 된 것이다. 그는 관개 설비를 복구하고 국가 건설과 불교 보급에 힘을 쏟았고 그 뜻을 이어받아 12세기에 그의 손자인 파라쿠라마 바후 1세는 관개용 저수지인 파라크라마 사무드라(Parakura ma Samudra)와 다수의 건축물을 세우고 폴로나루와를 불교도시로 발전시켰다.

건축적인 내용을 좀 더 자세히 살펴보자. 폴로나루와의 전성기는 12세기였다. 위에서 밝힌 바와 같이 대표적인 군주는 손자인 빠라끄라마 바후(1153~1186) 1세 왕으로 그는 고대 스리랑카 최고의 왕으로 대규모 관개용 인공 저수지인 파라크라마 사무드라(Parakrama Samudra)를 만들고, 호수로부터 흘러나오는 물길을 끼고 직사각형 모양의 도시를 건설하였다. 도시의 중앙에는 7층 규모의 거대한 왕궁과 수많은 사원이 건립되었다. 이 왕궁 안에는 각종 관련 시설들이 있었음은 당연하다. 또한 왕궁 바로 옆에는 불교사원구역인 사각형의 쿼드랭글(Quadrangle)이 조성되었는데 그 안에 부처의 치아를 안치한 아타다게(Atadage)와 와타다게(Vatadage) 불치정사佛齒精舍 등을 비롯하여 12개의 소규모 불교 전각들이 조성되어 불교의 중심

109 브리테니카 백과사전, 스리랑카의 역사

지 역할을 하였다.

■랑카틸라카 사원

또한 폴로나루와에는 거대한 불상을 잘 보존하고 있는 커다란 벽돌구조물인 랑카틸라카(Lankatilaka) 사원, 싱할라족 예술의 걸작으로 꼽히는 거대한 바위 조각품이 있는 갈 비하라(Galvi hara), 바라크라마바후 왕으로 책을 들고 있는 모습의 석조 조각인 Pothgul vehe ra(king or Sage), 부처님의 전생을 묘사한 본생담本生譚(Jataka)를 묘사한 13세기 벽화인 티반카 필리마게(Tivanka Pilimage), 거대한 불탑인 랑콧 비하라(Rankot Vihara)와 키리 베헤라(Kirivehera), Lotus Pond, Baddasim apasa da(chapter house), 랑카틸라카사원과 키리베헤라 불탑이 있는 불교 종합대학인 Alahana Parivena(monastic university) 등이 있다. 이처럼 폴로나루와는 사원이 많아짐에 따라 불교성역이 되었고 태국이나 미얀마 등지에서 승려들이 찾아오게 되었다.

또한 니상카 말라 왕은 빠라끄라마 바후 왕의 작품에 비하면 그다지 정교하지는 않지만 그래도 비문을 비롯하여 뛰어난 기념물들을 많이 건축하였는데 그중에서 불치를 공양하는 하타다게라는 사원[110]과 거대한 사리탑인 랑콧 비하라가 가장 인상적이다. 이 두 군주는 건축학적으로 아름다움이 뛰어난 수많은 건축물을 건축하여 도시를 꾸몄다. 랑콧 비하라는 12세기에 세운 것으로 높이 55m, 직경 55m이다. 아누라다푸라의 루완웰리세야 다고바를 모델로 삼은 것으로 보인다. 스리랑카의 스투파형식 중에서 물방울 모양(Water Bubble Shape)의 다고바이다. 옛날에는 랑콧 비하라의 첨탑(Golden Pinnacle)이 금으로 덮여 있었다고 한다.

110 주경미, 『스리랑카의 불치정사와 동아시아의 구법승, 역사와 경계 69』 141쪽

1. 거대한 불탑 랑콧 비하라(Rankot Vihara)
2. 알라하나 페리베나라는 불교대학에 있는 키리 베헤라(현재는 하얀색의 외관이다. 2014. 12.)

이러한 번영도 있었으나 여러 번의 전쟁으로 피폐해진 왕국에 남인도 출신의 폭군 마가(1215~1255)가 왕위에 오르면서 철권통치를 하게 된다. 점점 백성들은 무서운 왕을 피해 남쪽으로 옮겨가기 시작했다. 마가왕의 폭군정권에 대항해서 싱할라족의 새로운 왕국이 생겨나 마가왕을 몰아낸다.

물론 역사적인 부침을 거쳐 13세기 후반까지 폴로나루와는 싱할라왕조의 수도로서 번영을 누렸으나 폭군정권이나 타밀족의 침공을 피하여 담바데니아 등 중부의 여러 산악지방으로 전전하다가 1592년에는 비로소 남쪽의 캔디에 정착하며 수도가 되었다.

이처럼 스리랑카는 여러 왕국이 생겨났으며 큰 영향력을 끼쳤던 불교에도 큰 변화가 시작되었다. 대중들의 삶이 피폐해지면서 사찰로 들어가던 시주 또한 줄어들게 되어 각 사찰들은 경제적인 어려움에 봉착하게 된다. 결국 아누라다푸라와 폴로나루와의 수도원들이 해체되었고 이러한 틈을 타 인도의 힌두교가 들어와 자리를 잡게 된 것이다. 이러한 이유로 폴로나루와는 결국 정글 속에 버려진 폐허 도시가 되고 말았다.

그 후 1900년경 영국인에게 발견되어 발굴작업이 시작되었고 놀라운 전원 고대도시의 면모가 들어나게 되었다. 특히 이 폴로나루와는 1미터두께의 두터운 3중벽으로 둘려 쌓여 튼튼하고 잘 계획된 고대도시 유적으로 그 안에는 왕궁과 사원, 주거, 저수지, 회의장 등이 있어 그 가치를 인정받아 유네스코 세계문화유산으로 1982년 지정되었다.

### 고대도시 폴로나루와의 유적

폴로나루와는 스리랑카에 있어 두 번째 왕국인 폴로나루와 왕국의 수도였던 곳으로 스리랑카 역사 2기의 주 무대가 되었던 지역이다. 또한 폴로나루와는 10~12세기에 싱할라 왕조의 두 번째 수도로 번영을 누렸으며, 아누라다푸라에서 남동쪽으로 100여 ㎞, 행정수도 콜롬보에서 210㎞ 가량 떨어진 조그마한 시골 도시이다. 수도였던 도시이기에 왕궁과 저수지, 불교사원, 목욕장 등 수많은 고대유적이 자리하고 있는 세계문화유산이다. 특히 그 전성기에는 태국이나 미얀마에서 승려가 찾아올 만큼 불교도시로서 대단한 모습을 갖추었다. 과거에 번성하였던 영화를 전해주는 유명한 유적들이 지금은 소도시가 되어 버린 이곳을 세계에 널리 알리고 있다.

폴로나루와의 시가市街는 크게 세 구역으로 나뉜다. 다수의 유적이 줄지어 있는 구시가舊市街 와 그 남쪽에 펼쳐진 신시가, 그리고 6㎞정도 동쪽에 위치한 철도역 부근의 번화가이다. 구시가는 그다지 넓지 않은데 그 중심에 쿼드랭글(Quadrangle)이라 불리는 불교유적군이 있다. 성벽 안의 유적이 모여 있는 곳에서 남쪽으로 사방 1㎞ 정도가 구시가이다. 이 쿼드랭글의 인근에는 알라하나 파리베나(Alahana Parivena)사원이라고 부르는 불교대학이 있는데 그 중심에는 랑카틸라카(Lankatilaka)사원과 키리 베헤라(Kiri Vehera)라는 스투파가 있다. 또한 인근에는 랑콧 비하라(Rankot Vihara)라고 부르는 거대한 스투파도 있다. 이 뿐만 아니라 쿼드랭글의 서쪽에는 파라크라마 사무드라(Parakurama Samudra)라는 거대한 저수지가 있다.

■궁전(Royal Palace)의 정문

폴로나루와 왕국의 전성기는 폴로나루와를 세운 위자야바후 1세에서 비롯되어 그의 손자인 빠라끄라마 바후 1세(Parakrama Bahu I) 때 대단한 번

1. 와타다게(Vatadage) 원형사원 전경
2. 하타다게(Hatadage)사원 전경

영을 이루었다. 폴로나루와의 유적은 모두 그가 세운 건축물이라고 해도 과언이 아니다. 특히 그가 만든 거대한 저수지는 걸작 중의 걸작이다. 빠라끄라마바후 1세는 저수지뿐만 아니라 왕궁을 건설하는 데도 심혈을 기울였다. 지금은 폐허가 된 왕궁이지만 남아 있는 것만으로도 당시 규모가 웅장하였고 아름다움이 대단하였을 것으로 짐작할 수 있다.

원래 폴로나루와는 남부 인도의 촐라족이 스리랑카에 와 싱할라왕조의 아누라다푸라를 정복하고 남쪽으로 밀려난 싱할라왕조를 견제하기 위해 건설한 구 도시였다. 이후 촐라왕조의 내분을 틈타 싱할라왕조의 비자야 바후 1세 왕이 1017년 폴로나루와를 탈환하여 싱할라왕조의 두 번째 수도로 삼았다. 이 후 12세기 말 니상카 말라 왕 때 만들어진 하타다게나(Hatadage)나 아타다게(Atadage, 佛齒寺) 속의 부처 치아는 불교에 있어서 성스러운 영물임과 동시에 왕권의 상징으로 간주되었고 이 불치가 옮겨 가면서 수도도 따라가게 된다.

폴로나루와는 파라크라마 사무드라 호수로부터 흘러나오는 물길을 끼고 호수에 기대어 직사각형 모양으로 건설되었다. 도시 여기저기에 흩어져 있던 아누라다푸라 유적과는 달리 폴로나루와의 유적은 거대한 도시 중앙안에 조성되어 있고 그다지 멀지 않은 곳에서 왕궁과 불교 유적들을 일목요연하고 편안하게 관람할 수 있다.

아쉽게도 폴로나루와는 빠라끄라마 바후 1세의 죽음과 함께 내리막길을 걷는다. 남인도에서 건너온 타밀족의 침입으로 왕국의 수도를 담바데니야

(Dambadeniya)를 비롯한 중부 여러 산악지방을 전전하다 1474년에 다시 부흥하여 1592년에 수도를 캔디로 옮기게 된다. 사실 폴로나루와는 빠라끄라마 바후 1세의 모든 것이라고 해도 좋은 곳이다. 그만큼 폴로나루와에는 그의 자취가 여기저기 많이 남아 있다.

### 1) 폴로나루와의 인공 호수

한때 정글 속에 유적이 잠자고 있던 시대가 있었던 것이 믿기지 않을 만큼 이 도시는 활기 있어 보인다. 그것은 아마 여기저기로 흐르는 물 때문일 것이다. 지금도 거대한 저수지, 아니 차라리 호수라고 부르는 것이 좋을 인공호수들은 스리랑카사람들의 생활에 없어서는 안 될 정도로 많이 이용되고 있다. 시가지를 도는 수로에는 물이 콸콸 흘러 동물들이 마시고 논밭과 숲을 기름지게 한다. 사람들은 또 식사 준비나 목욕할 때도 그 물을 쓴다. 저녁 무렵 호숫가에 서서 고기를 잡으러 나가는 작은 배를 보고 있으면 낮에 본 수많은 유적에서 받은 인상이 겹쳐져 조용하고 평온한 시간의 소중함을 느끼지 않을 수 없다. 폴로나루와는 그런 느낌을 주는 아름다운 고도이다.

유적이 남아 있는 플로나루와의 구시가는 거대한 인공 저수지 부근에 있다. '파라크라마 사무드라' 라고 불리는 이 저수지는 엄청나게 크고 거대한 양의 물을 담고 있다. 일찍이 이 땅을 지배해 왔던 역대의 왕들은 아누라다푸라를 비롯한 고대도시를 건설할 때 가장 먼저 한 일이 관개용 저수지와 수로의 정비였다고 한다. 농사로 먹고사는 이 땅의 사람들에게 물의 확보는

1. 거대한 인공호수, 파라크라마 사무드라(Parakrama Samudra)
2. 시기라이 록 주변의 관개수로

일상생활과 밀착된 아주 중요한 문제였던 것이다. 파라크라마 사무드라도 그렇다. 폴로나루와의 번영은 드라이 존이라 불리는 이 메마른 대지에 생명의 물을 준 이 인공저수지 덕분일 것이다. 동양의 전제군주들의 큰 덕목이 바로 강을 다스리고 그 물로 백성을 풍요롭게 해야 했던 것과 유사하다.

빠라끄라마 바후 1세의 지시에 의하여 건설된 이 인공저수지는 '파라크라마의 바다' 라는 의미로 길이 11㎞, 높이 13m에 이르는 당시 최대 규모의 저수지로 165개의 댐과 3천개의 수로, 2,376개의 물탱크로 이루어졌다.[111] 이때 벼농사가 활발하게 이루어져 산업에도 큰 발전이 있었으며 서남아시아나 중국과의 교역도 크게 증대되었다. 이 호수는 관개용과 생활용수로 사용되었을 뿐만 아니라 도시 남서쪽을 에워싸고 있어서 침입자를 막는 방어용 벽 역할까지 해냈다.

폴로나루와의 유적은 모두 빠라끄라마 바후 1세가 세운 것이라고 해도 과언이 아니다. 특히 그가 만든 거대한 저수지는 걸작 중의 걸작이다. 현재도 그 역할을 충분히 하고 있는 이 저수지는 당시 인근 지역에 농업용수와 생활용수를 공급하는 중요한 시설물이었다. 폴로나루와가 수도로서의 역할을 다 할 수 있었던 것은 모두 이 저수지 덕분이었다. 건기에도 물을 댈 수 있어서 농업이 발달하고 그 덕분에 당시 농민을 비롯한 서민들의 살림이 많이 나아졌을 것이다.

111 네이버 지식백과–두산백과 : 네이버 블로그 〈sheenbee〉에서 재인용

112 UNESCO Publishing/CCF, The cultural triangle of Sri Lanka, p.92

### 2) 폴로나루와 왕조의 웅장한 궁전(The Royal Palace)

파라크라마 사무드라 호수 동쪽에 있는 궁전으로 스리랑카의 최고 왕이라 불리는 빠라끄라마 바후 1세(1153~1186)가 세웠다 한다. 성과 여러 왕궁 시설은 여러 층의 궁전, 집회실, 왕의 정원 안에 있는 석조 목욕 풀, 각료회

■왕궁(좌)
왕궁 내부(우)

1. 왕의 화장실(출처 : 네이버 사진)
2. 빠라끄라마 바후 1세의 왕궁 평면도
① 외벽
② 1층 영선실
③ 궁중
④ 접견실
⑤ 위병소
⑥ 돌계단
⑦ 내부
(출처 : The Cultural Triangle p.92)
3. 궁전의 각료 회의장(King council chamber, 1153~1186)
4. 기단부 코끼리 조각

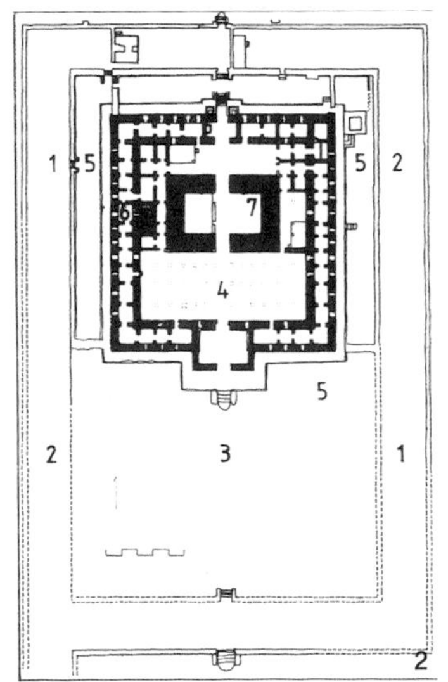

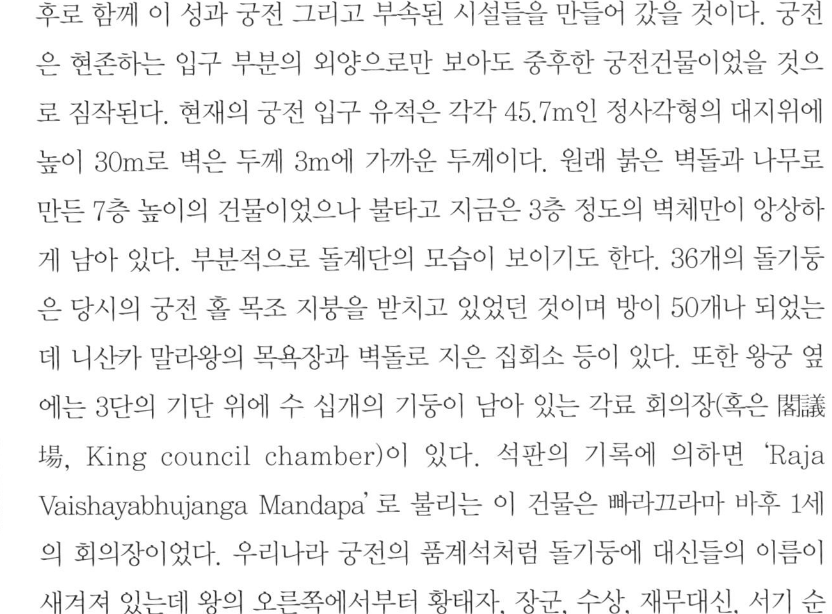

의장, 연회장, 무도회장 등으로 이루어졌다. 이 성안의 모든 방을 합하면 1천개 이상이었다 한다. 이 성 안에는 빠라끄라마 바후 1세로부터 왕위를 이어받은 니상카 말러 왕의 조그만 성도 있다.[112] 그렇게 보면 이 두 왕이 선후로 함께 이 성과 궁전 그리고 부속된 시설들을 만들어 갔을 것이다. 궁전은 현존하는 입구 부분의 외양으로만 보아도 중후한 궁전건물이었을 것으로 짐작된다. 현재의 궁전 입구 유적은 각각 45.7m인 정사각형의 대지위에 높이 30m로 벽은 두께 3m에 가까운 두께이다. 원래 붉은 벽돌과 나무로 만든 7층 높이의 건물이었으나 불타고 지금은 3층 정도의 벽체만이 앙상하게 남아 있다. 부분적으로 돌계단의 모습이 보이기도 한다. 36개의 돌기둥은 당시의 궁전 홀 목조 지붕을 받치고 있었던 것이며 방이 50개나 되었는데 니산카 말라왕의 목욕장과 벽돌로 지은 집회소 등이 있다. 또한 왕궁 옆에는 3단의 기단 위에 수 십개의 기둥이 남아 있는 각료 회의장(혹은 閣議場, King council chamber)이 있다. 석판의 기록에 의하면 'Raja Vaishayabhujanga Mandapa'로 불리는 이 건물은 빠라끄라마 바후 1세의 회의장이었다. 우리나라 궁전의 품계석처럼 돌기둥에 대신들의 이름이 새겨져 있는데 왕의 오른쪽에서부터 황태자, 장군, 수상, 재무대신, 서기 순으로 이어진다고 한다. 옥좌의 좌측에서 수상의 반대쪽은 지사知事, 그 뒤에

1. 왕실 목욕장인 쿠마라 포쿠나(Kuma ra Pokuna)
2. 쿠마라 포쿠나 옆의 장방형 건물

상인과 귀족의 자리가 있었다고 한다.

궁진의 동쪽(왼쪽 안)에는 빠라끄라마 바후 1세가 사용했다고 하는 집회장 (Audience Hall)이 있다. 맨 아랫부분이 되고 있는 토대의 코끼리 조각은 모두 다른 모습을 하고 있다.

### 3) 왕실 목욕장 쿠마라 포쿠나(Kumara Pokuna, Royal Bath)

또한 궁전의 동남쪽, 성벽의 바깥 끝에는 니상카 말라 왕자의 목욕장인 쿠마라 포쿠나(Kumara Pokuna, 총각의 연못)가 있다. 악어 입 모양으로 장식된 물이 떨어지는 홈통이 유명하다. 현재 이 왕실의 목욕시설은 빠라끄라마 바후 대왕(1153~1186)이 지었다고 마하밤사에 언급되어 있는데 Sila Pokkharani(실라 포카라니)라고 불리는 연못이었다고 한다. 성채의 외곽에 있는 이 지역은 빠라끄라마 바후 대왕의 Nandana Uyana(난다나 우야나)라는 이름의 왕실 공원 안에 속해있었을 것이라 생각된다.

이 연못은 십자가 형태의 평면을 하고 가까운 수로로부터 물을 끌어오도록 고상하게 디자인되었으며 이미 사용한 물을 빼내는 배수구도 있었다. 지면보다 조금 높게 목욕장의 외곽석을 돌렸고 그 내부에는 앉아서 목욕을 할 수 있도록 2단으로 조성하였다. 연못 바로 옆에 자리한 장방형의 부속 건물은 탈의실 역할을 했을 것으로 보인다. 얼마나 많은 사람이 이곳에서 목욕을 하였을지 모르나 욕장의 깊이나 축조방법, 주변의 시설을 보면 대단한 위용과 세련된 조형미를 보인다. 특히 이런 건물의 경우 저수시설이나 방화

113 Quadrangle은 사각형을 뜻하는데 Dalada-Maluwa에서 Dalada는 싱할라어로 불치를 뜻한다.

용으로도 사용되는 경우가 많이 있는데 이 목욕장은 어떠하였는지 분명하지 않다. 아마도 더운 날씨에 궁에서 기거하는 왕실 가족들이 목욕하기에 적절한 시설이다.

### 4) 폴로나루와의 중심 불교도량 쿼드랭글(Quadrangle)

Sacred Quadrangle(Dalada-Maluwa)[113]는 빠라끄라마 바후 1세(1153~1186)왕궁 중심부에 펼쳐져 있는 불교사원구역을 말한다. 쿼드랭글이란 사각형을 뜻하는데, 그 이름대로 4각형으로 둘러싸인 높고 넓은 성벽 안 부지에는 12개의 불교 관련 건축물이 모여 있는 성역이다. 궁전 북쪽, 구시가의 거의 중심부에 해당한다. 이곳은 싱할라 왕조 시대에 불치가 모셔졌

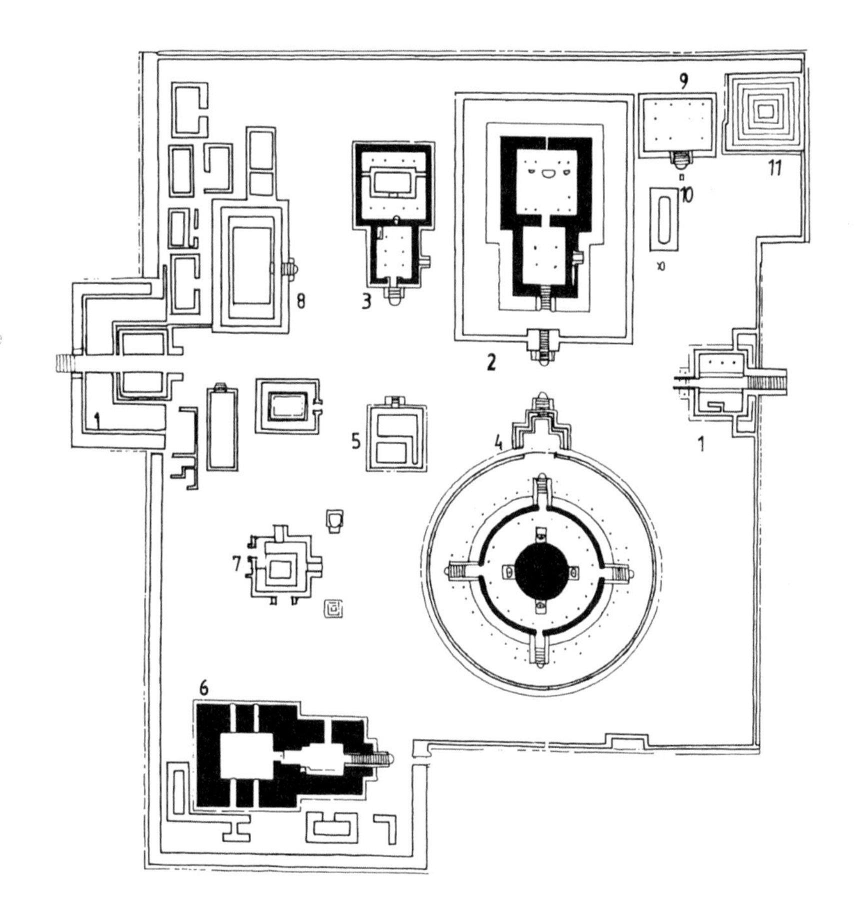


■ 쿼드랭글의 배치도
① 아치형입구
② 하타다게
③ 아타다게
④ 와타다게
⑤ 만다파
⑥ 투파라마
⑦ bodhighara
⑧ 와불당
⑨ 성소
⑩ 갈포타 석문
⑪ Satmal prasada
(출처 : The Cultural Triangle p.96)

던 곳으로 폴로나루와 불교의 중심지였다.

구역 동편의 계단형 입구를 들어서면 직각방향으로 남북의 축선을 유지하며 佛齒를 모셨던 와타다게 사원을 중심으로 세 개의 승원터, 예불터, chapter house, 사트 마할 프라사다라고 하는 계단형 탑과 石經 등 12개의 건축물이 모여 있다. 이곳은 싱할라왕조 당시 불치사와 관련된 시설이 있던 곳으로 폴로나루와의 불교 중심이자 싱할라왕조의 왕권을 상징하는 곳이다.

사원구역으로 들어가기 위해 동편의 입구로 올라가는 계단 좌측 비석 아래에는 개 두 마리가 새겨져 있는데 스님이 축생들에게 먹이를 보시하는 장면이라고 한다. 문에 들어서서 보이는 방향으로 왼쪽이 원형의 건축물이 와타다게이고 오른쪽 방형의 건축물로 벽면이 남아 있는 것이 하타다게이다. 하타다게 옆에 기둥만이 남아 있는 조그마한 건물이 아타다게이다.

이 유적군 안에 세워진 여러 사원들은 그 하나하나가 각자의 역할을 하지만 전체적으로 보면 나름의 질서를 이루고 있다. 동시에 모든 건물이 이루어진 것이 아니기 때문에 축선과 기능, 건립순서에 따라 적절히 건물들을 배치한 것 같다. 기본적으로 불상과 불탑을 모시는데 평면형식에 따라 방향성을 갖고 앞 쪽의 현관은 문스톤과 가드스톤으로 장식되었다. 공간의 구성은 전실과 후실로 나뉘며 후실에 불상을 모시거나 중앙에 불탑을 배치시키고 그 주변에 모시는 형식이다. 건물의 대부분이 석재 기둥으로 구조체를 이루고 석재를 벽돌 모양으로 만들어 벽을 돌려 쌓았는데 예외적으로 투파라마는 붉은 벽돌을 두껍게 쌓아 벽면과 천정을 이루었다. 그 중에서도 11세기후반에 세워진 아타다게는 아누라다푸라에 있던 원래의 불치정사 양식을 본 받아 만들어진 것으로 추정되고 있다.[114)]

아무튼 이곳은 불교의 중심임과 동시에 왕권을 상징하였으며 11~12세기에 불치정사佛齒精舍로서의 기능을 하였던 사원들로 주목된다.

(1) 사각형 불전, 투파라마 비하라(Thuparama Vihara, Image House)

쿼드랭글의 남쪽 입구에서 들어오면 왼쪽 남서쪽에 위치한 사각형의 중후한 불당이다. 스리랑카 고고학자 파라나비라나(Paranavilara)교수는 이 건물을 티방카 파리마게(Tivanka Image House)사원이라고 하였다. 싱하

114 주경미, 『스리랑카의 불치정사와 동아시아의 구법승, 역사와 경계 69』, 139쪽

115 임종욱, 의학박사 임종욱 칼럼(곧 은결 방), 스리랑카-14. 폴라나루와-3.

■투파라마 불전의 정면

라왕조가 3번째로 천도하여 담바데니야가 수도였던 시기에 빠라끄라마 바후 2세(1236~1270)가 폴로나루와 재건을 독려할 목적으로 지었다고 하고 건축적으로 보아 위자야바우 1세(1055~1110) 통치시대에 축조되었다고도 하는데 정확하지 않다.[115)]

높은 기단부와 몸체, 지붕 등으로 이루어진 정면의 중앙에 입구를 두었다. 정면은 3칸으로 구획하였고 그 중앙에 입구를 두어 내부공간으로 들어가게 하였다. 수평의 여러 단으로 중첩된 하부는 조그마한 기둥으로 감실을 마련하여 불상을 비롯한 조각으로 장엄하였다. 크기는 길이가 84.5ft, 폭이 54.5ft 이다.

외벽의 몸체는 여럿의 필라스터(Pilaster) 기둥으로 분절하여 중앙의 아치와 양쪽의 감실로 이루어졌다. 중앙의 아치는 내부 공간으로 이어지는 볼트(Vault)로 하였고 또한 입면의 구성은 고대 서양건축의 기둥과 유사한 필라스터 기둥은 칸을 나누고 그 안에 조그마한 감실을 마련하여 불상으로 장엄하였다. 이 외부 장식을 남인도건축양식, 즉 viniana-panjara-kudu의 영향을 받은 것이라고 한다. 외벽의 하부 기단부에는 Stucco로 신과 난장이, 백조와 사자, 연꽃 등을 부조(relief)하였다. 이 난장이를 Deva라고 한다.

내부는 조그마한 벽돌을 튼실하게 두껍게 쌓아 아치가 연속하여 이어진

■볼트형 천장을 한 투파라마의 내부

볼트천정를 이룬다. 이러한 형식은 아누라다푸라의 건축형식을 표본으로 하고 있다고 한다. 건물의 크기에 비하여 공간을 넓게 하지는 않고 높이만 높다. 입구 부분은 많이 파손되어 있고 지붕은 그런대로 잘 남아 있다.

스리랑카는 대부분의 불교사원에 들어가려면 모자를 쓰지 않고 맨발로 걸어가야 한다. 맨발로 계단을 올라가면 태양에 뜨거워진 돌과 모래 때문에 발바닥이 뜨겁지만 불당 안으로 들어가면 시원하다. 투파라마의 두꺼운 벽돌 벽은 벽의 두께가 무려 2m나 된다. 중후한 벽에 둘러싸여 있으면 왠지 종교적 경외감을 느끼게 된다. 수직성이 강조된 내부공간과 크고 높은 불상에 비하여 우리의 몸이 상대적으로 아주 작게 느껴진다. 현재의 불상은 오랜 역사적 사건을 거치며 일그러져 얼굴이나 손발은 겨우 윤곽만 갖추고 있을 뿐이다. 두꺼운 벽에 뚫린 작은 구멍에서 어두컴컴한 불당 안으로 태양광선이 들어와 내부공간과 여러 불상을 비추도록 되어 있어 신비스러운 분위기를 연출한다.

폴로나루와 사원 중 가장 완성도가 높은 고대건축양식인 싱할라의 게디게(Gedige) 건축양식을 따른 것이라 하였는데 구체적으로 어떤 모습을 말하는지 모르겠다. 나무를 쓰지 않고 벽이나 지붕을 벽돌로 축조한 건물을 지칭한 것 같다. 소위 게디게 스타일의 건축물로 폴로나루와에서 유일하게 지붕이 남아 있는 유적이다. 벽과 지붕은 벽돌로 지었는데 인도 남부 지역의 건축양식을 보이고 있다. 두터운 벽에 아침이면 각도를 맞춰 뚫은 원형의 천정구멍을 통해 햇빛이 들어와 부처의 얼굴을 환히 비추도록 설계했는데 내부에는 거대한 부처의 좌상이 있다는 기록이 비문에 적혀 있지만 지금은 커다란 좌대만 남아 있다.

부처님 치아사리에 공양을 올리고 예배를 드리는 스님들이 수행하는 사

116) H.T. Basnayake, The Glory of Ancient Polonnaruva, Jaya singhe Balasooriya, 2004.

원으로 안내판에는 건축을 한 사람이 누군가 모른다 하였는데 빠라끄라마 바후 1세에 의해 건설되었다고 구전되고 있을 뿐이다. 캔디로 수도가 옮겨지기 전까지 스리랑카 불교의 중심이 된 사원이다.

(2) 원형사당, 와타다게(Vatadage, Circular Relic House)

와타다게는 쿼드랭글 안에서 가장 두드러지는 건물로 그 안에 원형 불탑(다고바)을 중심으로 사방불이 배치된 원형사당이다. 이러한 원형건물은 인도 남부지방인 Gunthapalli와 Junnar의 영향을 받은 것이다. 빠라끄라마 바후 1세 왕이 폴로나루와에 세운 불치정사는 세 곳으로 그중 하나가 둥그런 구조의 석조 사원이었다고 하는데 아마 와타다게가 아닌가 한다. 그래서 영문으로 된 스리랑카 소개 책자에는 사리봉안 처라는 의미의 Circular Relic House라 하고 있다. 건립자에 대하여서도 Basnayaka교수는 빠라끄라마 바후 1세, 혹은 Paranavitana교수는 니상카말라 왕이 건립하였다고 견해가 각각 다르다.[116] 초창연대와 관련하여 또 다른 견해로서 폴로나루와가 수도가 되기 이전인 7세기경의 것이라고 하며, 가운데 있는 다고바는 아누라다푸라의 실라 메가반나 왕(King Sila Meghavanna)이 세운 것이고 벽의 조각은 닛상카 말라 왕의 명에 의해 만들어졌다고 하지만 정확한 근거는 없다.

사방으로 난 입구에는 각각 계단과 문스톤(Moon stone, 月石), 가드스톤(Guard stone; 성소를 지키는 수호석)이 있는데, 특히 북쪽 입구에 있는

1. 와타다게의 단면도
2. 불탑위에 목조지붕이 설치된 와타다게(출처 : http/blog.daum.net/manjaro/1/46)

1. 와타다게 사원
2. 와타다게 내부의 불상과 불탑
3. 와타다게 계단
4. 계단 상세

것이 비교적 그 형태를 제대로 유지하고 있다. 흔히 가드스톤은 입구에서 악마가 들어오는 것을 막아서 내부의 본존本尊을 지키기 위해 불탑이나 절 입구에 세웠다. 문스톤은 불교에서 말하는 윤회를 나타내는 것인데 아누라다푸라의 것과 무늬가 좀 다르다.

입구의 문스톤을 지나 올라서면 원형으로 조성된 사원의 사방에 다시 입구와 문스톤, 가드스톤이 있는데 문스톤을 지나 돌 계단을 올라서면 그 앞에 부처님의 좌상을 안치하였다. 이 부처님의 상은 입구를 향하고 탑을 등에 두고 앉아 있다. 불상의 뒤에는 소형의 사당이 있었다 하나 현재는 이를 확인하기 어렵다.

와타다게의 하부 구조는 이중의 원형기단으로 하였는데 하단의 모습은 장식으로 가득하고 상단은 돌기둥을 돌려 구획을 나누고 그 사이를 석재 벽면을 설치하였다. 그 석재로 된 벽면은 빗살문양으로 장식하였는데 천으로 짠 것처럼 정교하다. 이 돌기둥을 돌려 세운 낮은 담으로 둘러싼 안에는 다시 원형의 높은 벽돌 벽으로 돌리고 중앙에는 벽돌로 쌓은 작은 다고바를 세워 부처의 사리를 보관하였다. 불탑 사방에는 4방향에서 각각 볼 수 있도록 부처의 조각상을 안치하였으며 지붕은 돌기둥 위에 나무로 만들어 그 위

117 1070년 스리랑카를 지배하던 인도의 촐라왕조를 몰아내고 불교를 중흥시킨 왕으로 스리랑카의 중세 역사에서 대표적인 왕이다.

118 석가가 전생에 수행한 일과 공덕을 이야기로 구성한 것

에 기와를 얹었을 것으로 추측된다.

와타다게는 싱할라어로 와타는 원, 다는 치아, 게는 사원을 뜻한다. 즉 부처님의 치아사리를 모신 둥근사원, 즉 불치정사라는 뜻으로 불치는 싱할라왕권의 상징이다. 이 사원은 빠라끄라마 바후1세가 건립하였는데 석비인 갈포다(GalPotha)에 의하면 니산카 말라왕이 쿼드랭글 안에 Ratnagiri Vatadage란 이름의 와타다게를 세웠다고 적혀 있는데 이 시기에는 재건축한 것으로 추측된다.

(3) 불치정사(佛齒精舍), 아타다게(Atadage)

아타다게는 쿼드랭글 사원 중 가장 오래된 불치사로 아누라다푸라에서 폴로나루와로 수도를 옮겼던 비자야바후(Vijayabahu) 1세[117] 때(재위 1055~1110) 건립되어 불치를 모셨던 정사이다. 당시 비자야바후 왕은 불치정사의 건립과 함께 불치를 위해 거대한 축제를 열었다고 전한다. 아타는 8, 아타다게는 '8개의 유골이 있는 집' 혹은 '8개의 자타카가 있는 집' 이라는 뜻으로 원래 8개의 자타카벽화[118]가 그려져 있었다고 추정되나 지금은 전실과 후실로 구성된 1층의 석조 구조물과 돌기둥 54개만 남아 있다.

원래 불치정사는 2층 건물이었던 것으로 추정되며 석조로 된 1층의 성소에는 불상을 안치하고 목조로 된 2층의 성소에는 부처의 치아와 복발

1. 아타다게
2. 아타다게 명문

(Bowl relic)을 모셔 놓았던 것으로 알려져 있다. 특히 지붕틀은 목조로 된 보로 구성되었고 지붕은 흙으로 만들어진 기와를 얹었다.

비자야바후 1세의 불치공양과 불치정사의 건립은 불치의 정치적 상징성을 강조하게 된 중요한 계기로서 이후 왕등은 모두 불치의 소유를 왕권의 획득 및 유지에 있어서 중요한 상징의 하나로 여기게 되었다. 또한 이 건물 가까이에는 타밀어인 Grantha 명문이 새겨져 있는데 성스러운 불치유적의 보호는 왕의 사병인 Velaikkara 군인들에게 위임되었다는 내용이 써있다.

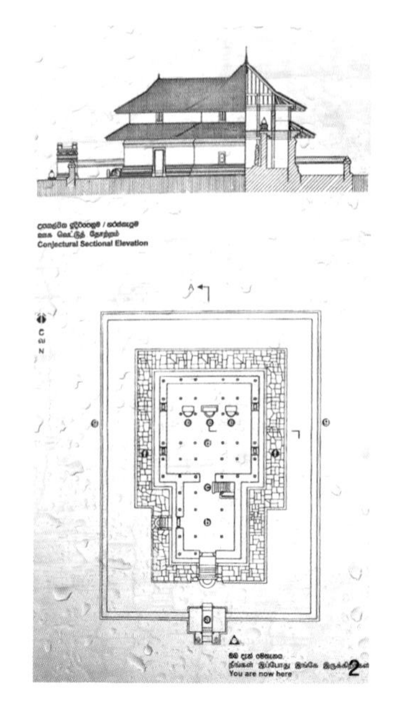


(4) 불치정사(佛齒精舍), 60일 만에 만든 하타다게(Hatadage, Hetadage)

와타다게의 거의 정면에 잇는 불치정사 유적으로 12세기(1187~1196)에 닛상카 말라 왕에 의해 건설되었다. 방형의 큰 실과 현관, 위로 오르기 위한 계딴으로 구성되었다. 크기는 길이가 36미터이고 폭이 27미터이다. 문을 들어서면 오른쪽 벽에 위엄스런 산스크리트 문자의 비문이 남아 있다. 이것은 닛상카 말라 왕을 칭송하는 글이라 한다. 비문의 주위에 있는 댄서와 음악가들의 조각도 움직이고 있는 것처럼 느껴져 흥미롭다.

1. 하타다게
2. 하타다게의 평면과 단면도

하타다게는 많이 허물어져 있지만 옛 형태를 가늠할 정도로 기단과 건물의 벽면 모습은 남아 있다. 하타는 60을 의미하는데 11세기 쫓겨 오다시피

수도를 이전한 니산카말라왕에 의해 60일만에 만든 사원이라 한다. 어떤 이는 방이 60개이기 때문에 붙여진 이름이라 한다. 원래 2층 구조였으며 윗층의 니산카왕의 비문이 있는 벽 위의 돌판 가운데에 치아사리를 보관하였고 지붕은 나무 들보를 얹어 그 위에 흙을 덮었다고 한다. 이곳에 있던 치아사리는 인도 촐라 왕조의 침입으로 폴로나루와가 멸망할 때 지금의 캔디로 옮겨졌다고 한다.

하타다게로 들어가는 문 앞에 있는 가드스톤과 문스톤이 아름답다. 현재 그 내부에는 천정에 이르는 크기로 불상이 셋이나 남아 있다. 아타다게에 이어 불치를 모시던 곳이라 전한다.

(5) 니상카 라타 만다파야(Nissanka Latha Mandapaya)

비명에 니산카 라타 만다파야라는 이름이 새겨져 있는 독특한 형태의 불당건축이다. 니상카말라 왕이 성스러운 불치를 경배할 목적으로 세웠다는 이 건물은 연꽃 줄기 형태의 석주 8개가 4열로 줄지어 서 있는데 기록에 의하면 니상카 말라 왕이 이곳에서 승려들이 낭송하는 불교 경전을 청취하던 곳이라 한다. 새롭고 창의적 감각으로 지어진 건물이다. 돌 난간을 높게 돌렸고 2.54m 높이의 창의적인 기둥이 8개 남아 있는 사원으로 사리탑이 안치되어 있었다 한다.

석조로 잘 짜여진 기단 위에 세계 어디에서도 보기 드문 기이하고 아름다운 기둥이 세워져 있다. 연꽃의 줄기 모양인 이 기둥은 곡선을 그리며 하

1. 니상카 라타 만다파야
2. 라타 만다파야의 기둥과 소형불탑

늘을 향하고 있는데 연꽃의 줄기가 바람에 흔들리는 모습을 표현한 것이다. 즉 이 기둥은 상부에 활짝 핀 연꽃 좌대가 있고 그 아래에는 연꽃의 줄기가 구부려진 모습의 기둥이 있는데 끝에는 8각형을 이루었다. 만개한 이는 고대 스리랑카 건축양식에서만 볼 수 있는 특징이라고 생각된다. 특히 기둥은 3~4단으로 나누어져 있고 각 단을 기점으로 하여 분절되며 굴곡이 이루어 진다.

사원 중앙에는 상부가 잘려 나간 작은 불탑이 안치되어 있는데 이곳에 정자와 같은 건물을 짓고 와타다게에서 말하는 소리를 들었다 하니 앞서 말한 승려들의 경전 낭송을 청취하지 않았나 한다.

(6) 돌에 새긴 고대의 경전, 갈 포타(Gal Potha Inscription, Stone Book)

하타다게의 동쪽에 있는 야자 잎 모양의 책 형태를 한 석비石碑로 Stone Book(돌 책)이라는 별명이 붙어 있다. 갈은 바위이고 포타는 책으로 길이는 아주 길어 약 8.5m이고, 폭은 약 1.4m이다. 두께는 44~66cm인데 무게는 무려 25톤에 이르는 세계 최대의 석장경이다. 11세기 스리랑카 불교를 개혁하고 담불라석굴을 중수한 닛상카 말라 왕의 명령에 의해 약 100㎞나 떨어진 아누라다푸라 인근 미힌탈레의 Sagiri에서 가져온 돌에 문자를 새겼다고 한다. 비문은 인도에서 쳐들어 온 침략자에 관한 내용과 폴로나루와 주변의 작은 나라들과의 관계, 그리고 닛상카 말라 왕에 대한 찬양 등으로 되어 있다.

1. 바위 경전 갈포타(GalPotha)
2. 갈포타 상세

1. 사트마할 프라사다
2. 상륜부 감실 상세

아래 면에는 오리를 조각하였고 앞면에는 코끼리 상을 그리고 윗면에는 팔리어경전 중 훌륭한 왕이 되는 덕목을 돌에 새기고 남인도에서 침략한 타밀군의 침략사와 주변 나라들과의 외교관계를 적고 있다. 또한 부모에 대한 기록을 비롯하여 니산카 말라왕이 어떻게 섬에 오게 되었고 지식을 얻게 되었고 왕이 되었으며 불교를 지원했던 일들에 대한 찬양으로 이루어져 있다. 우리나라의 이두문자와 비슷하게 팔리어를 소리 나는 대로 싱할라 문자로 기록하였다고 한다.

(7) 다층불탑형식, 사트마할 프라사다(Satmahal Prasada)

갈포타의 북쪽에 있는 이국적인 불탑으로 마하밤사에 의하면 파라크라마 바하 왕(1153~1186)이 건립하였다고 전한다. 위로 갈수록 점점 작아지는 계단식 피라미드형 7층 불탑으로 스리랑카에서는 아주 보기 드문 예이다. 원래 이름대로라면 7층의 불탑인데 지금은 6층까지만 남아 있다. 폴로나루와 시기에 군인으로 온 캄보디아인들이 종교적인 일에 참가하면서 캄보디아 양식의 탑으로 12세기 전후에 건립되었다고 알려지고 있는데 안내판에 의하면 태국의 북부 시암지역의 San Maha Phon(혹은 Lamphun)지역에 있는 와트 쿠쿳트(Wat Kukut)란 사원의 불탑과 흡사하다고 하였다. 또한 태국에서 온 건축가가 지었다고 전해지는데 분명하지 않다.

7개의 층은 수미산을 상징하여 표현된 것이다. 이 불탑건축은 폴로나루와가 전성기를 맞았던 12세기 무렵, 이 지역이 상좌부(소승)불교의 중요한 성지여서 태국이나 미얀마에서도 승려가 찾아왔을 것이고 결국 이 들의 영향을 받은 것으로 이해된다. 한편 폴로나루와 시기에 타밀족과의 전투에 참가한 캄보디아출신 용병들을 위로하기 위하여 건립한 불탑이라는 얘기도 있다.

이 불탑형식은 부처님이 깨달음을 얻은 마하보디사원의 대탑과 같은 양식이고, 동남아시아에서 흔히 볼 수 있는 일반적인 불탑건축형식이다. 사방에는 여러 곳에 내부로 들어가는 출입구 같은 구멍이 뚫려 있는데, 곧 막다른 곳이 나타나는 구멍도 있고 다른 내부공간과 이어진 것도 있다. 아마 원래는 내부공간이 서로 연결되었는데 나중에 막지 않았나 생각된다.

#### 5) 알라하나 파리베나(Alahana Parivena)사원과 불교 수도원대학

또한 폴로나루와 쿼드랭글의 북쪽에는 알라하나 파리베나(Alahana Parivcna)사원이라고 부르는 불교 수도원대학이 있다. 알라하나는 고유명사이고 파리베나는 수도원대학이다. 빠라끄라마 바후 1세왕은 약 10만 평에 이르는 넓은 부지에 알라하나 수도원학교를 설립하였다. 사방 573m에 이르는 크기인 바다시마파사다(Baddhasimapasada) 사원 등 많은 사원들이 있었던 지역인데 지금은 뜸뜸이 돌기둥과 기단부만 남아 있고 현존하는 유구는 키리 베라, 랑카틸라카 사원, 그리고 돌로 만든 치료용 욕조, 랑콧 비하라이다. 당시 스리랑카에서 대학이라면 당연히 불교학을 가르치는 대학이 주된 역할을 하였을 것이다.

이 대학의 중심에는 거대한 불상을 잘 보존하고 있는 커다란 벽돌건축 랑카틸라카(Lankatilaka)사원이 있다. 13세기 파라카라마 바후 3세에 의해 건축된 높이 17.5m 쯤 되는 건축물로 안으로 들어서면 머리가 없는 거

1. 란콧 베헤라(12세기) (출처 : 『The Cultural Triangle』 p.103)
2. 란콧 베헤라
3. 키리 베헤라(12세기) (출처 : 『The Cultural Triangle』 p.102)

1. 수도원
2. 수도원 내 연못
3. 회의장
4. 사원 내 입불상
5. 랑카틸라카 사원
6. 회의장(출처 : The Cultural Triangle p.101)

대한 입불상이 자리하고 있다.

또한 이 랑카틸라카사원의 바로 옆에는 키리 베헤라(Kiri Vehera)라고 하는 큰 스투파가 있다. 몇 년 전까지만 해도 붉은 벽돌이 노출되어 있었는데 이제는 하얀 석회 회반죽으로 마감된 새로운 불탑으로 변모되어 있다. 이 키리베헤라는 파라크라마 바후의 왕비 중에 한 사람인 수바드라(Subhadra)에 의해 세워진 탑으로 우유(Kiri)처럼 하얀색을 띠고 있기에 키리라는 이름을 사용한다고 한다. 여느 스리랑카불탑과 유사한 장중한 모습이다.

또한 이곳 파리베나에서 북쪽으로 좀 떨어진 곳에 거대한 랑콧 비하라(Ran : 황금, kot : 첨탑, Vihara : 사원이라고 함) 스투파가 있다. 건축 당시엔 상륜부인 맨 꼭대기가 황금으로 만들어졌을 것으로 추정된다. 아누라다푸라의 루완 웰리 세야 다고바를 모델로 건립되었고 그 높이는 55m에 이른다. 12세기 니상카마라 왕에 의하여 세워졌다. 스리랑카에서는 가장 큰 탑이라고 한다. 탑의 4방향에는 제단이 있고 그 사이에는 다시 이미지 하우스라고 부르는 벽돌로 쌓아 올린 불당이 있어서 그 안에 불상을 모시고 있다.

부지의 높은 곳에는 랑카틸라카 비하라와 키리 베헤라, 랑콧 비하라를 두었고 낮은 지역에는 수도원, 수도원 병원, 연못, 승려들의 거주지 등이 있었다.

6) Potgul Vihara(Library Monastery)와 빠라끄라마 바후1세 立像

폴로나루와의 남부지역에 자리한 Potgul vehera는 수도원과 수도원에 소속된 도서관에 해당하는 건물이다. Potgul이란 책, 혹은 도서관을 의미한다. 그러나 이 건물이 과거에 수도원이나 사원이었다면 보리수가 있었을 것이고, 도서관이었다면 창문이 있어야 할 터인데 찾을 수 없다. 이곳에는 두 개의  정자형식(파빌리온) 건물이 있는데 하나는 천장이 돔으로 되었다.

바라크라마바후 1세(1153~1186) 왕에 의하여 건립되고 나중에 그의 현

■빠라끄라마 바후 1세 조각상

명한 부인인 Chandrawathi에 의하여 수리되고 재건되었다는 Pali 기록이 있다. 그래서인지 이곳의 뜰에는 빠라끄라마 바후 1세로 추정되는 조각상이 있는데 책을 들고 있는 모습으로 유명하다. 사람들의 관심을 끌고 있는 이 조각상은 양손에 책(경전?)을 들고 있어 학자인 플라스티(Pulasti) 혹은 아가스타야(Agastya), 카필라(Kapila)라는 설도 있지만 수많은 저수지를 만들어 농업 발달에 큰 공헌을 하였고 국민들을 평안케 한 스리랑카의 왕중에 왕으로 칭송된 빠라끄라마 바후 1세 왕이라는 설이 가장 유력하다. 얼마나 국민들로부터 많은 사랑을 받았기에 불상과 마찬가지로 등을 돌리고 기념사진을 찍지도 못하게 하고 있다.

### 7) 갈 비하라(Gal Vihara)

화강암 바위를 깎아 새겨진 4개의 불상으로 이루어진 갈 비하라는 빠라끄라마 바후(Parakramabahu) 1세가 건립하였다. 원래 이름은 폴로나루아 북쪽에 위치했기에 우타라라마(Uttararama = northern monastery)였는데 지금은 바위(Gal)를 의미하는 갈 비하라로 불리고 있다. 싱할라족 예술의 걸작으로 꼽히는 거대한 바위 조각품이면서 장대하고 미려한 스리랑카

1. 갈 비하라
2. 마애여래좌상
3. 석굴 안의 마애여래좌상
4. 마애여래입상과 열반상

불교미술의 진수이다. 화강암을 조각했음에도 여래좌상이나 전각 모습의 광배, 화신불을 조각한 솜씨가 돋보이는 작품이다. 원래는 불상을 보호하기 위하여 보호각이 설치되었던 것 같다.

불상군 앞에 서서 보면 왼쪽부터 마애 여래 좌상, 석굴 안에 있는 마애여래 좌상, 옆에 마애 여래 입상이 있고, 다음에 열반상이 자리하고 있다. 맨 왼쪽 여래좌상은 선정인을 하고 있는데 그의 광배가 특이하다. 동북아불교국가에서 볼 수 있는 불상의 광배와는 다른 모습이다. 두광과 신광이 아니라 여러 채의 전각을 조각해서 그 속에 화신불을 모셨다. 깊은 석굴 안에 있는 여래좌상은 전면에 철망을 처서 출입을 막았다. 입구에는 기둥 두 개를 세웠다. 석굴의 왼편으로 이어지는 바위는 표면을 크게 평평하게 다듬어 불경을 새겼다. 이 불경은 각줄마다 선을 넣었고 글자는 음각하였다.[119] 와불상 머리맡에 서 있는 7m 정도 크기의 입불상은 눈을 지긋이 감고 가슴에 팔장을 끼고 서 있는 모습이다. 이를 부처의 수제자인 아난존자상이라고 한다. 약간 검고 흰 줄이 있는 화강암을 깎아 만든 입상은 그 옆에 열반상이 있어서 그런지 슬픔에 잠긴 듯하다. 14m 정도인 열반상의 손바닥과 발바닥에는 연꽃이 새겨져 있다. 이는 태양을 상징한다고 한다. 연꽃잎 모서리를 한 베개를 베고 누워 있는, 유연하게 잘 다듬어진 부처의 모습이다. 5미터 정도인 좌불상은 와불상 곁에 앉아 있는데 가부좌를 하고 수인은 선정인을 하고 있다. 아마도 서쪽을 향하고 있는 것 같이 보인다.

119 다음 카페 느티나무(ntree), 최영일의 글을 참고하여 다시 씀.

### 8) 연꽃 욕실 Nelum Pokuna(Lotus Bath)

폴로나루와 유적지 북쪽 끝 부근에 직경 8미터 정도 크기로 8개의 연꽃

1. 연꽃욕실
2. 연꽃욕실 상세

■1. 티방카 이미지 하우스
2. 외벽 상세

잎으로 구성된 특이하고 아름다운 연못이 있다. 물이 가득 차면 연못이 아니라 마치 연꽃처럼 보인다. 어떤 이들은 돌로 만든 도자기 그릇이라고 한다. 연꽃잎이 가장 아래에서부터 점점 퍼지는 모습으로 5개 층단을 이루면서 깊이를 만들었다. 여러 부재의 돌을 깎아 조립하였는데 맨 윗단은 조금 높고 그 아랫단부터는 낮게 하였다. 타밀인들이 만들었다는 근거는 없지만 타밀 석조 구축방법으로 되었다 한다. 아무튼 화려하고 아름답지만 조성연대와 사용목적이 확실히 밝혀지지 않고 있다. 대체적으로 스님들의 목욕장으로 쓰인 제타바나왕조의 유적이 아닌가 한다. 이 사원 내에는 아직 복원되지 않은 7개의 유사한 연못이 있다고 한다.

지금은 물이 하나 없는 황량한 모습이지만 과거에는 어떤 모습을 하고 있었을까 상상을 해본다. 아마도 당시엔 물이 밖으로 스며들지 않도록 각별하게 신경을 썼을 것이고 최고의 기술력을 동원하여 이루어진 작품일 것이다.

### 9) 티방카 이미지 하우스(Thivanka Image House)

이 건물은 고대 제타바나라마(Jethavanarama) 사원으로 추정되고 있다. Paranavithana 교수에 의하여 Thivanka Image House라는 이름으로 명명되었다.[120] 특히 그는 이러한 위대한 작품은 세계 어디에도 없다고 말하기도 하였다. 이 건물은 67피트 길이에 23피트의 폭으로 되었다. 부처가 자리한 뒷면으로는 좁은 골목이 돌려져 있다. 이를 엠뷰라토리(ambulatory)라 한다. 벽은 아주 두껍고 벽돌로 된 지붕은 무너졌다. 티방카 이미지

120 H.T. Basnayake, The Glory of Ancient Polonnaruva, Jayasinghe Balasooriya, 2004. p.67

는 무릎과 가슴과 목이 세 번 굽어지는 것을 의미한다. 실내에 있는 불상이 깨달음을 얻고 너무 기쁨에 놀라 걷고 있는 모습을 표현한 것이라 생각된다. 소위 걸어가는 불상, Walking Buddha Image을 말한다.

건물 내에 있는 벽화역시 이에 부족함이 없다. 벌꿀 왁스를 섞어 만든 페이트로 벽화를 그렸고 그림을 보호하기 위에 그 위에 코코넛 잎으로 짠 지붕을 얹었다. 벽화의 내용은 부처의 전생인 자타카와 깨달음을 중심으로 이루어졌다. 뿐만 아니라 부처의 어머니와 4천왕에 대한 내용도 있다. 이러한 내용의 예는 아잔타석굴에서도 보이는 것이다. 사용한 색조는 붉은색, 노란색, 녹색 등이다. 외벽은 스터코 장식으로 되어 있는데 다른 곳에서 발견할 수 없는 대단한 작품이다. 오늘날에는 몇몇의 난장이, 신, 보살, 백조, 사자, 연꽃 등 장식이 남아 있을 뿐이다. 그러나 800여 년 동안 햇빛이나 비에 의해서 손상되었고, 그리고 전쟁에 의하여 파괴되었다.

정글 숲에 묻혀져 있었던 이 건물은 1885년 토목노동자 Barroos에 의하여 발견되었다.

## 요새궁전 시기리야 (Sigiriya, Lion-mountain)

고대 역사적 수도였던 아누라다푸라와 폴로나루와로부터 그다지 멀지 않은 곳에 그 유명한 시기리야(Sigiriya)의 궁전요새가 있다. 사자라는 의미의 시리와 산이라는 의미의 기리야가 합성된 이름이다. 바위산의 입구가 거대한 사자 발톱으로 되어 있고 전체적인 형상이 사자와 같다고 하여 사자 바위이다. 5세기경에 거대한 화강암 암반 위에 세워진 고대의 성채유적 시기리야는 열대 밀림 한가운데 지면으로부터 높이 200m, 해수면으로 360미터 가량 되는 거대한 바위가 산처럼 불쑥 솟아 있는 곳으로 5세기경의 도시계획이나 건축, 정원, 기술, 수리기술과 예술 등의 독특한 특징을 보여 주고 있어[121] 1992년 세계문화유산으로 지정되었다. 특히 자연의 아름다움과 역사적 흥미가 함께 하고 있어서 더욱 흥미를 느끼게 하는 곳이다.

121 Senake Bandaranayake, UNESCO Publishing/CCF, The cultural triangle of Sri Lanka, Sigirya(city, palace and royal gardens), p.112

■시기리야 도시
① 외부 해자와 성벽
② mapagala 지역
③ 바깥 도시
④ 내부 해자와 성벽
⑤ 입구
⑥ 워터가든
⑦ 바위정원
⑧ 테라스 정원
⑨ 거울벽과 벽화
⑩ 사자바위
⑪ 정상의 왕궁
⑫ 내부 도시, 성벽과 성문
(출처 : The Cultural Triangle p.115)

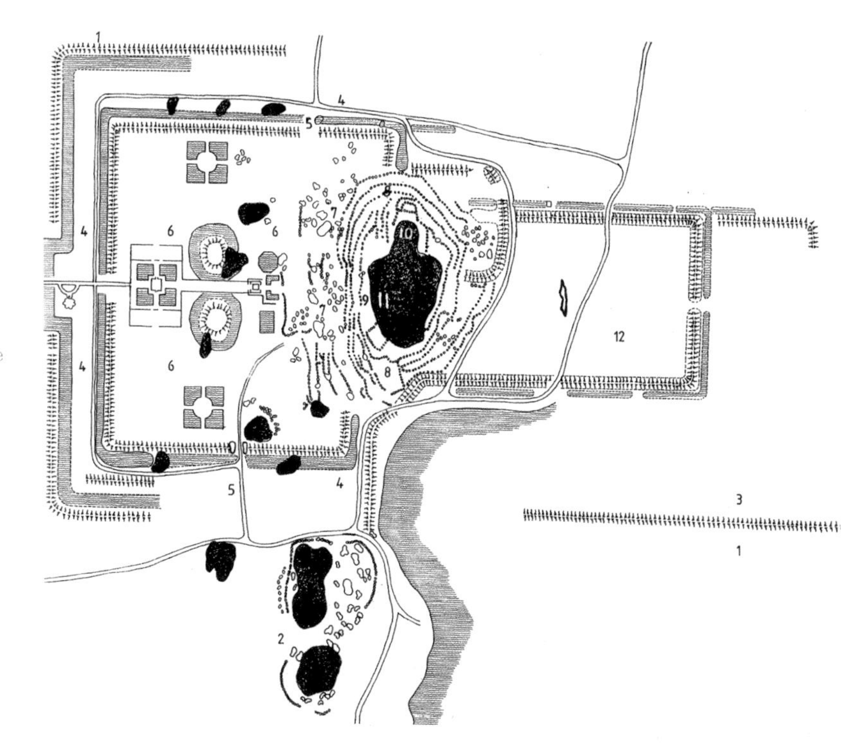


시기리야 주변의 평원은 울창한 숲으로 둘러싸여 있고 현재도 많은 마을들이 있으며 인공의 마을 저수지가 있는데 이들은 아주 오래전, 즉 기원전 1000년경에는 이미 농경을 하는 사람이 살았던 것으로 추정된다. 한편 시기리야 바위 위에는 기원전 3세기경 불교 수도사들이 살았던 것으로 생각되는 흔적이 북경사면에서 보인다. 또한 인공적으로 깊게 판 바위 주거나 동굴도 있다. 현재의 모습으로 보면 시기리야 그 자체는 5세기경에 필연적으로 성벽과 해자를 갖춘 수도이다. 더욱이 바위 정상에 복합궁전시설이 있으며, 잘 정비된 아름다운 정원, 광대한 해자와 성벽, 그리고 바위의 서측에 잘 알려진 그림이 있다.

5세기경 아누라다푸라 왕국의 다투세나(Dhatusena, 459~477)[122] 왕에게는 두 왕비가 있었다. 장남 카샤파(Kasyapa, 477~495)는 아버지가 아끼는 동생 목갈라나(Moggallana)에게 왕위가 돌아갈 것을 우려해 아버지를 죽이고 왕위를 찬탈했다. 평민출신 어머니를 둔 자신과는 달리 동생은

122 시기리야 주변에는 저수시설이 많다. 람바카나 왕조의 마하센 왕은 거대한 저수지의 축조를 시작하였고, 이후 다투세나 왕 또한 저수지 축조에 심혈을 기울였다. 농사를 지어야 하는 나라에서 이는 스리랑카 왕들의 주된 과업이었다.

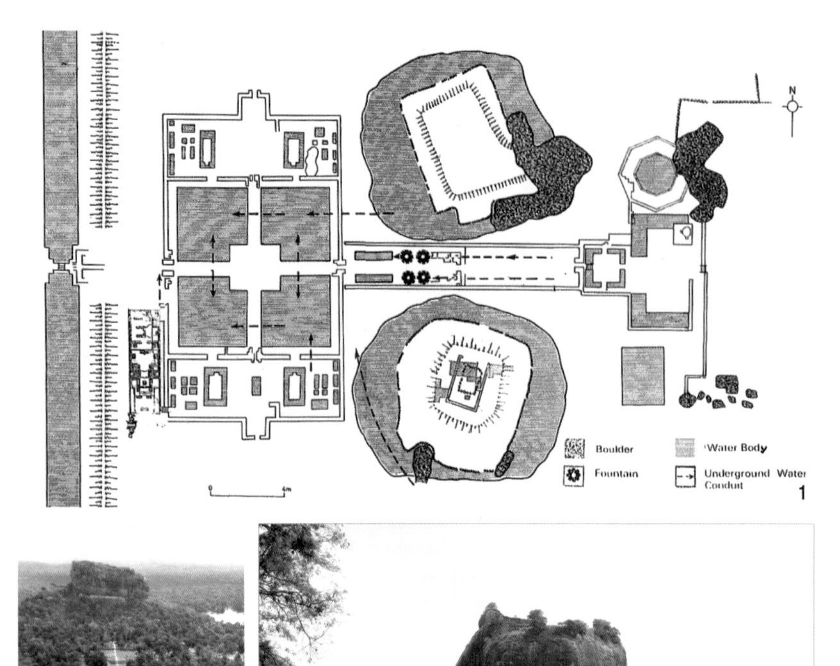


1. 시기리아 전경(출처 : The Cul trural p.113)
2. 시기리아 워터가든(출처 : The Cultrural p.124)
3. 시기리아락

왕족 출신 어머니인 것에 대한 두려움이었다. 따라서 인도로 도망간 동생이 침범해 올까 두려워 카샤파는 바위산 꼭대기에 궁전을 요새처럼 세우고 지냈으나 결국 10여 년 후 인도에서 군대를 이끌고 온 이복동생과의 싸움에서 패하고 자살하고 말았다.

이러한 이유 때문에 왕은 동생의 침략을 막기 위해 시기리야 바위산 아래의 주변에 성곽과 해자를 설치하였다. 도시역사학자들에게 있어 시기리야와 그 주변의 시설은 엄청난 의미가 있다. 즉 중심에 있는 바위 궁전을 보호하기 위해 계획한 해자와 성벽의 모습은 중요한 연구의 대상이 되고 있다. 3겹의 성곽과 2겹의 해자, 장방형의 평면계획이 주는 배치방법을 찾고자 한 것이다. 맨 바깥 외곽의 전체길이는 장변이 약 900m, 단변이 약

800m에 이른다. 그 안의 장방형이 다시 700에 500m 정도가 된다. 이러한 모습으로 보아 시기리아의 전체적인 배치계획은 수학적이고 전체를 아우르는 토탈 디자인 개념을 이용한 것이다.

산 정상에 오르기 위해서는 거대한 사자의 벌어진 입처럼 생긴 입구와 목구멍처럼 생긴 좁고 하나 밖에 없는 통로를 지나야 한다. 2핵타 정도로 넓지 않고 요새화된 정상에는 현재 궁전터를 비롯하여 연회장, 목욕실로 추정되는 연못, 돌 의자 등이 남아 있다. 궁전은 3층이었는데 벽돌조 위에 목조건축으로 구성되었다. 무려 1,500여개의 계단을 걸어 오르다 보면 암벽에 조그마한 실들이 있고 그 실에는 천상의 여인들을 아름답게 그린 벽화가 있다. 원래는 500명이 넘는 여인들이 그려져 있었는데 지금은 겨우 18명밖에 없다. 100m의 높이의 암벽에 자리한 이 그림은 전체 길이가 140m에 이른다. 그래서 John Still은 이 벽화를 세계에서 가장 큰 갤러리라고 하였다. 이 프레스코벽화는 계란과 꿀, 석회를 물에 섞어 만들었다. 의복이나 장신구로 보아 당대 엘리트 여성의 모습을 그렸을 것이라 하는데 아시아권 예술에서 일반적으로 나타나는 압살라(Apsara), 혹은 보석 요정으로 표현한 것이라 생각된다.

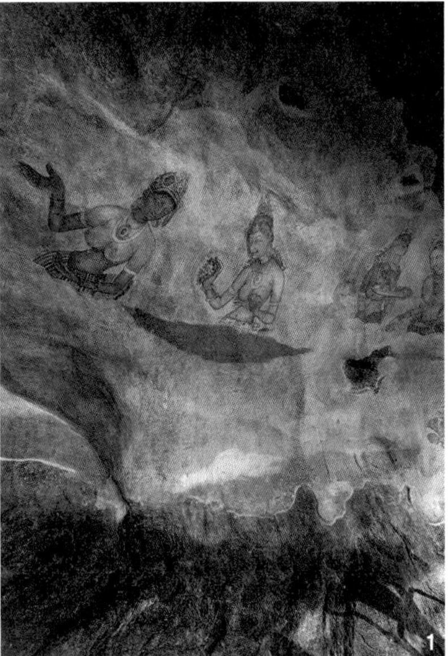

1. 시기리야 벽화 (출처 : The Cultural Triangle p.118)
2. 벽화 상세 (출처 : The Cultural Triangle p.117)

1. 산정상으로 가는길
2. 사자의발
3. 산 정상 시기리아 왕궁
4. 시기리야락 전경 (출처 : The Cultural Triangle p.131)

이러한 악행에 비하면 생전에 그는 나름의 선정을 베풀었다. 짧은 기간이지만 그의 지배기를 시기리야의 황금기라고도 한다. 카샤파 시기 이후에 시기리야는 다시 불교사원으로 바뀌어 13~14세기까지 이어졌다. 스리랑카의 역사에서 사라진 시기리야가 다시 나타난 것은 16~17세기경 캔디왕국의 군사중심시설로 사용되면서 이다. 그 후  19세기 중반에는 골동품 수집가들이 관심을 갖다가 1890년대 이래 다시 고고학자들에게 연구의 대상이 되어 오늘에 이르고 있다.[123]

아무튼 시리기야의 정상에 오르면 온 눈에 가득 보이는 산 아래의 절경은 너무나 아름답지만 사실 이곳은 세상에서 가장 고독한 왕의 감옥과도 같은 곳이었다. 오르고 내리기 어려울 뿐만 아니라 너무 좁고 한정되어 있고 주변에서 쉽게 보여 얼마나 불안하였을까 짐작되기 때문이다. 한편 시기리야는 왕권의 힘과 제의적 위상을 지니지 않았으면 불가능한 일이었을 것이고 이처럼 어려운 일을 해내는 것은 당대 스리랑카의 문화적 역량을 여실히 보여주고 있다 하겠다.

아무튼 내전으로 오랫 동안 미지의 땅으로 감춰져 있던 시기리야 요새

123 Senake Bandaranayake, UNESCO Publishing/CCF, The cultural triangle of Sri Lanka, Sigirya(city, palace and royal gardens), p.114

124 이 글은 염승훈선생과 함께 현지 답사를 토대로 http://www.goldentemple.lk를 주로 참고하여 재구성 함.

궁전은 지금은 꽤 유명해져 구미나 유럽의 여러 언론매체에서 '죽기 전에 꼭 가 보아야 할 곳' 이란 수식이 흔하게 붙는 명소로 알려지고 있다.

### 담불라 황금석굴사원 (Golden Dambulla Rock Temple)[124]

스리랑카에 있는 불교 석굴사원이라면 누구나 쉽게 1991년 유네스코세계문화유산으로 지정된 담불라 황금 석굴사원을 떠올릴 것이다. 담불라 황금 석굴사원은 스리랑카에서 가장 중요한 성지이자 잘 보존된 석굴사원으로서 총 5개의 석굴로 구성되어 있다. 인도에는 아잔타 석굴과 엘로라 석굴 등 수많은 석굴사원이 있고 중국에는 운강석굴과 용문석굴, 맥적산석굴 등이 있는데 비해 스리랑카에는 석굴사원이 드물다. 그러나 이 석굴은 남아시아나 동남아시아에서 가장 크고 스리랑카에서 불교 순례자들을 위해서 가장 중요한 사원이다. 특히 스리랑카의 중앙부, 건조지역의 북부에 자리하며 시기리야와처럼 지질적으로 대단히 중요하고 흥미로운 유적이다.

담불라는 바위라는 뜻의 담바(Damba)와 샘이라는 뜻의 율라(Ulla)의 합성어이다. 팔리어로 된 연대기 마하밤사에는 Jambukola Vihara라 하였다. 담불라는 시기리야에서 19㎞ 떨어진 스리랑카의 거의 중앙에 위치해 있는데, 이는 아누라다푸라와 폴로나루와, 캔디를 잇는 문화삼각지대의 중앙이기도 하다.

담불라에는 랑기리(Rangiri)라는 명칭의 거대한 흑갈색 바위산이 있다.

1. 담불라 황금석굴사원 전경 (출처: The Cultural Triangle p.136)
2. 담불라 황금 석굴사원 진입부

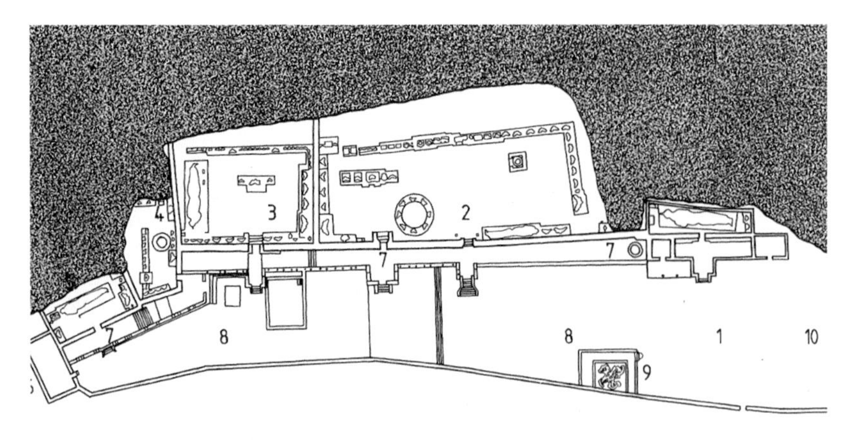


■담불라 석굴사원 내부 평면도
① 제1석굴
② 제2석굴
③ 제3석굴
④ 제4석굴
⑤ 제5석굴
⑥ 부엌
⑦ 베란다
⑧ 포장된 공간
⑨ 보리수나무
⑩ 입구
(출처 : The Cultural Triangle p.141)

랑기리는 황금색으로 빛난다는 뜻이다. 이런 명칭은 담불라 황금사원(Golden Temple of Dambulla)과 연관이 있다고 생각된다. 담불라 황금사원은 높이 370m 가량 되는 랑기리 바위산의 중턱인 180m 부근에 있다. 흔히 우리가 알고 있는 담불라석굴 이외에도 바로 인근에 또 다른 석굴군이 2개소 더 있다.

이 사원은 스리랑카의 가장 중요한 성지 중 하나이자 현재까지도 아주 잘 보존된 동굴사원으로서 총 153개의 불상과 3개의 스리랑카 왕의 석상 그리고 힌두교의 비슈누신과 여신상이 4개 있다. 불교사원에 힌두교의 신상이 함께 있는 것은 이례적인 일로 이는 스리랑카에서 불교와 힌두교의 공존적 상호관계를 엿볼 수 있는 사례이다. 역사적인 기록을 살펴보면 12세기에 73개의 불상이 있었다고 기록돼 있는데, 이를 통해 담불라 황금 석굴사원은 지속적으로 발전이 이뤄졌음을 알 수 있다.

정확한 초기조성연대는 알 수 없으니 주변에서 고고학적으로 2700년 된 인골이 나온 것으로 보아 기원전 3~2세기경부터 이미 석굴이 있었던 것으로 보인다. 기록으로 전하는 내용에 의하면 담불라 석굴이 불교사원이 된 것은 싱할라인들에게 유명한 왓타가마니 아바야(Vatthagamani Abhaya, 103 BC : 재위 89~77 BC)왕, 혹은 왈라감바(Valagamba)라고 부르는 왕에 의해서이다. 13세기경의 문학작품인 푸자발리야에 의하면 왈라감바왕은 타밀의 침입으로 어려운 때에 이곳으로 피난 와서 12년간이나 지냈는데 절

125 Anuradha Seneviratna, The Golden Rock Temple of Dambula, Vijitha Yapa Publications, 1983, p.3

벽에 튀어 나온 부분의 동굴을 불교사원으로 만들었다 한다.[125] 즉 기원전 1세기경 왓타가마니 아바야 왕은 즉위한지 몇 달 안 되어 타밀족의 침략을 받았는데 수도 아누라다푸라를 뺏기자 승려들의 도움을 받아 담불라 석굴로 피신하게 된다. 그는 12년 간 승려들의 보호 속에서 은밀히 세력을 키워 기원전 77년에 타밀족에게서 아누라다푸라를 탈환하고 왕위에 복귀한다. 이후 자신의 은신 생활을 도와준 부처님과 승려들에게 감사함을 전하는 의미에서 지은 사원이 바로 담불라 황금 석굴사원의 시작이다. 그가 남긴 브라흐미 문자는 동굴 입구 위에 남아 있다.

이런 상황으로 보면 담불라 석굴은 불교사원으로 되기 이전에는 승려들의 수행 공간, 즉 주거공간의 성격만을 지녔을 것으로 생각된다. 담불라에는 80개의 석굴 잔해가 발굴되어서 과거에는 현재보다 많은 석굴이 있었던 것으로 생각된다. 이런 석굴은 초기에는 사원이 아닌 주거공간의 성격을 지녀서, 이반카투와(Ibbankatuwa)에 있는 거석문화 묘지와 더불어 스리랑카에 선사시대부터 인간이 살고 있었다는 사실을 입증해 주기도 한다.

이처럼 담불라 석굴은 불교가 도입되기 이전부터 싱할라인들에게 중요한 곳이었다. 스리랑카 고고학자 세나랏 파나라비타마는 '이 석굴은 불교가 국교가 되기 이전 싱할라인들의 종교적 신념과 정치적 이데올로기에서 중요한 위치를 점하고 있다.'[126]라고 하였다.

담불라 석굴은 인도의 아잔타 석굴처럼 동굴을 파내고 만든 것이 아니라 원래의 자연동굴에 스님들이 머무르면서 점차적으로 목적에 맞게끔 다시 굴착하고 정비한 것으로 추정되고 있다. 입구의 암벽에 홈을 파서 빗물이 동굴 내로 흘러들지 않게 하고, 동굴 내의 바닥은 고르게 정비하였으며 굴 속은 하얀 석회 칠을 하여 그 위에 벽화를 그렸다. 시간이 흐름에 따라 벽화가 바래지면 그 위에 새로운 벽화를 그렸는데, 원래 있던 그림을 다시 그린 경우도 있고 전혀 다른 그림을 그 위에 그린 경우도 있다. 따라서 중첩된 새 그림과 보수된 기존의 그림이 함께 혼재하고 있는 것이다.

초기 왓타가마니 아바야 왕 이후로 석굴사원은 꾸준히 늘어났으며, 특히 5~13세기에 크게 증가되었다. 석굴 사원들은 바위로 된 성소로 확장되었

126 나탄 칸즈, 『담불라 동굴사원에 반영된 싱할라 불교의 근대화』, 동국대학교 불교문화연구소, 2003, p.253.

고, 석굴을 가리기 위해 전면에 벽돌을 쌓아 벽을 세웠다.

11~12세기에 이르러 담불라 석굴은 거대한 사원으로 탈바꿈하게 된다. 폴로나루와의 비자야바후(Vijayabahu, 1055~1110) 1세는 촐라왕국의 침입에 의해 불안한 정국이 어느 정도 평정되고 난 후 석굴을 재건하였다. 그리고 나서 그의 후계자인 닛산카말라(Nissankamalla, 1187~1196)왕은 석굴의 불상에 금박을 입히고 벽화를 그려 넣고, 이곳을 '스와르나 기리구하라(Swarna Giriguhara)' 또는 '황금바위동굴'이라고 명명하였다. 당시의 담불라 석굴에 대하여 『촐라방사』에서는 '담불라 석굴을 금과 은으로 반짝이는 벽들과 기둥들이 휘황찬란하며, 바닥은 광명단(Red lead, 光明丹)으로 칠을 하였고, 천장의 벽돌은 금으로 입혀 있었다. 현자는 이 동굴을 재건하고 그 안에 대각자 부처님의 73개의 금불상을 안치했다.' 라고 하였다. 이때부터 상층부에 있는 동굴 바위에 조각을 하는 기법이 도입됐다.[127] 그러므로 오늘날과 같은 형태와 배치가 이때부터 있었던 것이 아닌가라고 추정할 수 있다.

127 나탄 칸즈, 앞의 논문, p.254

왓타가마니 아바야왕과 닛산카말라왕은 담불라 황금사원에 있어 기념비적인 인물로 그들의 상은 마하 라자 비하라(Mha Raja Vihara) 또는 위대한 왕의 절로 불리는 현존하는 다섯 석굴 중 가장 큰 석굴인 2번째 석굴에 건재하게 서 있다.

■석굴에 그려진 벽화

현재 우리가 보는 담불라 황금 석굴사원의 모습은 캔디 왕조의 키르티 쉬리(Kirti Sri, 1747~1780) 왕 때의 모습이다. 이때 석굴은 대대적인 변화가 있었으며 특히 벽화 전부가 캔디 학파 예술로 덧칠해지게 된다. 이 담불라 황금 석굴사원은 유네스코 세계문화유산으로 지정되었는데, 캔디학파의 19세기 예술 최고의 걸작이 이 사원에 있다는 것이 지정의 주요 요인 중 하나

■3석굴 내의 여러 불상들

였다. 다만 아쉬운 점은 이때에 벽화 전부가 캔디학파의 예술로 덧칠되어 과거부터 축적되어온 스리랑카 예술의 연대기라 할 수 있는 각양각색의 벽화를 볼 수 없다는 점이다.

캔디학파 예술은 뚜렷한 특징을 가지고 있다. 전체적으로 원근법과 명암법이 부재하고 인물을 전면, 3/4 또는 측면은 표현하지만 후면은 절대 표현하지 않았다. 이야기의 화법畵法으로 표현하는데 모든 주제는 이상화한다. 그림은 수평적인 줄로 나뉘는데 중요한 장면을 반영하는 각 줄은 왼쪽에서 오른쪽이던 오른쪽에서 왼쪽이던 일정한 방향성을 가지고 움직이며, 그림의 밑에는 색칠된 자막 형태의 글씨를 쓴다.

벽화의 이야기는 방대한 테마를 지니고 있다. 대다수가 부처의 전생의 이야기인 자타카(Jataka) 장면과 현생과 연관된 사건들, 그리고 스리랑카에 불교가 도래하는 사건 등을 전한다. 또한 국가 초기의 성스러운 역사의 이야기도 전해진다. 실례로 두 번째 석굴에서 천장 공간의 커다란 부분은 싱할라의 왕인 둣타가미니(Dutthagamini)가 촐라왕국의 왕인 엘라라(Elara)의 군대에게 거둔 승리에 대한 벽화가 있다. 이는 마하빙샤 연대기로서 중요하다. 이런 벽화는 대중적인 신, 식물, 야생동물, 기하학적 디자인들의 그림들이 복잡한 패턴으로 뒤얽혀 있다. 이 들 사이에는 많은 건물과 스투파의 그림도 잘 그려져 있다.

수없이 많은 석상은 크게 불교적인 것과 세속적인 것으로 나눠서 살펴볼 수 있다. 종교적인 것의 다수는 불상인데, 불상은 다양한 크기와 자세의 것들이 석굴의 군데군데에 있다. 신상과 보살상도 여럿 있는데, 캄보디아의 수호자로서 부처가 임명한 비슈누상과 다양한 데와(deva, 신)와 미륵불이 그 사례이다. 다양한 왕관과 보석으로 풍성하게 장식된 이 상들은 자세와 색깔을 통해 쉽게 구별할 수 있다. 세속적인 상은 왓타가마니 아바야왕, 닛산카말라왕, 키리티 쉬리왕의 상 등이 있다.

이 상들은 인공적으로 만든 것이기 때문에 대부분 인간의 크기 혹은 이보다 조금 더 큰 사이즈이다. 이들은 어두운 불빛에 의해 강조되는 효과 때문에 한층 더 살아 있는 것처럼 보인다. 벽화들은 온 벽을 뒤덮고 있으며 실이 꼬아진 형태인 테피스트리(Tapestry : 색실로 짠 주단)처럼 보이기 위하여 완벽에 가깝게 바위윤곽을 따라 나타난다. 붉은색과 노란색이 돋보이는데 이는 따뜻함과 생기가 가득 느껴지는 고상한 분위기를 더한다. 전반적으로 동굴의 차갑고 견고함이 생생하고 느낌 있게 보이는 인상이다.

128 나탄 칸즈, 앞의 논문, p. 256~261

불상의 기원에 대해서는 여러 의견이 있지만 기원전 3세기부터 기원후 8세기에 번성한 아누라다푸라 시대의 것과 여러 면에서 유사하다. 예를 들자면 두 번째 석굴의 주요 입구 정면에 서 있는 무외인無畏印을 한 거대한 불상이 2, 3세기 석불상, 청동불상과 매우 유사한 형태를 보이고 있다는 점이다. 이 지역의 종교적인 석상들은 북인도 산스크리트의 사리불에 나타난 비례의 예술적 원칙들에 충실한 것으로 생각된다. 담불라의 석상들은 돌, 벽돌, 혹은 나무로 만들어진 후 그 위에 석고를 바르고 색칠을 했다. 거대한 불상의 일부는 석고 위에 면 옷을 입히고 그 위에 색을 칠했는데, 거의 노란 색칠이다. 또한 이 불상들의 손의 표현법은 대체로 두려움이 없다는 제스쳐인 무외無畏의 무드라(Abhaya mudra)이거나 명상의 제스처인 선정禪定의 무드라(Dhyana mudra)이다.[128)]

1석굴에 이르기 전에 소형석굴이 2개 있는데 아마도 시설 보호용으로 근자에 굴착한 것이 아닌가 한다.

■무외인(無畏印)을 하고 있는 불상

〈제1 석굴〉은 좁고 긴 장방형 석실로 방문객이 입구로부터 첫 번째로 마주하는 곳, 즉 제일 서측에 있다. 이 석굴의 명칭은 신들의 왕의 절이라는 뜻의 '데바라자 비하라야(DevaRaja Viharaya)' 이다. DevaRaja lena라 부르기도 한다. 이 명칭은 신들의 왕인 석가모니, 사카(Sakka)가 이 석굴의 주요한 상에 마지막 손길을 가했다는 전설에서 유래됐다고 한다.

가장 오래된 석굴인 제1 석굴에는 이 사원 최대의 불상인 14m의 열반불이 낮은 연꽃 좌대 위에 누워 있다. 잘 만들어지 좌대인 불단 위에 큰 베개

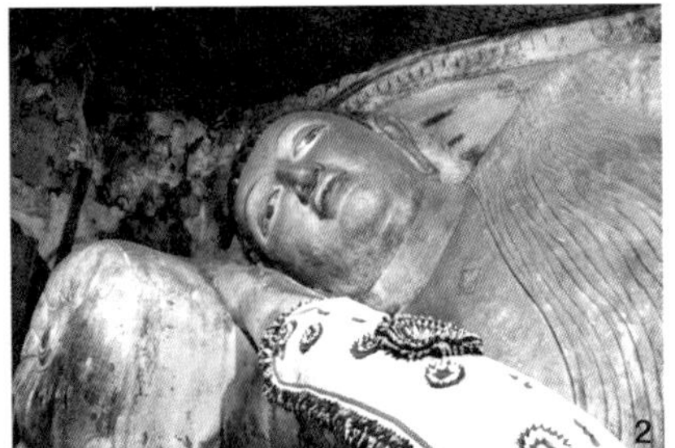

1. 제1석굴 열반불
2. 제1석굴 열반불
3. 제1석굴 열반불의 발

를 두고 오른손을 베고 누워 있다. 이 와불상은 전형적인 후기 아누라다푸라의 조각기법으로 조성되었다 한다. 이 불상은 석재를 조각한 것으로 전체적인 비율은 적절하나 오른쪽 다리가 굽어지지 않아 약간 어색하며, 얼굴은 무표정하다. 세부적으로 보면 눈은 세심하게 조각되지는 않았고, 이마는 좁고 귀는 어색하며, 머리카락은 점의 형태로 도식되어 표현됐다. 가사는 편단우견偏袒右肩식으로 입어 오른쪽 어깨와 가슴을 드러낸 채 발목까지 덮었으며, 일련의 틀에 의해 정돈되어진 것과 같은데 얇은 천으로 만들어진 느낌을 주는 가사의 질감은 특이하여 주목된다.

인도 초기의 불상은 크게 간다라식과 마투라(Mathura)식으로 나누어진다. 이 두 형식은 육계肉髻[129]의 형상, 머리카락의 표현 방법, 백호白毫[130]의 선명함, 얼굴에서 풍기는 이미지, 취하고 있는 수인手印의 종류 등 여러 부분에서 차이를 살필 수 있지만, 가장 눈에 띄는 차이는 가사를 입는 방식의 차이가 아닐까 싶다. 간다라식의 불상은 가사를 통견通肩식으로 입는데, 이는 가사를 입는 방법 중 하나로 양 어깨를 모두 덮는 방법이다. 편단우견은 가사를 오른쪽 어깨와 가슴을 드러내고 나머지 부부분을 덮게끔 입는 방법이다. 담불라 황금 석굴사원의 불상은 모두 편단우견식으로 가사를 입어 그 뿌리가 마투라식에 있음을 알 수 있다.

불상은 전신이 황금색으로 칠해져 있는데 발바닥만 빨간색을 띠며 꽃무늬가 그려져 있다. 와불의 발바닥이 빨간 것은 싱할라왕조의 스리 위자야왕이 인도로부터 이곳 스리랑카에 왔을 때 그의 손바닥과 발바닥이 붉었기 때문에 그후로부터 스리랑카의 와불에는 붉은색을 칠한다고 한다. 이 거대한 열반불은 예술성을 지녔다고 보기는 어렵지만 나름대로 장엄함을 느끼

129 부처의 정수리에 상투처럼 우뚝 솟아오른 혹과 같은 것
130 부처의 양 눈썹 사이에 난 희고 부드러운 털

1. 제1선굴 천장화
2. 제1석굴 입불과 좌불

게 한다. 옆으로 누워 계신 부처인 와불상과 열반상은 매우 유사하여 구분하기 쉽지 않다. 이 두 불상은 발가락 모양으로 구분할 수 있는데, 발가락 길이가 서로 다르면 열반상이고, 발가락 길이가 동일하면 와상이라고 생각해도 무방하다. 이런 관점으로 보면 이 상은 열반상이라고 생각된다.

또한 Anuradha Seneviratna에 의하면 이는 발 아래에 아난다 상이 있고 머리 부분에 좌불과 신의 왕인 비슈누상이 있다고 한다. 그러나 2017년에 확인한 바에 의하면 머리 부분에 있다는 좌불과 비슈누상은 이들이 들어갈 공간이 없고 또한 확인할 수 없었다. 현재 제1굴 안에는 이 와불 이외에 발 아래에 입불과 좌불이 있다.

천정화는 중앙에 부처를 두었고 그 주변에 제자들이 열을 지어 있고 마치 목조지붕처럼 격자로 나누고 그 안에 좌불상을 그려 넣었다. 특히 외곽은 활짝 핀 꽃 문양으로 돌렸다.

1780년대에 이르러 Kirti Sri Rajasimha 왕에 의하여 수리되었다. 상대적으로 적은 이굴은 와불이 가득 차 있고 신자들이 켜 놓은 촛불의 연기에 의하여 그을려 벽과 천장의 불화가 잘 보이지 않는다.

〈제2 석굴〉은 담불라 석굴 중에서 제일 크고 가장 인상적인 곳이다. 제1굴과는 두꺼운 벽으로 구분되어 있다. 이 석굴의 명칭은 위대한 왕의 절이라는 뜻의 '마하 라자 비하라야(Maha Raja Viharaya)' 이다. 직역하면 '대왕의 정사精舍' 라는 뜻이다. 이 위대한 왕은 왓타가마니 아바야(Vattha gamani Abhaya, BC 137~119)왕으로 기록에 의하면 이 석굴은 그에 의하여 건립됐다고 전한다. 이 석굴에는 입구가 두군데 있는데 첫 번째 문을 들어가면 좌측에 스투파가 있고 우측에 와불이 있으며 정면과 좌우측벽 앞에 30여 기의 불상이 자리하고 있다. 두 번째 문으로 들어가면 좌측에 왓타가마니 아바야왕의 석상이 있으며, 동쪽에는 이 사원을 중흥시킨 닛산카말라(Nissankamalla, 1187~1198) 왕의 석상이 있다.

이 석굴은 길이 약 52m, 깊이 22m, 높이 6.4m정도의 규모로 천정 높이는 안으로 들어갈수록 점차 경사지면서 낮아진다. 석굴에는 50여 개의 상이 있는데 대체로 불상이다. 많은 상들은 비슷한 규모로 조성되었으며, 제일 작은 것은 사람 크기만 하다. 대개의 불상은 전통적인 연꽃 문양이 새겨진 대좌 위에 있다. 머리카락은 원형의 형태로 표현되었고, 눈꺼풀은 세심하게 조각되었으며, 입술과 코는 다부져 보인다. 이는 일반적인 불상의 모습이라기보다는 미륵불을 표현한 것으로 생각된다. 그밖에도 석가모니를 포함하여 구류손불拘留孫佛(Krakucchanda), 구나함불拘那含佛(Konagamana), 가섭불迦葉佛(Kassapa) 등을 조각한 불상도 보인다. 일설에는 2석굴의 불상은 석조가 아니라 벽돌 또는 목조를 기본으로 하고 그 위에 흙을 발라 마감한 것이라고 한다.

제2석굴의 첫 번째 문으로 들어가면 '마카라 토라나(Makara Thorana)'[131]에 둘러싸인 불상을 제일 먼저 마주하게 된다. 이 불상과 불상을 호위하는 듯한 아치(Arch)는 돌로 조각되었다. 불상은 그리 세세하게 조각되지 않았고, 비례적으로 어울린다고 하기는 어렵다. 이 불상은 두 부분이 주목된다. 하나는 가사가 접히는 부분으로 이 부분의 표현이 자연스러운 곡선으로 세세하게 이루어져 다른 불상에서 나타나는 경직된 선보다 예술성을 지닌다. 다른 하나는 머리카락의 도식화된 표현이 다른 불상에 비해 도드라

1. 제2석굴 좌측 입구
2. 제2석굴 마카라 토라나와 불상
3. 제2석굴 사리탑

1. 제2석굴 비슈누상과 사만상
2. 제2석굴 다양한 내용이 담긴 천정화

져 주목된다. 이 불상은 가사를 편단우견식으로 발목을 덮게 길게 입었으며, 오른쪽 손이 가사를 잡고 있어 특정한 수인을 취하고 있지는 않다.

입구 바로 왼편에는 5m 높이의 사리탑이 있다. 사리탑의 넓은 원형 기단 위에는 다양한 모습의 불상이 팔방에 있고 그 중 나가(Naga, 코브라)가 광배光背를 하고 있는 불상이 주목된다.

좌측벽면에는 5기의 좌불이 벽 앞에 자리하고 그 앞에 나무로 조각된 두 개의 상이 있는데, 하나는 힌두교의 신인 비슈누의 상이고, 다른 하나는 스리랑카의 네 명의 수호신 중 하나인 사만(Saman)이다. 사만상은 비슈누의 상과 같은 형상을 하고 있으며, 불상과 나란히 서 있다. 불교 사원에 힌두교 신상이 있다는 것은 특이한 경우로, 이는 스리랑카에서 불교와 힌두교의 관계를 엿볼 수 있는 사례라고 생각된다. 『마하방샤』에서 사만은 Suaman akuta(현재는 Sri Pada 또는 Adam's peak로 불린다.) 정상 신성한 곳의 관리자라 하였다. 위 기록에 의하면 부처는 Suamanakuta의 바위에 그의 왼쪽 발자국을 남겼다고 한다.

석굴 안의 프레스코 기법으로 그려진 다양한 주제의 벽화는 수많은 상들만큼이나 주목된다. 이는 17세기에 세나라트 왕에 의해서 복구된 것이다. 벽화의 주제는 크게 부처의 전생의 이야기인 자타카(Jataka, 本生譚)와 싱할라인들의 역사에 관한 주제로 나누어져 있다. 수많은 불상과 불탑이 자리하고 마치 목조건축의 천장을 연상할 수 있는 구조체를 표현하였다.

그 중 자타카는 대체로 다음과 같다.

- 보리수 아래에서 좌정하고 있는 부처의 모습이 중심을 이룬다.
- 싯타르타는 활쏘기에 뛰어난 솜씨를 보였다.
- 싯타르타는 진리를 찾기 위해 집을 떠났다.
- 마라魔羅의 군대가 부처를 공격했다.
- 부처의 코끼리가 마라를 무찔렀다.

싱할라인들의 역사에 관한 벽화는 그들의 역사를 연구하는 데 중요한 단서가 되고 있다. 대표적인 벽화로는 두타가미니(Duttaghamini)왕과 40년 동안 스리랑카의 북부 지역을 점령했던 엘렉트라(Electra, Elara)왕의 결투를 묘사한 벽화가 있다. 이 벽화는 엘렉트라가 두타가미니왕이 던진 창을 맞고 상처를 입은 채 넘어지는 결정적인 장면을 묘사했다. 벽화의 묘사는 어느 벽화보다 돋보이며, 비례 또한 균형 잡혀 있다.

이밖에도 스리랑카 최초의 왕으로 알려진 Vijaya(B.C. 543~505)을 나타낸 벽화와 스리랑카에 불교를 널리 퍼뜨린 데와남피야 팃샤(B.C. 250~207)왕을 표현한 벽화가 있으며, 스리랑카에 최초로 불교를 전파한 마힌다에 관한 벽화도 주목된다.

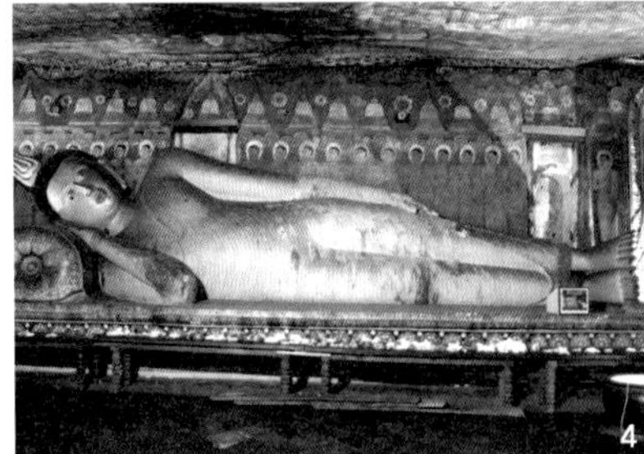

1. 제2석굴 부처의 전생담 자타카(Jataka)를 담은 벽화
2. 제2석굴 빗물을 모으는 항아리
3. 제2석굴 좌불상
4. 제2석굴 와불

1. 제3석굴 토라나에 둘러싸인 불상
2. 제3석굴 입불상
3. 제3석굴 길이 9m 정도의 단정히 누워있는 와불
4. 제3석굴 천장화

천장에는 움푹 들어간 곳이 있는데, 비가 내리면 이곳을 통해 빗물이 들어와 동굴 끝까지 흘러 사각형의 수조에 모인다. 이렇게 모인 빗물은 심한 가뭄이나 사원의 신성한 의식 때 사용됐다.

〈제3 석굴〉은 폭 25m, 길이 27m, 높이 11m가량으로 사원 내에서 두 번째로 큰 규모의 석굴이다. 사방의 불화가 볼만한 석굴이다. 이 석굴의 명칭은 '위대한 새로운 절'이라는 뜻의 '마하 알루트 비하라(Maha Alut Viharaya)'이다. 직역하면 큰 절이라고 부른다. 이 석굴은 18세기 포르투갈 등 서양 세력의 침략으로부터 나라를 지키기 위한 호국의 의미를 담은 사원으로 마지막 왕조인 캔디 왕조의 왕인 키리티 쉬리 라자심하(Kirthi Sri RajaSimha, 1747~1815)에 의해 지어졌다. 그래서 신 사원이라고 부르기도 한다. 그는 이 석굴을 만들 때 여러 사람들에게서 의견을 청취하였다. 이 석굴은 제2 석굴과 석벽으로 분리돼 있고, 원래는 저장고로 쓰였다고 한다.

이 석굴에는 길이 9m의 와불을 비롯하여 50여좌의 불상이 있다. 두 개의 불상이 특히 주목되는데, 하나는 입구와 마주하고 있는 화려한 토라나

(Thorana)에 둘러싸인 좌불이다. 이 좌불은 크기를 제외하고는 일반적인 좌불과의 별다른 차이점을 발견할 수 없지만, 좌불을 장엄하고 세심하게 조각됐으며 다양한 색채로 표현된 토라나를 통해 이 석굴에서 주요한 불상임을 짐작할 수 있다.

또 다른 하나는 길이 9m정도 되는 와불이다. 문으로 들어가면 오른쪽에 자리하는 이 와불은 베게 위에 오른팔을 얹히고 그 위에 머리를 벤 형상을 하고 있으며, 비례적으로 매우 균형 잡혀 있다. 대체로 불상들이 경직된 듯한 형상을 하고 있는 반면, 이 와불의 모습은 단정하고 곡선의 미를 잘 나타내고 있다. 특히 눈을 뜨고 입술을 붉게 칠한 얼굴에서 세심하게 조각한 흔적을 엿볼 수 있는데, 대개 불상의 얼굴은 무표정한데 이 불상의 얼굴은 수려하면서도 자애로운 인상을 품고 있다. 스리랑카의 불상은 육계 부분이 다른 나라의 불상에 비해 특이한데, 이 와불에서 보이는 것과 같이 육계 부분이 황금색의 창과 같은 형상을 띠고 있다. 원래 육계는 머리뼈가 튀어 나온 것으로 부처의 크고 높은 지혜를 상징한다. 또 다른 특이한 조각상은 사람의 형상이 뚜렷한 조각이다. 이는 관을 쓰고 합장을 하며 수염까지 잘 표현하고 있는데 이 석굴 조성에 기여한 키리티 쉬리 라자심하왕이다.

1. 제4석굴 좌불상
2. 제4석굴 5세기경 스투파
3. 제4석굴 스투파 벽화
4. 제4석굴 와불

이 석굴의 벽화는 동일한 부처의 형상과 몇 개의 문양이 반복되는 패턴처럼 벽의 대부분에 그려져 있으며, 어느 석굴보다 풍부한 색채를 보여준다. 이 석굴의 벽화는 캔디 왕조시대의 예술적 전통에 따라 그려져 이를 연구하는 학자들에게 흥미로운 연구소재가 되기도 한다. 천장에는 수천의 좌불을 같은 모습으로 그렸으며, 특히 두분의 보살상을 크게 표현하였다. 하나는 천인이고 또 다른 하나는 비바라나(Vivarana)이다.

〈제4 석굴〉은 서쪽사원이라는 뜻의 '파쉬마 비하라(paschima viharaya, 혹은 pacchima viharaya)' 이다. 파쉬마는 서쪽이라는 뜻이다. 그렇다고 이 석굴이 맨 왼쪽에 있는 것이 아니라 나중에 4굴의 서측에 또 다른 제5석굴이 만들어졌다.

작지만 아름다운 이 석굴의 폭은 6m 내외, 길이는 15m, 높이 약 3m의 규모이다. 3굴에 직각방향으로 위치한다. 천정은 여느 석굴과 마찬가지로 들어가면서 낮아진다. 다른 석굴에 비해 작은 규모이다. 석굴 중앙에는 5세기경에 만들어진 조그마한 스투파가 있다. 2,000년 전 발라감바왕의 부인

1. 제5굴 좌불상, 입불상, 나가 두광불상
2. 제5굴 와불
3. 제5굴 벽화
4. 제5굴 천장화

인 Somavati 왕비의 보석을 간직하고 있다고 전해지고 있어서 파괴된 적도 있다. 그래서 왕비의 이름을 따서 Soma 차이트야라고 부른다. 그외에도 20여개의 불상이 있는데 10개의 불상은 거의 동일한 크기와 비율로 사람 정도 크기이거나 이보다 약간 더 크다.

가장 주목되는 불상은 위에 문처럼 장식된 토라나가 아래 부처를 장엄하고 있는 좌불로 석굴 안의 일반적인 불상이 보이는 선정인禪定印을 하고 있으며 전체적으로 강직한 형상을 하고 있다. 얼굴부터 보면 눈, 코, 입술 등의 이목구비가 매우 명확하고 섬세하게 조각되었으며 머리 부분에도 이러한 표현이 이어진다. 가사는 질감의 표현이 도드라져 마치 몇 개의 볼록 튀어나온 곡선이 이어지는 듯한 느낌을 준다. 특히 토라나에서부터 광배까지 이어지는 다채로운 색감은 시선을 사로잡는다. 천정은 잘 다듬지 않고 자연스런 석재의 바탕에 채색된 불화를 그렸다.

〈제5 석굴〉은 가장 최근인 1915년에 지어진 사원으로 '새로운 신의 사원'이라는 뜻의 '데바나 알루트 비하라(Devana Alut Viharaya)'이다. 원래 창고로 쓰이던 것을 석굴사원으로 새롭게 꾸민 것이다. 그래서 Second New Temple라고도 한다. 이 석굴에는 거대한 와불을 비롯한 몇 개의 불상이 있다. 와불의 머리와 발 부분에 각각 5기의 불상을 모셨다. 힌두교의 신상도 함께 있어 특이하다. 불상 중에 두광이 나가(Naga, 코브라)로 이뤄진 특이한 불상이 있는데, 이는 부처님이 좌선 할 때 나가들이 부처님이 비를 맞지 않게 하려고 머리를 보호했다는 전설에 따라 조각하였던 것이다. 6번째 주에 고타마의 깨달음을 묘사한 것이다. 이 석굴에 있는 대부분의 불상은 벽돌로 만들어지고 플라스터로 마감하였다.

벽화로는 마라魔羅가 석가모니를 유혹하는 것을 묘사한 것과 석가모니가 깨달음을 얻은 후 처음으로 하는 설법, 즉 초전법륜初轉法輪하는 것을 묘사한 장면의 벽화 등이 있다.[132] 천정은 경사지고 다양한 내용을 담은 프레스코 천정화가 그려져 있다.

132 blog.chosun.com/choiill를 참고함

1. 캔디근교의 모습
2. 캔디호수
3. 캔디호수와 언덕으로 둘러진 갈색 지붕의 불치사 주변(사진 : Sri Lanka(English Edition), Rohan Gunaratna, 2013)
4. 불치사의 입구

## 중세 왕도 캔디(Kandy)와 불치사佛齒寺(Sri Dalada Maligawa)[133]

세계에서 가장 아름다운 도시 중 하나로 꼽히는 캔디는 스리랑카의 문화적인 수도이다. 아나루다푸라와 폴로나루와에 이은 짧은 기간의 수도도 있지만 수도다운 수도로서는 세 번째 수도이다. 특히 캔디에는 비말라다르마수르야 1세(Vimaladharmasurya)에 의해 1592년에 건축된 불치사 '달라다 말리가와(Dalada Maligawa)' 가 자리하고 있어 불교국가 스리랑카에서는 가장 성스러운 도시로 인식되고 있다. 불치신앙이 남다른 스리랑카인들에게 있어 불치사는 보석 같은 존재이다. 또한 캔디는 네덜란드와 포르투갈의 침략 당시부터 1815년 영국의 지배를 받기 전까지 동양과 서양을 잇는 스리랑카 해상무역의 중심지였다. 특히 스리랑카의 중남부에 위치하며 '가장 스리랑카다운 도시' 로 이름난 캔디는 산으로 둘러진 분지이기 때문에 다른 지역이 모두 외세에 침략당한 후에도 끝까지 버티다가 마지막에 함락된 곳으로서의 자부심이 대단하다.

스리랑카에서 불치는 불교가 국민의 정신적 지주이자 중요한 사상인 까닭에 역사적으로 가장 중요하게 모셔졌으며, 고대부터 왕권의 상징이자 나

133 이 부분의 글은 현장 답사를 한 내용을 중심으로 허지혜가 먼저 쓰고 천득염이 교감하였다.

라의 가장 중요한 보물로 꼽힌다. 가장 중요한 의미를 갖는 보물인 만큼 왕권의 변화와 수도의 천도에 따라서 불치를 모시는 사원 또한 여러 지역으로 이동하게 되었다.

스리랑카에서 구전되는 고대역사를 기록해 놓은 『디파밤사(Dipa vamsa)』에 따르면 현재 캔디의 불치사에 모셔진 부처의 어금니 치아사리는 기원전 6세기 부처의 열반 이후 화장터에서 인도 칼링가 국의 왕인 브라흐마닷타(Brahmadatta)에게 전달되었다. 이후에는 칼링가국의 왕인 구하시바(Guhasiva)에게 전달되었으며 그는 불치를 안전하게 보호하고자 사위인 단타쿠마라(Dantakumara) 왕자와 딸 헤마말라(Hemamala)공주를 통해 머리카락에 숨겨 스리랑카의 마하세나 왕(Mahasena, 재위 277~304)에게 보냈다고 한다. 그러나 단타쿠마라 왕자와 헤마말라 공주가 스리랑카에 도착하고 보니 마하세나 왕은 이미 죽고 그의 아들 시리 메가바나(Siri Meghavanna)가 집권한 지 9년 정도가 흐른 시기였다. 시리 메가바나 왕은 아버지의 뜻대로 부처의 치아사리를 전달받고, 불치를 모시기 위한 사원을 세우고 극진히 후원하여 모시기 시작하였다.

9세기 중반 이후 수도가 아누라다푸라에서 폴로나루와를 비롯하여 여러 곳으로 이전하게 되고, 비자야바후 1세[134](Vijayaba ju I, 재위 1056~1111)에 의해 2층 규모의 불치정사

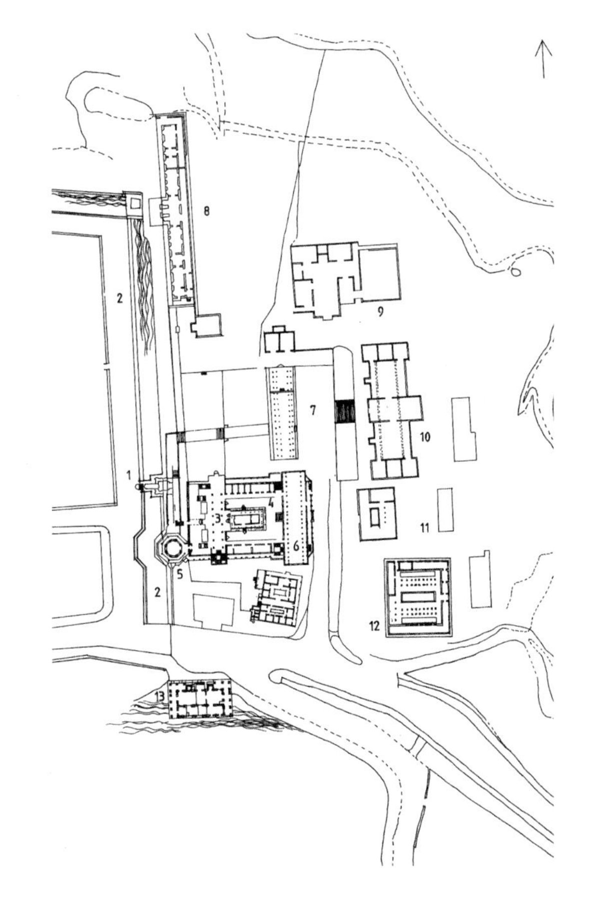


■불치사 평면도(출처: The Cultural Triangle p.158)(위)
① 입구
② 연못
③ 회랑
④ 불치
⑤ 팔각도서관
⑥ 불전
⑦ 왕의 접견실
⑧ 왕궁
⑨ 현대식 법원건물
⑩ 현대식 사무국과 법원
⑪ 왕비의 숙소
⑫ 하렘
⑬ 목욕탕

134 스리랑카 역대 왕들의 재위기간은 자료마다 조금씩 다르게 나와 있는 경우도 있다. 비자야바후 1세의 경우 자료마다 재위기간이 (1055~1110)로 나와 있거나 (1056~1111)로 나와 있으나, 이 글에서는 Wikipedia의 'List of Sinhalese Monarchs by reign'을 기준으로 하였다. 1017년과 1056년 사이에는 싱할라 왕조의 왕에 대한 기록이 없으며 외세의 침략을 받았던 시기로 보인다.

1. 보수중인 복도 벽화
2. 성대한 축제 페리헤라를 그린 불치사로 가는 복도 천장의 벽화
3. 폴로나루와의 아타다게 불치정사

인 아타다게(Atada ge)가 건립된다. 스리랑카의 국내 정세가 불안해지자 불치는 잠시 로하나(Rohana)로 옮겨지게 되고 이후 빠라끄라마 바후 1세(Parakr amabahu, 재위 1153 ~1186)에 의해 다시 폴로나루와로 옮겨지게 된다.

빠라끄라마 바후 왕이 지은 사원 중 특이한 형태로 된 것은 중앙부에 스투파가 있고 그 네 면에 불상이 각각 위치하며 그 주변을 석조 기둥 유구와 벽돌로 둥글게 빙 둘러싼  쌓은 사원인 와타다게(Vatadage)이다. 이후 닛산카말라(Nissanka malla)는 아타다게 보다 규모가 더 큰 하타다게(Hatadage)를 건립하여 불치를 모시게 된다. 하타다게와 아타다게, 와타다게는 모두 '쿼드랭글(Quadrangle)' 이자, '달라다 말루와(Dalada Maluwa)' 로 불리는 폴로나루와의 중심 불교유적군에 위치하고 있다.

나라가 위험하거나 권력이 바뀔 때마다 불치 사리 또한 이동되었으며, 13세기에는 담바데니야(Dambadeniya)의 왕궁 근처에 3층 규모의 불치정사가 세워졌다. 이후 수도를 야파후와(Yapahuwa)로 옮기고 나서 잠시 폴로나루와로 다시 돌아오게 되었으며, 이후 쿠루네갈라(Kurunagala)로 옮겨진다. 쿠루네갈라로 옮겨졌던 불치사리는 이후 감폴라(Gampola), 15세기 빠라끄라마 바후 6세(Parakramabahu VI, 재위 1412~1467) 때 코테(Kotte), 이후 델가무(Delgamu)를 거쳐 16세기 비말라다르마수리야 1세(Vimaladharmasurya, 재위 1590~1604) 때 현재 캔디의 불치사로 이어져 오늘까지 이르고 있다. 스리랑카에서는 불치를 매우 소중하게 여겨 왔으며,

왕권의 상징으로서 불치가 있는 곳이 바로 스리랑카의 수도가 되었다.

캔디는 불치사 앞의 캔디호수와 주변의 산지로 인해 외부의 침략이 어려운 곳이었다. 성곽 주변의 해자와 같은 역할을 한 캔디 호수는 스리랑카 싱할라 왕조의 최후의 보루였다. 위크라마 라자싱하(Sri Vikrama Rajasinha, 재위 1798~1815)왕은 아름다운 풍경을 특히 우선하여 추구하였고, 이에 논에 불과했던 불치사 주변을 파내 캔디 호수로 만드는 파격적인 결정을 하였다. 현재까지도 불치사 주변의 호수와 산지는 캔디의 상징적인 풍경이라고 할 수 있으며 불치사의 팔각형 지붕이 돋보인다.

캔디에는 유물이나 역사적인 자료들이 많이 흩어져 있다. 캔디의 왕궁(Royal Palace)에는 폴로나루와의 왕이었던 닛산카말라가 12세기에 방문했던 기록이 석조 비문으로 남아 있고, 불치사를 비롯하여 고대 가옥, 전통 공예품이나 기념품 등 문화적인 관습과 의식이 다양하고 풍부하게 남아 있다. 코끼리를 목욕시키거나 호수에 배를 띄우고, 식물원과 폭포 등 자연경관이 수려하며 다양한 볼거리를 갖추고 있다. 불치사의 건물 또한 여러 차례의 발전과정을 거친 끝에 현재의 팔각형 지붕의 건물이 갖춰지게 되었는데, 현재는 불교와 관련된 희귀하고 중요한 자료들이 내부에 보관되어 있다. 팔각형 탑은 19세기 전반에 유치장으로 바뀌었던 적이 있으나 지금은 야자 잎 사본 패엽경貝葉經이 소장된 도서관으로 사용된다. '디야와다나 닐라메(Diyawadana Nilame)' 라고도 불리는 불치는 전 국가적으로 중요한 위치를 갖는다. 캔디호수에 비치는 불치사는 고요하고 아름다워 보는 이들

1. 고귀함을 상징하는 산개를 곳곳에서 볼 수 있다.
2. 불치사 1층에 모셔진 불상
3. 불치가 모셔진 성소 감실. 문은 하루에 세 번 열리고 관람객 수도 제한한다.

로 하여금 평온함을 느끼게 한다.

사원은 2층 건물로, 입구에서 사원으로 향하는 길에는 곡면이 강조된 터널형 천장의 복도를 통해 2층으로 올라가는 돌계단이 있다. 2층으로 올라가면 불치사의 넓은 회랑이 나타나는데 목조계단을 올라가면 마침내 스리랑카의 중요한 보물인 불치사리가 모셔진 감실이 나타난다. 이 치아사리는 보석으로 장식된 황금 사리보관함의 내부에 모셔져 있으며, 황금 사리함은 고위층 인사나 역대 지도자들을 비롯한 통치 세력들의 보석 등을 기부 받아 만들어졌다. 불치사에는 날마다 수천 명의 참배객들이 스리랑카 전역에서 모여들곤 한다. 불치사의 예술품, 특히 꽃과 코끼리가 장식된 석조기둥을 비롯한 건축물, 회화작품과 천장과 벽의 벽화들은 아름답고 볼거리가 풍부한 사원을 축조하고 대대로 불치를 무사히 지켜온 왕과 왕족들의 안녕을 기원하는 내용이 많다. 특히 불치사로 진입하는 터널형 천장에는 '누와라 페리헤라(Nuwara Perihera)' 라는 캔디의 대표적인 연례행사를 그린 벽화도 보인다. 사원의 내부에는 크리스탈을 깎아 만든 석가 좌상, 정밀한 조각이 새겨진 돌문, 옅은 감색의 화려한 당초 모양으로 만들어진 천장 등이 차분한 사원 내부의 풍경과 아름다운 조화를 이룬다.

불치사는 살색 벽에 갈색 지붕을 한 싱할라건축 양식이다. 사원은 새벽부터 황혼 무렵까지 개방되어 있어 참배가 자유롭지만 불치가 있는 방의 문은 하루에 세 번만 열린다. 이 시기에는 스리랑카 전국에서 모여든 참배객으로 원내가 북적거린다. 악기소리와 더불어 공손히 공물을 바치는 의식이 행해지고, 사람들의 기도도 이어진다. 불치 실물은 불치사의 스님을 비롯하여

1. 불치를 봉안한 황금 사리함
2. 불치에 예배하는 스리랑카인들
3. 불치사 입구의 문양이 화려한 vault형 천장

3명이 모여야만 열어볼 수 있다고 하는데, 실물이 공개되는 일은 극히 드물다. 실제로 볼 수 있는 것은 작은 다고바 모양을 한 보석으로 장식된 황금사리함으로, 사리함은 총 일곱 겹으로 되어 있고 그 내부에 불치가 있다. 불치의 실물이 공개될 때는 금으로 만든 연꽃 모양의 접시 위에 놓인다고 한다.

불치사의 주변에는 4개의 힌두교와 불교신전 중 하나인 나타 데발레(Natha Devale)가 위치해 있는데, 이 나타 데발레는 14세기에 지어진 것으로 보인다. 원래의 형태가 그대로 복원되었으며, 부처의 전생인 아발로키테스와라 나타(Avalokitesswara Natha), 즉 관세음보살의 불상이 신전 내부에 모셔져 있다. 역대 스리랑카 왕들은 왕에 임명되기에 앞서 이 신전 앞에 나아가 경배하고 불상 앞에서  자신의 왕족으로서의 이름을 선택하는 것이 의무였다.

캔디의 시가지가 있는 분지에서 사방으로 등성이를 관통하는 도로가 나 있어 그곳으로 버스가 자주 왕래하면서 마을의 규모를 점점 넓혀가고 있다. 캔디의 번화가는 캔디 호수의 북쪽과 서쪽으로 뻗어 있는데, 이 길을 중심으로 불치사와 박물관, 철도역, 버스터미널 등 공공시설과 도시의 중요한 시설 등이 집중되어 있다. 호수의 남쪽과 동쪽은 호반 가까이까지 완만한

1. 불치사 내부는 천장이 높고 한국전통건축의 공포를 연상시킨다.
2. 세계의 불상을 모신 불전
3. 불치사로 향하는 길에서는 다양한 색의 연꽃을 판다.
4. 불치사 내부에 있는 스리랑카 양식의 소형 불탑

능선이 연결되어 있어 산길을 따라 한적한 주택지가 위치해 있는데, 비교적 잘 사는 가정 주택을 비롯하여 게스트하우스를 겸한 주택 등이 자리해 있다. 캔디로 모여드는 사람들 때문에 주변의 산지에는 주택가가 새롭게 들어서고 있지만, 도시의 아름다운 풍경은 그대로 유지되고 있다.

캔디의 성대한 축제인 누와라 페리헤라에서는 세계에서 가장 화려한 행렬을 볼 수 있다. 이 축제에는 100마리 정도의 코끼리 행렬과 100명이 넘는 캔디얀 댄스 무용수, 북을 치는 사람과 귀족들이 수없이 많은 관광객 앞을 압도적인 규모로 지나간다. 이들 모두가 부처의 치아사리를 모신 거대한 황금 사리함에 경의를 표하며, 이 사리함은 라자 엘리야(Raja Aliya)라고 하는 코끼리의 위에 얹어져서 행렬을 주도하게 된다. 아누라다푸라에서부터 비롯된 이 전통적인 축제는 7일 동안 밤낮없이 계속되고, 8월의 보름달이 뜨는 날인 포야데이(Poja day)에 성대한 축제는 끝이 난다. 전 세계에서 이 행렬을 보기 위해 불교도나 관광객들이 몰려들고 있다.

## 패엽경이 만들어진 아루비하라 석굴사원 (MATALE & Aluvihara Cave Temple)

담불라에서 캔디로 가는 길을 1시간 좀 더 걸려 가면 나타난다. 반나절 남짓한 산책으로 번화가를 대충 구경할 수 있는 작은 마을 마탈레, 이렇다 할 특색이 없지만 마탈레에도 자랑거리가 있다. 아루비하라 석굴사원이다.

이 마을 일대는 스파이스의 산지로서 스리랑카 사람들의 식생활에서 빼놓을 수 없는 다양한 스파이스가 마탈레의 풍부한 물과 혜택 받은 기후 아

1. 알루비하라 사원의 입구
2. 3. 알루비하라 사원 내부)교수님

래서 자란다. 그리고 마을 북쪽에 있는 석굴 사원 아루비하라는 기원전 88년, 그때까지 구전되어 왔던 석가의 가르침이 이곳에서 처음으로 문자화 되었다고 전해지는 유서 깊은 절이다. 즉 패엽경이 만들어 진 곳이라고 전한다. 또 하나, 연녹색 산 계곡에서 흰 비단을 펼친 듯 떨어져 내리는 폭포 휴나스 폴은 대단한 매력이다. 스리랑카 특유의 웃음을 지닌 소박한 사람들이 있고 역사나 자연, 산업적 측면에서 자부심을 가질 만하다.

아루비하라석굴사원은 기원전 1세기에 세워진 불교사원으로 아누라다푸라, 담불라, 미힌탈레에 있는 사원들에 이어 스리랑카에서 네 번째로 오래된 사원답게 많은 불전을 보전하고 있다. 큰 바위를 파내서 만든 석굴사원 안에는 와불, 묵상하는 불상, 설교하는 형태의 입상 등이 있다. 아마 최근에 바위 위에 다소 거칠게 그려진 것으로 보이는 프레스코벽화는 부처의 전생을 이야기 하는 자타카 이야기를 표현하고 있다. 이 자타카 그림 이외에도 중생들에게 교훈이 되는 악행에 대한 징벌적 내용을 담는 그림이 많이 그려져 있다. 2,000년 전부터 불교도들이 집회장으로 이용한 곳이라고 하는데, 그 중에서도 가장 볼 만한 것은 제2동굴의 지옥도로서 여러 가지 지옥의 풍경이 사실적으로 그려져 있어 무서울 정도이다.

아루비하라의 계단을 올라가면 있는 도서관에서는 옛날 승려가 기록을 남기기 위해 이용했다는 야자 잎으로 된 종이에 글자를 쓰는 방법을 직접 볼 수 있다. 천연의 야자 잎을 찐 후 햇볕에 말려 건조 시켜서 무두질을 하면 파피라가 완성된다. 소위 패엽경을 만드는 방법이다. 이 종이는 현재 이용되는 종이보다 훨씬 튼튼해서 2,000년이 지난 지금도 문서로 보존되고 있다. 이 파피라에 철 필로 글자를 쓰고 재와 식물성 유지를 섞은 액체를 바른 후에 쌀가루로 문지르면 훌륭한 문서가 완성된다.

이 밖에도 도서관에는 불상이나 경전 등이 보존되어 있다. 캄보디아, 태국, 인도, 중국, 한국에서 기증했다는 불상들을 보고 있으면 그 나라에 따라 특징이 미묘하게 달라, 불교가 전파되고 변화한 모습을 쉽게 알 수 있다.

## 대승불교의 흔적 웰라와야와 부두루바갈라 (Wellawaya & Buduruvagala)

불교에는 두 가지 큰 흐름이 있다. 대승불교와 소승불교가 그것이다. 말할 것도 없이 스리랑카는 근본불교적인 상좌부불교의 중심지이다. 대승불교적 관점에서 너무 원론적인 불교, 개인의 구제를 우선하는 개인주의적 입장을 다소 비판적으로 소승불교라 부르는 것이다. 인도에서 건너온 불교는 스리랑카에서 더욱 성숙하게 발전하여 미얀마, 태국, 캄보디아를 비롯한 아시아 각국으로 전래되었으니 이를 흔히 소승불교라 한다. 스리랑카에 있어 문화삼각지대인 아누라다푸라와 폴로나루와, 그리고 캔디에 남아 있는 거대한 유적들은 거의 소승불교에 의해 세워진 것이다. 스리랑카의 불교는 인도에서 전래되어 지금도 팔라어 경전을 근거로 그 가르침을 충실히 실천하는 수도승들이 이 소승불교의 전통을 이어가고 있다. 그러나 현재 스리랑카의 불교에는 경전 불교로서의 측면과 동시에 민중불교, 혹은 싱할라 불교라고도 일컬어지는 신神 신앙이나 주술이뒤섞여 있어 상호보완 또는 긴장관계 속에서 작용하고 있다.

그러나 스리랑카에도 대승불교가 유행했던 시기가 있었다. 스리랑카 중남부 정글 속에 남아 있는 고대의 유적 부두루바갈라가 바로 스리랑카의 대승불교의 흔적을 보여주는 증거이다. 마치 한국의 불상을 보는 듯한 부두루바갈라 불상이다. 바위에 새겨진 마애불인 부두루바갈라, 즉 부두(Budu)는 부처, 루바(Ruva)는 상(像), 갈라(Gala)는 바위라는 뜻이다. 중앙에 15미터 높이의 석불상이 있고, 좌우에는 그 보다 작은 12미터 높이의 석불이 3개씩 짝을 이루고 있다. 가운데 있는 것이 관음보살상, 좌우는 보살상으로 보이는데 모두 9세기 전후에 만들어진 것이 아닌가 한다.[135]

기원전 1세기, 불교계에서는 '대승불교운동' 이 일어난다. 단순히 자신만 깨달음을 얻는 것이 아니라 다른 사람도 구제하자는 것이 대승불교이다. 대승이란 큰 탈 것 이란 의미이다. 대승불교는 많은 경전과 불상을 만들었으며, 7세기경에는 밀교가 생겨났다. 밀교는 중국으로 전해지고 우리나라

135 나를 찾아 떠나는 길(samoking 8), 스리랑카의 대승불교 유적-웰라와야의 부두루바 갈라, 발 닿는 대로

를 거쳐 9세기에는 일본으로 건너갔다. 그래서 우리나라를 비롯하여 중국과 일본의 불교는 대승불교이다.

8세기 중반 스리랑카의 아누라다푸라 시대에 대승불교의 세계적 근거지였던 이 도시에는 중국에서 승려가 찾아와서 많은 경전을 가지고 돌아갔다는 기록도 있다. 그러나 12세기에는 파라쿠라마 바후 1세에 의해 대승불교 운동이 탄압을 받으며 점차 소멸되어 갔다. 아누라다푸라에 지금 남아 있는 유적은 아바야기리 대탑 하나뿐이다. 이에 비해 부두루바가라에는 지금도 분명한 윤곽이 남아 있는 거대한 석불군이 있다. 바위 면에 조각된 불상들은 지금도 사람들에게 아름다운 미소를 던지고 있다. 부두루바가라 석불로 가는 기점이 되는 웰라와야는 간선 도로가 교차되며 생긴 작은 마을로서 도보로 5분 정도면 마을 밖까지 나갈 수 있는 작은 규모이다. 석불은 이곳에서 몇 킬로미터 더 들어간 정글에 있다. 도시와는 거리가 먼, 게다가 인적이 드문 이곳에 어떤 이유로 대승불교를 대표하는 석불들이 있는 지 궁금하다.

### 부처의 세 번째 방문지 켈라니야의 라자 마하 비하라(Raja Maha Vihara) 사원

켈라니야(Kelaniya)는 콜롬보 동쪽 약 9㎞ 지점에 있는 불교의 성지이다. 예로부터 스리랑카 사람들은 석가모니가 생존시에 이 섬을 세 번 방문하여 설법을 했다고 믿어왔다. 첫 번째 방문지는 마히양가나(Mahiyangana)이고 두 번째는 쿠두루고다(Kudurugoda)사원이다. 석가모니가 스리랑카를 세 번째 방문했을 때 이곳 강물에서 목욕을 했다는 곳이다. 이를 기념하기 위하여 켈라니야에 라자 마하 비하라 사원이 세워졌는데, 지명을 따서 켈라니야 사원이라고도 부른다. 그래서 경내의 흰 불탑은 기원전 3세기의 것이라고 전한다. 아마도 그 원형이 만들어진 것으로 이해된다. 또한 후에 건립된 것인 사원의 건물들이 있는데 외부에는 많은 불상과 문스톤, 내부에 19세기의 벽화 등이 있다.

현재 사원의 기초는 거듭된 전쟁 때문에 파괴와 복구가 계속 되어 비교적 최근인 13세기에 만들어졌다고 한다. 근래에 건조된 본당 내부에는 어두

1. 라자 마하 비하라 사원의 전경
2. 라자 마하 비하라 내 불탑

컴컴한 상태에서도 선명하게 보이는 프레스코화가 그려져 있다. 방은 4개로 나누어져 있는데, 정면을 향해 오른쪽 방에는 누워 있는 부처의 모습 정면에는 앉아 있는 부처상이 금빛 찬란하게 안치되어 있다. 이곳을 찾는 사람들은 각자 자신이 믿는 부처의 상이나 그림 앞에 앉아 기도를 하는데 그 모습이 너무 진지하고 성스럽기까지 하다. 벽화에는 기하학적인 무늬와 석가모니가 겪은 여러 가지 일들, 그리고 이 사원의 역사가 그려져 있다. 그 가운데서도 압권인 것은 왼쪽 방에 그려져 있는 석가모니의 스리랑카 방문 벽화이다. 이 그림은 명암법을 써서 석가모니의 세 차례에 걸친 방문을 세 부분으로 나누어 매우 사실적으로 표현하고 있다.

첫 번째 그림은 깨달음을 얻은 지 9개월째 되던 무렵, 명상하는 석가모니의 주변을 둘러싼 찬란한 빛에 원주민 같은 반라의 사내가 두려움에 떨고 있는 모습이고,

두 번째 그림은 깨달은 지 5년째 되었을 무렵 제자를 거느리고 찾아온 석가모니에게 이 섬의 왕의 귀의하려는 장면을 표현하고 있다.

세 번째 그림은 몇 백 명이나 되는 제자를 거느린 석가모니 앞에 왕이 많은 신하들과 함께 무릎을 꿇고 있는 모습이다. 결국 이 나라의 모든 백성들이 석가모니에게 귀의했다고 하는 내용이 담겨 있다. 외벽에는 폴로나루와에 남아 있는 유적을 모방했다고 하는 해학적인 모습의 난쟁이와 코끼리, 그리고 코브라의 부조가 나란히 있다.

1. 보리수나무
2. 사원 통로의 벽화
3. 사원 내 벽화

스리랑카에서 다수를 차지하는 불교도들은 포야 데이(보름날)라고 부르는 불교도의 축제일에는 노동과 음주를 금하고 하루를 쉰다. 이날은 사원을 참배하는 성스러운 날이다. 특히 5월의 포야 데이는 부처의 탄생, 성도, 열반을 기념하는 웨사크 데이로서 성대한 축제가 열린다. 현재 포야 데이는 법정 공휴일로 되어 있어 이날이 되면 항상 조용하기만 하던 켈라니야는 많은 사람들로 붐빈다. 콜롬보 근교의 유일한 사원인 라자 마하 비하라(Raja Maha Vihara)에 사람들이 일제히 몰려들기 때문이다. 이날은 음식을 파는 장사꾼에서부터 거리의 예술가들까지 수많은 가게와 사람들이 사원 주위를 둘러싼다. 꽃이나 향을 사서 참배를 마친 사람들이 사원 주변을 돌아보며 즐기는 것이다. 걸인들에게도 이날은 특별한 행운의 날이다. 사람들은 그들에게 적선을 베풀면서 보다 나은 내세를 기원하기 때문에 계속 내미는 걸인들의 손바닥 위에는 자연스럽게 잔돈이 쌓인다.

그렇지만 사원 안으로 한 걸음만 들어가도 분위기는 완전히 달라진다. 꼼짝도 할 수 없을 정도로 꽉 들어찬 사원 안에서는 사람들이 꽃을 바치며 진지하게 기도를 드리고 있다. 경내에는 손에 코코넛 기름이 담긴 작은 접시를 든 사람들이 등불을 들고 있다. 유유히 흐르는 성스러운 켈라니 강 옆에 세워진 사원과 흰 탑은 화려하지는 않지만 스리랑카 불교 사원 이미지를 충분히 보여 준다. 콜롬보 시내에는 넓직한 불교적 공간이 없기 때문에 이곳에 와야 불교 국임을 자랑하는 스리랑카의 분위기를 제대로 느낄 수 있을 것이다.

또한 5월에 열리는 포야 데이와 함께 해마다 2월에는 페라헤라 축제가 열린다. 캔디의 페라헤라 축제와 맞먹는 대규모 행렬이 이곳 켈라니야 거리를 누빈다. 수백 마리의 코끼리 떼 사이에서 춤꾼들이 민속무용을 추는데, 훌륭하게 치장한 코끼리가 등에 불사리를 싣고 나타나는 장면이 더욱 돋보인다.

제6장

# 스리랑카 불탑의 형식

# 스리랑카 불탑의 형식[136)]

## 스리랑카 불탑의 출현과 조기형식

■소형 철제불탑과 佛足(콜롬보 박물관)

아시아의 광범위한 지역에 전래 분포된 불교는 문화 예술적 측면에서도 다양한 흐름과 변화를 드러냈다. 이후 근대 시기 이전까지 여러 단계의 발전과정을 거치면서 각 지역의 건축과 예술전반에 강한 영향을 미쳤다. 인도로부터 불교가 전해진 기원전 3세기 이후, 자연스럽게 인도의 산치탑과 유사한 형태의 불탑형식이 스리랑카 불탑에 큰 영향을 주었다. 스리랑카 불탑은 기원전 3세기부터 13세기에 걸쳐서 중부의 아누라다푸라, 폴로나루와, 캔디 등에 활발히 건립되었다. 이미 이전 시기에도 남부 함반토타(Hambantota)의 팃사마하라마(Tissamaharama)와 중부의 아누라다푸라 등지에 탑이 조성되었던 것으로 미루어보아 조성당시에는 불탑이 아니었더라도 불교의 도입 이후 내부에 사리가 봉안되면서 탑의 형태와 기능이 변화한 것으로 보인다. 인도의 영향이 컸던 것은 지리적으로나 불교 전래 과정상 자연스러운 결과였다. 불교 전래 당시의 불탑과 현존하는 불탑은 차이를 보일 것으로 생각되나, 결국 초기 불탑은 축조 이후 여러 번의 보수 및 재건과정을 거치면서 현재의 형태를 갖게 되었을 것이다.

스리랑카는 인도의 남부에 있는 국가로, 처음에 스리랑카로 불교가 전래된 것은 인도를 통일한 아쇼카 왕과 스리랑카 아누라다푸라의 데바남피야 팃사 왕의 친분관계가 큰 역할을 한 것으로 알려져 있다. 스리랑카는 인도

136 '6장. 스리랑카 불탑의 형식'은
- 허지혜, 천득염, 스리랑카 불탑 형식에 대한 고찰, 건축역사연구 제24권 6호 통권 103호, 2015년 12월
- 허지혜, 스리랑카 불탑의 구성요소와 형식, 전남대학교 대학원 석사학위 논문, 2016년 2월.을 기본으로 일부 수정하여 전제한 것임.

1. 방형의 사리함
2. 사리함 상세
3. 사리함 상부
4. 사리함 하부

초기 불교가 전래된 최초의 국가로 자연히 스리랑카의 초기 불탑은 인도의 초기 불탑과 매우 흡사한 형태를 가졌다. 스리랑카에서는 탑을 '다가바(Dagaba)' 혹은 '다고바(Dagoba)' 라고 하는데 이는 싱할라어로 '다투 가르바(Datu Garbha)' 즉 '사리 봉안 장소' 를 뜻하는 말의 줄임말이다. 스리랑카 최초의 불탑은 인도 아쇼카 왕의 아들인 마힌다 승려(Arhat Mahinda)가 데바남피야 팃사 왕(King Devanampiya Tissa, B.C. 307~B.C. 267)에게 불교 교리를 전파한 기원전 3세기경 전후에 지어진 것으로 기록되어 있다. 초기에 건립된 탑으로 미힌탈레 언덕에 세워진 암바스탈라 대탑(Ambastala Dagoba)과 아누라다푸라의 투파라마 다고바(Thuparama dagoba)를 들 수 있는데, 암바스탈라 대탑은 특히 마힌다 승려가 스리랑카에 처음으로 발을 내딛은 자리인 미힌탈레 언덕에 세워진 탑이다. 데바남피야 팃사왕과 아쇼카 왕은 서로 만난 적은 없지만 매우 우호적인 관계를 가지고 있었는데, 아쇼카 왕은 인도 통일 과정과 함께 자신이 왕이 되는 과정에서 형제 99명을 죽이는 등 많은 살생을 저지른 탓에 불교에 귀의하여 불교 전파를 통해 자신의 죄를 씻고자 하였다. 이에 마힌다 왕자와 딸인 비구니 싱가미타를 보내 스리랑카 아누라다푸라 왕국의 데바남피야 팃사를 통해 불교 교리를 전하게 된다.

안타깝게도 스리랑카의 불탑은 여러 차례의 전쟁과 자연재해를 비롯하여 영국과 포르투갈, 네덜란드의 숭기억불崇基抑佛 정책으로 인해 19세기에는 마침내 모든 초기 불탑들이 무너지고 식물로 뒤덮인 돌무더기에 가까운 상태로 발견되었다.[137]

스리랑카 불탑과 스리랑카에 큰 영향을 끼친 인도 불탑의 대표적인 형태인 복발형 불탑은 본래 종교적 의미가 아닌 장례 풍습에서 유래되었다. 현재에도 다양한 나라에서 적석형 조형물이 발견되고 있으며, 이들은 뼈를 땅 아래 혹은 땅에 위치시킨 뒤 돌을 차곡차곡 쌓아 새나 짐승이 시신을 훼손시키지 않도록 보호하고 죽은 자의 영혼을 기리는 의미를 가졌다. 이때 봉분처럼 쌓인 돌무더기의 최상부에는 나무막대를 꽂았는데 이는 내부에 시신이 있음을 표시하거나 무덤의 주인 등을 표시하기 위함이었을 것으로 예상된다. 현재의 인도 산치 대탑과 매우 유사한 형태인데 나무 재질로 된 기둥 혹은 석재 기둥을 돔의 중간 부분 혹은 바닥 부분, 혹은 돔의 내부로 조금 파고드는 정도로 꽂았다. 나무 재질은 우주목(cosmic tree)을 상징하는 것에서 비롯되어 점차 오래 지속될 수 있고 견고한 재질인 석재를 사용하게 되었던 것으로 보인다. 또한 산치 대탑의 산간(mast)에 우산을 형상화한 모양의 석재 세 개가 쌓여있는 것은 고귀함을 상징하며 왕과 부처에 대한 경의의 표시였다. 이 석재는 우산[138]을 형상화한 것이라는 주장도 있지만, 아쇼카 왕의 석주에서 나타나는 바퀴 즉 법륜을 형상화하여 쌓은 것이라는 주장도 있다. 인도 불탑에서 나타나는 기본 요소인 기단과 복발, 평두, 산간, 산개 역시 스리랑카의 불탑에서 나타난다. 그러나 산치 대탑에서 보이는 탑문(Torana, 네 방향으로 난 문)과 난순, 요도는 스리랑카에서 그 형태가 축

137 스리랑카는 1505년부터 차례대로 포르투갈, 네덜란드, 영국의 식민지였다가 1948년에 마침내 독립하게 된다. 이 중 네덜란드의 식민통치기간은 1638년부터 1796년, 영국은 1796년부터 1948년이었다. 이 기간 내내 계속된 숭기억불(崇기抑佛) 정책 때문에 켈라니야 왕국의 수도에 있었던 대표적인 Heap of Paddy type의 켈라니야 탑은 제대로 건사되지 못하였다. 켈라니야 불탑이 오늘날의 모습을 되찾은 것은 1888년 이후의 재건 사업으로 인한 것이다.

138 Chattra가 우산을 형상화했다는 주장이 대부분이나, 우산이 아닌 바퀴를 형상화한 것이라는 주장도 있다.

■소형 철제 불탑(콜롬보 박물관)

소되거나 없어지는 양상을 보인다.

인도에서 불교 교리가 전래되고, 부처의 열반 후에 몸에서 나온 사리와 유골, 치아, 머리카락, 의복과 사용하던 그릇 등을 불탑의 내부에 모셔 넣고 부처의 가르침을 새기고자 하는 움직임이 일었다. 인도 산치 대탑은 기원전 1세기에 지어진 것으로 알려져 있으며 스리랑카 최초의 불탑으로 알려진 아누라다푸라의 투파라마(Thuparama)는 스리랑카의 고대 왕국이었던 우파팃사 누와라(Upatissa Nuwara)의 왕이었던 판두카바야(B.C. 437~367)에 의해 최초로 지어진 것으로 기록되어 있다. 이후 데바남피야 팃사 왕이 이 탑에 부처의 유물을 모셔 스리랑카의 첫 번째 불탑으로 기록되며, 당시에는 옥수수모양이었다는 기록이 나와있다. 투파라마는 바사바(A.D. 67~111)왕이 불탑의 평두 부분을 석조벽체를 세워 막았고, 고타바야(A.D. 249~263)왕은 평두를 올렸다. 이후 여러 왕들의 수리를 거친 후에 투파라마는 촐라족의 침략으로 10세기에 무너지게 된다. 이후 빠라끄라마 바후 대왕(A.D. 1153~1186)에 의해 재건되었고 개조작업이 계속된 끝에 1842년 마침내 현재의 종 모양 탑신을 갖춘 형태를 갖추게 되었다.

한편 또 다른 스리랑카의 초기 스투파인 스리랑카 남부 함반토타 지역의 팃사마하라마 차이티야(Tissamaharama Chetiya), 야탈라 스투파(Yatala Stupa)[139], 산다기리 스투파(Sandagiri Stupa)에 대한 기록은 기원전 3세기에 루후나 공국(Principality of Ruhuna)의 마하세나 왕(혹은 왕자, Mahasena)에 의해서 지어졌다. 마하세나 왕은 데바남피야 팃사왕의 형제였는데, 데바남피야 팃사의 아들로 하여금 왕위를 잇게 하고 싶었던 왕비의 독살 위협을 피해 남부 스리랑카에 피신하게 된다. 이후 왕자의 신분으로 나라를 세우게 되는데 이 나라가 바로 루후나 공국이다. 루후나 공국은 현

139 현장에 있는 안내판에 의하면, 기원전 2세기에 마하나그 왕의 왕비가 이곳에서 기도하여 아들을 얻었다한다. 그래서 스투파의 이름을 아들 이름인 Yatala로 하였다고 쓰여 있다. 또한 부처의 사리가 있어 Tooth Relic Shrine이라고도 한다.

재의 함반토타 지역에 자리잡고 있었는데 기원전 3세기에 세워진 것으로 알려진 세 개의 스투파는 이미 여러 차례의 복원과 보수 과정을 거친 상태로 그 초기 형태에 대해 정확히 알기는 어렵다. 이 중 산다기리 스투파의 경내 소형 불탑 모형에는 현존하는 스리랑카 불탑에 나타나는 상륜부와 다소 다른 형태의 상부구조를 볼 수 있는데, 흡사 인도 산치 대탑의 상부구조와 브라만교의 유파(Yupa)가 공존하는 형태를 띠고 있다.[140] 즉 복발의 중심에 유파가 꽂혀 있는데 참으로 이상하게도 바로 그 뒤에 또 불탑의 찰간과 보륜이 있는 상륜부가 있는 것이다. 이 소형 불탑 모형은 비록 제작 시기가 불분명하지만 과거의 모습을 재현한 것이라 생각된다. 또한, 이 소형 모델 스투파이외에도 경내에는 원래 돔 위에 올라가 있었을 것으로 추정되는 유파스톤과 차트라스톤이 많이 발견되어 유파와 상륜이 함께 있는 스투파 형식이 아닌가 추정된다.

140 「Hasitha K.M., Heritage of Ancient Magama, the Capital of Ruhuna Kingdom」

## 스리랑카 돔 형식 불탑의 구성요소

스리랑카의 불탑은 한국의 석탑처럼 편의상 기단부와 탑신부인 복발, 그리고 상륜부로 나눌 수 있다. 거의 대부분의 스리랑카 탑은 넓은 테라스 위에 자리한다. 이 테라스는 기단부 아래에 자리하며 기단보다 훨씬 넓다. 테라스는 오래된 초기탑에서는 원형이고 이 보다 후대의 것은 방형이다. 이 테라스의 위는 모래나 돌을 깔았다.

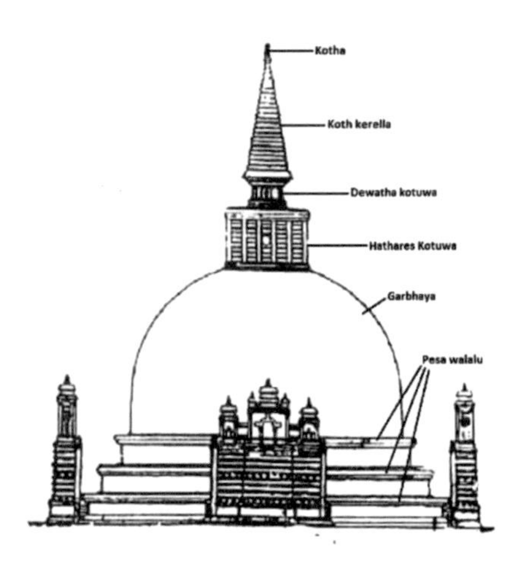


■스리랑카의 전형적인 불탑(출처 : Hasitha K.m.,「Heritage of Ancient Magama, the Capital of Ruhuna Kingdom」, Unreliable with Original Source)

스리랑카의 현존하는 불탑에서 나타나는 변화는 요소별로 상당히 뚜렷하다. 우선 불탑의 기단부가 보다 많이 발달한 모습을 보이고 인도 산치탑에서와 같이 기단과 돔을 돌리고 있던 난간이 없어지게 된다.

한편 복발부는 시대가 내려갈수록 훨씬 더 커지고 복

1. Mihindu Maha-Seyastupa의 기단
2. Kanthaka Chaitya의 제단, 미힌 탈레

발의 맨 위에 책상 모양으로 된 평두는 상자형으로 이 또한 커졌다. 정상부에 꽂힌 듯 올라가 있는 상륜은 첨탑형으로 날카롭게 되었다.

### 페사 발라루(Pesa W alalu, podium, basal ring, 기단)

스리랑카의 기단은 복발 하부 부분을 말한다. 기단을 넓게 지탱해주는 테라스와 구분된다. 기단은 '페사 발라루(Pesa Walalu)' 라고 일컬어지는데, 대개의 경우 3개의 링, basal ring으로 구성된다. 스리랑카 탑의 돔이 인도 탑의 돔에 비해 훨씬 큰 크기를 자랑하는 만큼 그 돔을 지탱할 만한 기단 역시 크고 높아질 수밖에 없었던 것으로 보인다.

기단부는 초기 불탑에 비해 각 기단 층 사이가 넓어지고, 탑의 규모에 따라서 기단을 하부에 덧붙이기도 하였다. 인도 산치 탑의 기단 상부와 하부에 있던 난간이 없어지는 대신, 스리랑카의 불탑은 기단의 상하부에 받침 및 갑석이 생기고 기단 면석에 다양한 장식이 나타난다.

난간이 없어진 데에는 여러 이유가 있겠지만, 돔이 비교적 커지고 입구에서 돔에 이르는 길이 요도의 역할을 하며 광활해진 것으로 보아 장식적이고 상징적인 역할을 하는 기단으로 바뀌었음을 알 수 있다.

### 바할카다(Vahalkada, frontispiece, 제단)

기단부가 높아짐에 따라 제물을 바치는 제단인 '프론티스피스(Frontispiece)' 가 동서남북 네 면에 생기게 되었다. 이 제단은 스리랑카에서 '바할카다(Vahalkada)[141]' 라고도 불리는데, 탑의 규모에 따라 형태가 조금씩 다르긴 하나 납작하고 긴 형태의 벽체 정도의 모양이고 경우에 따라 바할카다의 앞에 보조 격의 석조 테이블이 제단처럼 놓이기도 한다. (그림 참조)

탑으로 들어가는 입구의 개수는 초기 불탑이 2개인 반면 스리랑카 불탑은 그 크기가 매우 커짐에 따라 4개의 입구를 가지게 된다. 불탑의 크기가 커짐에 따라 제물을 바치는 제단이 놓이게 되는데 이것이 동서남북면에 위치한 바할카다이다.

즉 스리랑카의 불탑에서는 인도탑과는 달리 탑문은 없어지고 동서남북 네 면의 입구와 함께 제물을 바치기 위한 제단이 입구의 정면에 위치한다.

141 영어로 Frontispiece, 불탑의 동서남북 면에 위치한 장식적인 구조물이다. 덩굴식물이나 난장이, 새, 코끼리 등이 부조로 장식되어 있고 조성 후기로 갈수록 더 장식적인 모습을 보이는데, 꽃을 바치기 위한 석판이 곁들여서 세워졌다. (출처 : 위키피디아)

#### 페사 발라루(Pesa Walalu, basal rings, 장식 띠)

스리랑카 불탑은 사람들이 탑돌이를 하거나 경배하는 넓은 테라스와는 별도로 복발의 하부에 장식기단 혹은 장식 띠가 돌려져 있다. 흔히 드럼이라고 불리는 이 장식은 싱할라어로 '페사 발라루(Pesa Walalu)' 라고 한다. 산치탑의 복발에 비해 단순화된 스리랑카 불탑의 복발 하부에는 가느다란 몰딩이 있는 장식기단을 두어 밋밋한 복발을 장식하였고 이는 결국 탑의 복발을 수직적으로 강조하기 위한 것으로 보인다.

이 링, 즉 띠는 대개의 경우 3단인데 부처, 부처의 말씀, 부처의 제자를 상징한다.

#### 가르바야(Garbhaya, dome, 覆鉢)

불탑의 요체는 돔형태로 된 복발이다. 생명을 상징하는 공간이다. 따라서 스리랑카 불탑의 복발 형식은 6가지 이상으로 참 다양하다. 현재 우리가 보는 스리랑카의 불탑은 여러 번의 증축과정을 거친 후의 상태인데, 이 과정들을 거치면서 가장 큰 크기 변화를 보인 것 중 하나가 '가르바야(Garbhaya)' 라고 불리는 돔이다. 돔이 훨씬 커진 것이다. 탑의 바닥에서부터 돔의 상부에 이르는 비율이 인도 탑의 돔 높이 비율에 비해 더 높다. 또한, 돔 하부의 지름이 스리랑카 탑이 더 좁다. 이는 인도 탑의 돔이 반구형인 것에 비해 스리랑카 탑의 돔은 지름이 좁아지면서 더 높아진 모습을 보

142 인도 산치 대탑의 평두와 달리 난간 내부에 평두가 위치하는 것이 아닌, 사면에 난간 모양이 새겨진 속이 비지 않은 사각기둥 부재이다. 이해를 돕기 위해 '평두'라고 하였다.

인다. 특히 인도 탑의 돔과 달리, 난간이 나타나지 않고 기단의 페사 발라루 폭이 좁아진 탓에 돔이 더욱 부각된다.

### 하타라스 코투와(Hatharas Kotuwa, square chamber, 平頭)[142)]

돔 모양의 복발 위로는 '하타라스 코투와(Hatharas Kotuwa)'라는 부재가 올라간다. 한자 문화권에서는 이를 평두平頭라 이름하였다. 속이 비어 있던 인도 산치 탑의 square chamber와 달리 속이 다 채워지고 높이가 높아지면서 사면 중앙에 연꽃모양의 장식이 새겨진다. 사면에 모두 인도 탑의 상부 부재를 연상시키는 난간 문양이 새겨져 있다.

인도 불탑은 돔의 하부 혹은 중심에 사리함이 봉안되어 있었던 반면, 불치를 가지고 있던 스리랑카의 몇몇 탑들은 도굴의 위험에서 안전할 수 없었기 때문에 최대한 도굴꾼의 접근이 힘든 위치, 즉 벽돌로 쌓인 돔이 아닌 돔의 상부에 고체로 속이 꽉 막힌 하타라스 코투와에 봉안하는 등 다양한 방법으로 불사리를 보호하게 된다.

이 부재는 상자형이기 때문에 4면으로 이루어진다. 이 네 면은 가장 중요한 네 가지 진리를 상징한다.

### 데바타 코투와(Devatha Kotuwa, cylinder, 傘竿)

불탑에 있어 맨 위를 상륜이라고 하는데 양산모습을 한다. 즉 깃대인 post(혹은 기둥, mast)와 비를 막아주는 원형 disk가 조립된 모습이다. 이 경우에 스리랑카에서는 싱할라어로 원통형圓通形 포스트를 데바다 코투와(Devatha Kotuwa, cylinder, 傘竿)라 하고 원판형圓板形 디스크를 코트 케

■1. 랑콧 베헤라의 평두
2. 인도탑의 다양한 산간과 산개

렐라(Koth Kerella, spire, 傘蓋)라고 한다. 이들은 당연히 디스크를 관통하여 포스트가 끼워있는 형태로 조립 한다.

위에서 언급한 평두(하타라스 코투와) 위로는 원통형의 부재가 올라간다. 이 원통형 기둥을 '데바타 코투와(Devatha Kotuwa)' 라고 한다. 데바타 코투와는 하타라스 코투와, 코트 케렐라의 사이를 연결하는데 두 부재보다 지름이 작아서 영역이 확연히 구분된다. 원통형 부재가 하나 혹은 두 개 올라간 후에는 차트라 스톤이 적층된 것 같은 부재가 나타난다.

■야탈라 스투파의 산개

### 코트 케렐라(Koth Kerella, spire, 傘蓋)

데바타 코투와의 상부에는 원뿔형의 '코트 케렐라(Koth Kerella)' 라는 부재가 위치한다. 코트 케렐라는 선이 없는 단순한 원뿔형인 경우도 있지만 그 수가 많지 않고[143], 대부분 원판형인 차트라 스톤, 혹은 원판이 십여개가 쌓여 주름진 듯한 원뿔을 이룬다. 코트 케렐라는 마치 고딕건축 성당의 첨탑처럼 뾰족하고 높게 올라간다.

인도 불탑의 돔 상부와 스리랑카 불탑의 돔 상부를 비교할 경우, 스리랑카 탑의 상부 구성 요소인 코트 케렐라에 주목할 필요가 있다. 코트 케렐라는 차트라스톤을 모사한 디스크 문양이 많게는 25개 이상 쌓인 경우도 있다. 이때 '코트 케렐라' 와 속이 꽉 찬 '하타라스 코투와' 사이에 자리한 원통형의 '데바타 코투와' 가 돔 상부의 내부에서부터 찰주처럼 꽂힌 '마스트' 의 역할을 하는 것으로 보인다.

원래 동북아권의 불탑이나 인도의 불탑에 있어 상륜부의 산개나 보륜은 그 사이가 벌어져 있으나 스리랑카의 상륜 정상부에 있는 이 첨탑형 원뿔은 하나의 몸체를 이룬다. 이 경우 8단을 이루는 것이 초기형식이었으나 나중에는 20여기를 넘는 경우도 나타난다. 이 부분은 깨달아 가는 단계를 의미한다. 이렇게 단이 많은 것은 그 과정이 어렵다는 것을 나타낸다고 할 수 있겠다.

### 코타(Kotha, crystal, jewel, 寶珠)

코트 케렐라의 위로는 '코타(Kotha)[144]' 라는 작고 뾰족한 첨탑, 혹은 둥근 구슬이 하나 더 올라간다. 코타는 주로 보석이나 수정으로 이루어져 있

143 함반토타의 팃사마하라마에 있는 팃사마하라마 차이티야, 야탈라 스투파는 단순한 원뿔형의 코트 케렐라를 가지고 있다.

144 싱할라 어로는 '실루미나(Silumina)' 라고도 한다.

145 Fergusson, 『History of Indian and Eastern Architecture』의 저자

146 J. G. Smither

147 S. Paranavitana, 『The Stupa in Ceylon』, 1946, p.80

어서 햇빛을 받으면 밝게 빛난다. 보통 수정과 수정을 받치는 부분에 항아리 혹은 꽃병 모양의 철제 부재가 같이 구성된다. 불탑을 장엄하기 위한 최고의 장치이다. 또한 최고의 경지에 이르는 니르바나(Nirvana, 열반), 일체의 번뇌를 해탈한 경지를 뜻한다.

## 불탑 주변의 시설

### 스투파 하우스

아누라다푸라의 란카라마(Lankarama)와 투파라마(Thuparama) 스투파 주위에는 수많은 석주가 놓여있다. 이 석주는 인도탑에서는 보이지 않았던 형식으로, 구조적으로 탑을 보호하거나 탑 주변에서 의장적인 역할을 했던 것으로 보이는데 이 열주의 용도에 대해서는 학자들 간에 논쟁이 있어왔다. Fergusson[145)]은 이 돌기둥의 용도가 깃발이나 그림을 걸어놓기 위함이라고 하였다. J.G.Smither[146)]는 퍼거슨의 주장에 대해 그림을 걸어놓는 용도라고 보기에는 탑의 신체를 다 가리게 되기 때문에 낭설이라고 하며 기둥은 그저 돌기둥의 기둥머리 부분의 장식을 받치는 용도였을 뿐이라고 하였다. 또한 Paranavitana은 돌기둥에는 장부나 장부구멍이 없는 것으로 미루어보아 기둥이 지붕을 지탱하려는 의도로 세워진 것이 아니었고, 단지 상징물을 받치기 위한 의도였다고 하였다.[147)]

이 열주는 아누라다푸라의 투파라마(Thuparama)와 랑카라마(Lankarama) 스투파에서 그 모습을 자세히 살펴볼 수 있다. 이 두 탑은 스리랑카에서 제일 오래된 불탑유적이지만 그간 여러 번 수리를 하여서 원래부터

■1. 스투파 하우스 모형
2. 열로 된 석조 기둥
3. 기둥이 있는 Lankarama

열주와 관련된 시설이 있었을지 아니면 원래는 없었는데 나중에 새롭게 신설되어 변모되었을지 모른다. 다만 마하밤사의 기록에 따르면 투파라마는 아누라다푸라 왕조의 첫 번째 군주였던 판두카바야 왕(B.C. 437~367)에 의해서 처음 세워지는데, 판두카 바야 왕 이후에는 데바남피야 팃사 왕이 부처의 사리를 봉안하여 지은 스리랑카의 첫 번째 불교 사당으로 지었는데, 지을 당시에는 탑이 옥수수모양이었다고 한다.

이후 바사바(Vasabha, 67~111)왕이 석벽으로 스투파의 방을 막았고 고타바야 왕(Gotabhaya, 249~263)은 부처의 사리가 든 감실을 만들었다. 이후 여러 왕들도 여러 번에 걸쳐 투파라마 스투파를 보수하는 작업을 하였다. 한편 투파마라는 촐라족의 침략이 있었던 10세기에 무너졌는데, 이후 파라크라마바후 대왕(Parakramabahu, 1153~1186)에 의해 재건되었다. 이후로도 개조작업은 계속되어 왔고 1842년에 그 결과로 투파라마는 현재의 종 모양을 갖추게 되었다.[148] 투파라마에는 아직도 기둥머리가 유지된 채로 서 있는 돌기둥과 기둥머리와 기둥이 분리된 모습이 혼재되어 있다.

한편 란카라마 스투파는 '아타마스타나(Atamasthana)' 라고 불리는 8개의 신성한 장소 중 하나로, 투파라마 스투파에 비하여 돔이 조금 더 경사진 듯 돔의 상부가 크고 탑 전체의 크기가 비교적 작다. 기원전 1세기 발라감바 왕(Valagamba, B.C.89~77)의 통치 시기에 아누라다푸라의 갈레바카다(Galhebakada)에 세워진 스투파로, 현재 상태로 복원되기 전까지의

148 1862년에 현재의 형태를 갖추었다고 적힌 기록도 있다.

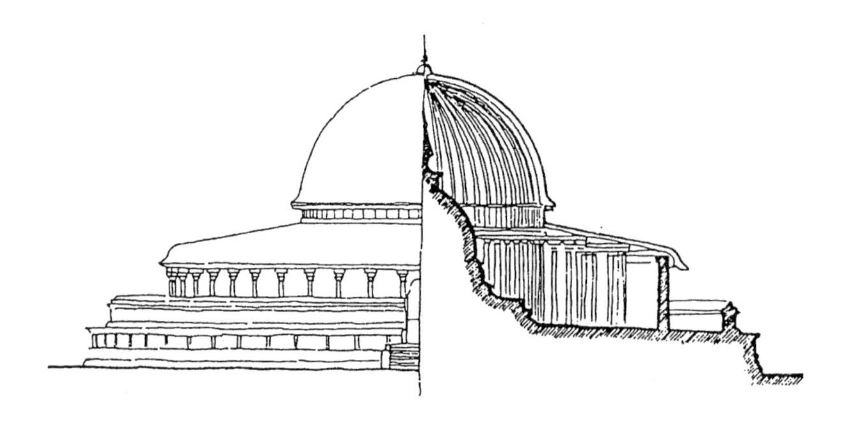

■Thuparama를 덮고 있는 Paranavitana의 복원도(출처 : Adrian Snodgrass, 『The Symbolism of the Stupa』, p.340)

자료는 알려진 바가 없다. 원래 건축적 특징을 많이 가지고 있었으나 보수 후에는 찾아보기 어렵다.

란카라마의 큰 특징 중 하나로 역시 탑을 둘러싼 돌기둥을 들 수 있다. 돌기둥군은 3개의 동심원을 형성하고 있는데, 첫 번째 원은 20개, 두 번째 원은 28개, 세 번째 원은 40개의 기둥으로 이루어져 있다. 가장 안쪽 첫 번째 원을 형성하는 기둥은 높이가 16피트 8인치로서 스투파의 바닥면보다 높이 세워져 있으며, 두 번째 원의 기둥 높이는 16피트 11인치로서 포장된 부분보다 높은 곳에 세워져 있기 때문에 두 원의 기둥의 꼭대기는 5인치의 차이가 난다. 세 번째 원의 기둥은 높이가 12피트 5인치이다.

중요한 것은 란카라마와 투파라마 모두 스투파를 둘러싸고 있는 벽돌 벽이 2개의 바깥 원 돌기둥 사이에서 발견되었다는 점이다. 이로 미루어 보아 현재 폴로나루와 달라다 말루와 유적군(Dalada Maluwa)[149]의 와타다게(Vatadage)와 같은 형태로, 탑 주변을 벽돌 벽으로 감싸고 돌기둥이 세워져 있는 '스투파 하우스(Stupa house)'가 탑을 감싸고 있는 형태였음을 추측해볼 수 있다.

이상 여러 학자에 의해 많은 주장이 제기되었던 돌기둥은 세 열의 돌기둥 중 가장 바깥 부분의 돌기둥 동심원과 중간의 돌기둥 동심원 사이에 벽돌 벽이 위치했던 점, 투파라마와 란카라마의 불탑 크기가 다른 불탑에 비해 비교적 작은 점, 두 탑이 모두 기원전 1세기경에 세워졌다는 점 등으로 미루어 보아 불탑을 보호하기 위한 스투파 하우스가 있었던 것으로 보인다. 12세기에 세워진 것으로 알려진 폴로나루와의 와타다게가 불치를 봉안하였던 불치정사였던 것으로 미루어 보아 투파라마와 란카라마 또한 그에 버금가는 불사리 봉안용 탑이었고, 기둥의 형식으로 유추해 보았을 때 탑이 보수되는 과정인 8~12세기 사이에 투파라마와 란카라마, 암바스탈라 탑의 기둥 등이 동 시기에 추가적으로 세워졌다고 추정된다.

149 스리랑카에서는 불치를 '달라다(Daladā)'라고 부른다. 달라다 말루와 유적군 안에 불치정사 유구인 아타다게(Atadage), 와타다게(Vatadage), 헤타다게(Hetadage)가 있다.

### 월석(月石)과 가드스톤(Guardstone, 소맷돌), 그리고 계단의 조각

입구가 보통 남북으로 두 개 나 있던 인도 산치 탑과는 달리 스리랑카의 불탑은 입구가 보통 네 곳으로 나 있다. 입구에서 가장 처음 보게 되는 것은 입구의 계단 폭과 지름이 같은 반원형의 석판이다. 보통 이것은 '문스톤(Moonstone, 月石)' 이라고 알려져 있는데 스리랑카에서는 이것을 '산다카다 파하나(Sandakada Pahana)' 라고 한다.

석판의 양 옆으로는 아치형 '가드스톤(Guardstone)' 인 '무라갈라(Muragala)' 가 세워져 있는데, 이 무라갈라의 소재는 총 세 가지 정도로 분류해 볼 수 있다. 초기에는 민무늬의 돌이었으며 시간이 지날수록 점점 복잡하고 다양해지는 변화를 보여준다. 민무늬의 돌의 다음 단계에서는 화려한 장식이 되어 있는 항아리에 코코넛 꽃이 꽂혀 있는 형태를 보이는데 이를 '푼카라싸(Punkalasa)' 라고 한다. 이후 약샤(Yaksa)와 약시, 난장이와 약샤가 항아리를 들고 허리에 허리띠와 동전목걸이를 하고 있는 조각인 '바히라와(Bahirawa)' 가 나타나게 된다. 마지막으로 머리가 여럿 달린 코브라 형상의 신, 나가(Naga)가 조각된 무라갈라가 나타나는데, 이를 '나가라자(Naga-raja)' 라고 한다. 나가 신은 저수지의 벽면[150]이나 탑 내 사리함의

150 미힌탈레의 나가 포쿠나(Naga Pokuna)가 유명하다.

1. Muragala(guardstone), Koravak Gala
2. Koravak Gala
3. Muragala, Koravak Gala and Sandakada Pahana(moonstone)
4. Sandakada Pahana(moonstone), Muragala, Koravak Gala

네 문을 지키는 수호신으로 유명한데, 무라갈라에 도입되면서 나가는 의인화되어 꽃이 담긴 항아리를 한 손에 들고 다른 손에는 식물을 들고 있다.

계단의 좌우에는 용머리와 곡선 덩굴모양의 돌난간이 위치해 있는데 이를 '코라박 갈라(Koravak Gala)' 라고 한다. 주로 이 돌난간은 용머리 모양으로 표현한 경우가 많아 'Dragon' s figure' 라고도 하는데 폴로나루와 왕조 시절에 불치를 모신 사원이었던 폴로나루와의 와타다게의 경우, 중간에 계단참이 있어서 한쪽 면의 입구에서 최대 네 개의 무라갈라(Guardstone)와 네 개의 코라박 갈라(龍頭 난간), 그리고 두 개의 산다카나 파하나(Moonstone)을 발견할 수 있다.

## 스리랑카 불탑의 유형

스리랑카의 불탑은 인도 산치 탑의 형식에서 유래된 복발형이 주류를 이룬다. 물론 쿼드랭글의 사트마할 프라사다(Satmahal Prasada)처럼 단을 이루는 형식도 있지만 이는 예외적인 것이고 대부분이 복발형이다. 다만 초기불탑은 인도탑과 아주 유사하였을 것이나 중세 이후에는 기단부와 상륜부가 발달하고 인도탑에 비하여 규모가 압도적으로 커진다.

아누라다푸라 왕국의 왕자 마하세나가 세운 루후나 공국에서 마하세나 왕 통치시기에 지어진 불탑 중 팃사마하라마 차이티야는 스리랑카 메가 스투파의 시초로 기록되어 있으며, 아누라다푸라의 미리사바티야(Mirisaveti Stupa), 루완웰리 마하세야 다고바, 제타바나 스투파, 아바야기리 스투파 등이 팃사마하라마 차이티야의 뒤를 이어 증축되어 현재의 메가 스투파 형태를 갖추었다. 미리사바티야는 두투 게무누(Dutu Gemunu)왕 이후 여러 번 확대 작업을 거쳤으며, 마지막 작업은 1995년 스리랑카 정부에 의해 이루어졌다. 초창기 당시 91.4m 높이였던 미리사바티야와 함께 그 후에 지어진 제타바나 스투파는 121.9m의 높이로 최고의 높이를 가진 불탑이다.

메가 스투파는 이름처럼 탑신과 상륜부의 규모가 많게는 수십 배 커지는데 이렇게 커진 상륜부를 받치기 위해서는 그만큼 큰 규모의 탑신이 필요하게 된다. 이때 종 모양의 탑신은 상륜부를 받는 탑신의 상부 폭이 좁아서 상대적으로 안정적이지 못하다. 따라서 메가 스투파는 그 규모 때문에 가로로 긴 타원을 장축으로 2등분한 형태의 탑신을 갖는 Bubble type에 속하는 것이 대부분이다.

반면 Bell type에 속하는 암바스탈라 다가바와 투파라마 스투파는 메가 스투파가 아닌 소형불탑으로, 앞서 말했듯 스투파 하우스가 있었던 흔적으로서 탑 주변에 2-3열의 돌기둥이 남아 있다. 또한 소위 테라스라고 칭하는 넓은 하부 기단부가 대부분 잘 구축되어 있다.

데바남피야 팃사 왕에 의해 지어진 투파라마는 스리랑카 불탑 가운데 최초로 지어진 탑으로 기록되고 있다. 과거의 투파라마에 관한 기록은 탑의 규모가 크지 않으며 현재의 투파라마 또한 스리랑카에 현존하는 메가 스투파에 비해 훨씬 작은 규모이다. 폴로나루와의 와타다게(Vatadage)와 같은 형태로 중앙에 작은 불탑과 동서남북 방향에 불상 혹은 제단, 혹은 이미지 하우스가 위치하고 그들을 보호하는 벽돌 벽과 돌기둥이 지붕을 지탱했을 것으로 보인다.

또한 아누라다푸라의 번영을 이끈 파라크라마 바후 왕(1153~1186)은 전임 왕들이 지은 불탑을 크게 확대하는 작업을 하였는데 그가 지은 키리 베헤라(Kiri Vehera)는 현재까지 축조 당시의 벽돌조와 회반죽이 그대로 남아있어 중요한 의미를 갖는다.

### 고층형 불탑 : 사트마할 프라사다(Satmahal Prasada)

스리랑카의 불탑 유형은 크게 인도 시원형, 독특한 양식의 불탑으로 방형 하부 기단을 갖는 테라스형 불탑과 고층형 불탑으로 구분해 볼 수 있다. 이 중 고층형 불탑은 이형불탑으로 분류되며 현재까지 그 사례가 한 개 발견되었는데, 폴로나루와의 달라다 말루와 유적군에 위치한 사트마할 프라사다(Satmahal Prasada)가 그것이다.[151] 사트마할 프라사다의 Sat는 숫자 '7'을 뜻하며 사트마할 프라사다는 '7층의 궁전'을 말한다. 현재 여러 학자들은 폴로나루와의 모든 건축물과 같이 사트마할 프라사다가 12세기에 지어진 것으로 추정한다. 7층으로 된 견고한 스텝피라미드(step-pyramid,

151 기록상으로 아누라다푸라의 나카 베헤라(Naka Vehera)로 알려진 붕괴된 건축물이 사트마할 프라사다와 같은 유형의 불탑이었을 것으로 추정되며, 사각형 구조 위로 벽돌 흔적이 남아 있으나 현재는 최하부층만 남아 있다.

혹은 ziggurat)형 탑인 사트마할 프라사다는 11.8m의 사각형 기단이 최하층에 위치하여 위로 올라갈수록 크기가 점점 줄어드는 형태를 보인다. 각 층의 높이는 다양하며 현재 건물의 높이는 16.2m이다. 최상층이 없는 현 상태에서는 본래 탑의 상부구조가 어떻게 마무리되어 있었는지 알 수 없고, 각 층의 사면 중앙부에는 아치형의 벽감과 함께 신상 조각이 있던 흔적이 남아 있다. 본래의 완전한 형태에 대해 추측하는 것은 불가능하나 사트마할 프라사다의 최하부 기단은 원래 현재의 사각형이 아닌 팔각형이었던 것으로 기록된다. 사트마할 프라사다는 스리랑카에서 거의 유일하게 남아 있는 불탑형태로 그 특이한 형태 때문에 용도와 축조 배경에 대해 많은 추측이 있어왔는데 그 중 하나는 캄보디아의 프라삿(Prasats)과 비교하는 학자들의 주장이었다. 그러나 견고함의 차이와 납골당의 유무 등을 비교해 보았을 때 사트마할 프라사다와 프라삿은 같은 용도의 건축물은 아니었던 것으로 판단된다.

한편 아누라다푸라의 나카 베헤라(Naka Vehara)로 알려진 불탑의 유구 또한 사트마할 프라사다와 같은 형식의 불탑이었을 것이라는 예측도 있으나 정방형의 최하부만 남아 있는 상태여서 현재까지는 사트마할 프라사다가 유일한 고탑형 불탑의 예라고 할 수 있다.

■고층형 불탑 사트마할 프라사다

여기서 주목해볼만한 점은 축조된 시기인데 사트마할 프라사다는 동아시아 즉 한·중·일에서 탑이 활발하게 세워지던 시기와 비슷한 시기에 세워진 것으로, 동아시아 삼국에서 다각형 불탑이 세워진 것에 초점을 맞춘다면 사트마할 프라사다의 기단 역시 본래 8각형이었다는 기록이 있다는 점에 주목할 만하다. 동아시아와 스리랑카의 문화적인 교류가 12세기 당시에도 존재했다는 점은 스리랑카 불탑연구 뿐만 아니라 한국 불탑 연구에 있어서 또한 매우 중요하다.

인도 산치대탑으로 대표되는 인도의 돔형불탑, 즉 시원형 불탑은 스리랑카 불탑 형식에 지대한 영향을 미쳤다. 이와 마찬가지로 사트마할 프라사다 또한 남인도 탄자부르의 브리하디스바라 사원(Brihadisvara Temple)이나 남인도 최초의 석조사원인 마말라푸람의 해변사원(Seashore Temple) 등으로 대표되는 드라비다 사원양식(Dravidian)의 피라미드식 탑에서 영향을 받은 것으로 판단된다. 사트마할 프라사다에 비해 두 사원 모두 시기가 앞서고 특히 해변사원의 경우 촐라 왕조의 나라싱하 바르만 2세의 재위시기인 7세기경에 건립되었으며 이후 촐라족의 침입과정에서 폴로나루와로 영향을 주었을 가능성이 있다고 판단되기 때문이다. 또한 브리하디스바라 사원의 경우 라자라자 1세(985~1014)의 통치시기에 창건된 이후 시바 신에게 헌정되기는 하였으나 한창 폴로나루와로 천도가 진행되던 10세기경에 세워진 사원이기 때문에 사트마할 프라사다가 세워질 당시 이 드라비다 사원양식이 영향을 크게 주었던 것으로 보인다.

### 돔(Dome)형 불탑의 분류

불교 기록서의 하나인 『비자얀타 포타(Vijayantha Potha)』에서는 돔형불탑을 돔의 형태에 따라서 일곱 가지 유형으로 나누었다. 이 일곱 가지 유형은 ① Bell shaped(Ghantakara), ② Overturned Goblet shaped(Ghat a kara), ③ Heap of Paddy shaped(Dhanyakara), ④ Bubble shaped (Bubbulakara), ⑤ Square shaped(Padmakara), ⑥ Gooseberry shaped (Amalaka), ⑦ Overturned Plate shaped 이다. 이는 스리랑카의 불탑이 초기에 건립될 당시에는 다양한 형태가 모두 나타났을 가능성이 있으나 현

〈스리랑카 불탑의 분류형식〉

| 7 types of Sri Lanka Stupa (『Vijayanta Potha』) | 4 types of Sri Lanka Stupa (현존양식) |
|---|---|
| Bell shaped | Bell type |
| Overturned Goblet shaped | Pot type |
| Heap of Paddy shaped | Mound type |
| Bubble shaped | Bubble type |
| Square shaped | 현존 유구확인 불가 |
| Gooseberry shaped | |
| Overturned Plate shaped | |

재 남아 있는 불탑은 대부분 종 모양 혹은 버블 모양의 돔을 하고 있다. 따라서 이 일곱 가지 유형은 과거에 있었던 것으로 기록상으로만 존재하며 현존하는 스리랑카 불탑에서 나타나지 않는 세 가지 유형은 확인이 불가함으로 돔형 불탑 유형을 Bell type, Jar type, Mound type, Bubble type으로 나누어 볼 수 있겠다.

1) 종형(鐘形) : Bell type(Ghantakara)

스리랑카에 최초로 세워진 불탑인 아누라다푸라의 투파라마와 미힌탈레의 암바스탈라 다가바는 종 모양 형태의 돔을 가진 대표적인 불탑이다. 비교적 초기에 건립된 투파라마와 암바스탈라 다가바는 규모와 탑 주변의 돌기둥 유구 등을 보았을 때 매우 유사한 형태의 불탑이라고 할 수 있다. 대표적인 Bell type 불탑인 투파라마의 높이는 3.45m, Bubble type인 아바야기리 비하라은 첨탑 부분(spire)이 깨져 있음에도 불구하고 72m에 육박한다. 탑의 상륜부 또한 메가 스투파의 상륜부와 달리 다소 짧다.

종 모양의 불탑은 '간타카라(Ghantakara)' 라고 일컬어지며, 메가 스투파인 버블 타입과 함께 스리랑카의 대표적이고 가장 흔한 유형의 불탑이다. 건립 당시에 이 유형이 아니었다고 하더라도 여러 차례의 보수 과정을 통해 스리랑카의 대부분의 소형 불탑이 간타카라에 속한다.

2) 항아리형 : Jar type(Ghatakara)

항아리를 엎어 놓은 모양의 돔 형태를 한 불탑 유형은 '가타카라

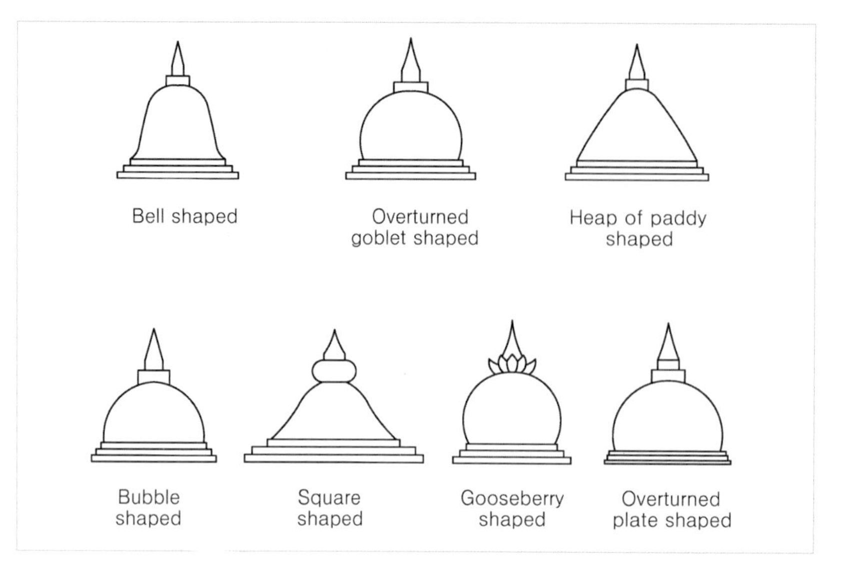

■스리랑카 탑 이미지

(Ghatakara)' 라고 불리는데 본래 이 유형은 Goblet shaped stupa, Overturned Goblet shaped stupa라고 이름 지어졌으나 쉽고 익숙한 단어로서 Jar로 goblet을 대체하기를 제안한다. 대표적인 예는 스리랑카 남부의 함반토타 지역 고대 불교 사원의 시툴파와 라자마하 비하라(Sithulpawwa Rajamaha Viharaya)를 들 수 있다. 시툴파와 라자마하 비하라는 실론의 남부 지역을 통치했던 카반팃사 왕에 의해 지어진 사원으로 함반토타의 키린다(Kirinda) 지역에 위치해 있으며, 여러 기의 불탑과 몇 개의 동굴 사원, 불상 여러 기와 스투파하우스 한 개, 이미지하우스 몇 개 정도가 광범위한 지역에 분포되어 있다. 이 중 한 동굴 사원에는 기원전 3세기의 것으로 보이는 고대 벽화(ancient paintings)가 그려져 있다. 이 벽화는 바위 표면에 얇게 석고를 바른 후 주로 붉은 색과 노란 색을 사용해 그려졌다. 불탑은 주로 바위 산 정상의 평평한 부분에 세워져 있고 입구가 두 곳으로 나서 남북 양쪽으로 접근이 가능하다. 다른 이름으로는 치탈라 파바타베헤라(Chithala Paawatha vehera), 혹은 민간에 전승되기로는 팃사 테라 차이티야(Tissa Thera Chetiya)라고 불린다. 이는 수련승이었던 팃사라는 사람이 아라한의 경지에 이르고 난 후에 그의 유골이 불탑 안에 봉안되었기 때문이다.

마하밤사에 따르면 바사바 왕(King Vasaba)은 시툴파와에 10개의 불탑을 지었다 한다. 기록된 바에 따르면 마할라카 나가 왕(King Mahallaka Naga, 134~146)이 불탑을 짓고 땅을 사원에 기부하였고, 그 지역의 루후나 공국의 왕이었던 다풀라 왕(King Dappula)이 곤미티가마(Gonmitigama)라는 마을을 659년에 기부하였다. 현재 이 마을은 고나갈라(Gonagala)로 파악된다. 시툴파와의 옆에는 'small sithulpawwa' 라고 불리는 다른 언덕이 있는데, 이곳에도 역시 비슷한 불탑과 건물들이 위치해있다고 한다. 바위산의 각각의 정상에 하나씩 불탑이 놓여있으며 모든 불탑이 다 기원전에 건립된 것이라고 하는데 현재의 모습을 확인하지 못해 안타깝다.

아무튼 항아리형(Jar type; Ghatakara)은 보통 스리랑카에서 발견되는 불탑의 유형이라고 보기에는 그 예가 많지 않다. 함반토타 지역은 루후나 공국의 수도였던 곳으로 스리랑카의 대부분의 왕조가 아누라다푸라 및 폴로나루와 지역에서 흥했던 점으로 보아 잠시 등장했던 유형이었을 가타카라가 보인다는 점에서 다른 지역에서는 많은 예를 찾아보기는 어려울 것으로 추정된다.

### 3) 더미형 : Paddy Heap type(Dhanyakara)

'단야카라(Dhanyakara)' 는 벼를 쌓은 더미와 같은 형태(shape of rice grain heap)의 돔을 가진 불탑의 유형을 말한다. 많은 예가 발견되지는 않고, 대표적으로 켈라니야 스투파(Kelani Seya, Kelani Viharaya stupa)를 들 수 있다. 켈라니야는 콜롬보 근처의 도시로, 이 지역 또한 외세의 침입을 피해 잠시 천도되어 길지 않은 기간 동안 왕조가 위치해 있던 곳이다. 이 유형은 간타카라의 확대 작업 동안 복발의 중하부에 재료가 더 보강되어 상대적으로 더 크고 견고한 불탑을 짓기 위한 의도에서 생겨난 것으로 보인다. 켈라니야 스투파는 높이가 27.4m로 기원전 5세기에 지어진 것으로 알려져 있는데 아무래도 후에 보수가 있었을 것으로 보인다.

### 4) 비누방울형 : Bubble type(Bubbulakara, Bubble shaped)

단어에서도 예상할 수 있듯이 '버블라카라(Bubbulakara)' 는 거품 모양의 돔을 가진 스투파를 말하며, 대표적인 예로 아누라다푸라의 대표적인 메가 스투파인 루완웰리 마하세야 대탑과 미힌탈레의 미힌두 마하 세야 대탑, 폴로나루와의 란콧 베헤라와 키리 베헤라를 들 수 있다. 버블라카라는 간타카라에 이어 두 번째로 많이 발견되는 형태이다. 거의 모든 메가 스투파 형태가 버블라카라에 속한다고 할 수 있는데, 불탑을 확대하는 작업을 많이 추진했던 파라크라마 바후 왕 때 세워진 불탑이 대부분 버블라카라에 속한다. 규모가 어마어마하게 크며 복발의 크기가 커지는 만큼 복발을 받치는 기단 또한 그 크기가 그에 알맞게 커져야만 했던 것 같다. 따라서 인도 산치 대탑에서 이루어지는 기단 상부의 탑돌이길은 그 기능이 변화하여 기단의 주위를 둘러싼 큰 폭의 샌드 테라스로 옮겨가야만 했고, 기단의 기능이 축소되면서 기단의 폭 또한 줄어들었다. 제단을 따로 놓지 않았던 이전과 달리 기단이 커짐에 따라 동서남북 네 방향을 향하는 바할카다(Vahalkada)라는 새로운 제단 구조물이 생겼다. 이 바할카다의 앞에는 낮은 테이블 형태의 단이 놓여 순례자들로 하여금 제물을 놓을 수 있도록 도왔다. 경우에 따라 이 제단에는 부처의 발바닥을 형상화한 커다랗고 널찍한 발 모양의 부조가 새겨지기도 하였다.

아무튼 이 네 가지 유형 외에도 스리랑카의 불탑에는 연꽃 모양의 상부 부재가 평두平頭 대신 놓였던 파드마카라(Padmakara, Square shaped), 평두 대신 까치밥 나무의 열매인 구스베리 모양의 상부 부재가 위치했던 아말라카라(Amalakara, Gooseberry shaped), 사발을 엎어놓은 모양의 돔 형태를 가졌던 유형 등이 있었던 것으로 기록되는데, 현재는 기록으로만 남아 있을 뿐이다.

1. Rankoth Vehera, Polonnarwa
2. Kiri Vehera, Polonnarwa

제7장

# 스리랑카의 주요 도시

콜롬보(Colombo)
캘라니야(Kelaniya)
네곰보(Negombo)
마운트 라비니아(Dehiwala Mount Lavinia)
해양 스포츠 도시 하카두와(Hikkaduwa)
네덜란드가 세운 항구도시 갈레(Galle Dutch Fort)
마타라(Matara)
탕갈라(Tangalla)
함반토타(Hambantota)
소금 생산지 함반토타(Hambantota)와 팃사마하라마(Tissamaharama)불탑
스리랑카 종교들의 성지 카타라가마(Kataragama)
북부 자프나(Jaffna)지역

# 스리랑카의 주요 도시[152)]

## 콜롬보(Colombo)[153)]

스리랑카에는 수도인 콜롬보를 비롯하여 아누라다푸라와 폴로나루와, 캔디와 르와라엘리야, 네곰보 등 주요도시가 있다. 콜롬보는 수 세기 동안 번성한 항구도시의 역할을 해 왔는데 활력이 넘치는 경제도시일 뿐만 아니라 현재와 과거가 융해된 도시이다. 경제중심지로서 항구의 번잡함이 상업, 금융, 쇼핑지구와 잘 융화되어 있는 모습을 하고 있다. 콜롬보는 스리랑카 최대의 도시이며 인구 약 110만의 행정수도이다. 1985년에 행정의 효율을 위해 두 개의 수도를 두고 있다. 즉 행정수도는 콜롬보이고, 또 다른 입법과 사법의 수도는 콜롬보 동쪽 10㎞ 떨어진 곳인 스리 자예와르데네푸라 코테(Sri Jayawardenepura Kotte)이다. 콜롬보는 아시아와 유럽을 잇는 해상 수송의 중계지로서 발전해 왔고 지금은 이 나라의 경제, 문화의 중심지이다.

오랜 과거에 시골 어촌 마을이었던 콜롬보는 보석과 향신료를 취급하는 아랍 상인들에 의해 항구로 개척되었고 서구 열강들의 주목을 받으며 차츰 아시아와 유럽을 잇는 중요한 거점 항구도시로 발전하게 된 것이다. 7세기경 아랍 상인들이 섬에 들어오면서 이곳의 향료와 보석을 서양국가의 부와 교환하기 위해 콜롬보를 교역장으로 이용하기 시작하였다. 콜롬보는 이때부터 동서양을 잇는 해양교역의 중심도시로 밖으로 열린 항구가 되었다.

152 스리랑카의 주요도시에 대한 소개는 필자가 직접 가본 곳, 콜롬보, 네곰보, 켈라니야, 갈레, 마타라, 함반토다, 자프나 등이고 가보지 못한 곳은 인터넷 검색 등을 통하여 얻은 정보를 새롭게 꾸민 것임을 밝힌다. 특히 스리랑카 한인회 홈페이지의 좋은 정보를 참고하였다. 제 7장의 내용은 스리랑카 방문자들에게 정보를 제공한다는 차원이다.

153 cafe.daum.net/Srilanka/JYXw/325 스리랑카. 를 참조함.

1. 고기잡이를 준비하는 어부들
2. 콜롬보 해안가

대해양시대에 접어들자 16세기에는 포르투갈, 17세기에는 네덜란드, 18세기에는 영국으로 이어지는 식민 지배 하에서 본격적인 항만 중심도시로 발전하게 되었다. 무더운 지방에서만 자라는 가로수, 식민지시대의 분위기를 강하게 풍기며 도시 중심에 서 있는 시계탑과 오랜 전통을 지켜오고 있는 서양식 호텔, 빽빽하게 늘어선 빌딩 등 콜롬보를 대표하는 이런 국적 없는 풍경은 이 도시의 역사 그 자체이기도 하다.

한편으로는 아시아의 여느 도시와 마찬가지로 소란스럽고 무질서한 이 도시는 스리랑카에서 '가장 스리랑카답지 않은 도시' 라고 불린다. 스리랑카의 도시이면서도 외국인에 의해 만들어진 곳이 바로 항구 도시 콜롬보인 것이다. 그럼에도 불구하고 인도의 델리나 봄베이보다는 훨씬 깨끗하고 현대적으로 잘 발달되어 있으며 유럽의 분위기를 풍긴 곳이다. 비록 콜롬보가 스리랑카의 다른 도시보다 매력적인 요소가 적은 것은 사실이지만, 그래도 아직은 다채롭고 풍요로운 곳이기 때문에 비로소 방문자들은 다양한 문화가 조화를 이루며 역동적으로 움직이고 있음을 느끼게 된다. 이러한 다양성과 역동적인 힘이 스리랑카를 움직이게 하는 것이라 할 것이다.

스리랑카에서 제일 큰 도시 콜롬보는, 소란스럽고 흥분으로 술렁이는 조금 광적인 도시이다. 여기저기 시설들이 파손되어 있고 혼란한 교통이 혼란스럽고, 자주 정전이 되는 정도는 대충 넘겨버리는 곳이다. 그러나 이 도시 밖으로 조금만 나가보면 고대의 숨결이 머물러 있는 유적과 야자수가 늘어선 해안, 나무가 울창한 산림을 비롯해서 매력적인 장소들이 많다. 현재 콜

1. 콜롬보 시내 건물
2. 콜롬보 시내 고층 빌딩
3. 콜롬보 마켓 거리

롬보는 식민지 시절의 흔적을 간직한 포트 지역을 중심으로 크게 내륙 쪽의 상점구역과 인도양의 넓은 바다가 시원스럽게 펼쳐진 해변 쪽 신시가지로 나뉜다.

### 관청이 많은 포트(Fort)지구

콜롬보에는 활기찬 도시에서 맛볼 수 있는, 경쾌함과 스리랑카의 도시로서 느낄 수 있는 매력이 아주 많다. 예를 들면 콜롬보의 중심지로서 식민지적인 분위기가 가장 짙게 남아 있는 관청가 포트(Fort)지구와 스리랑카 최고의 페타 바자르(Pettah Bazaar) 노천시장이 번성해서 활기가 넘치는 서민의 거리, 페타(Pettah)지구가 그곳이다. 성격을 전혀 달리하는 이 두 지역은 아주 작은 운하를 사이에 두고 이웃해 있다. 이 모습은 아시아의 다른 도시가 흔히 보여주는 혼돈과는 다르게 잘 조화되어 공존하고 있다.

이 도시가 외국인에 의해 생겨났으며 서양적인 관습이 널리 퍼져 있어서 가장 스리랑카답지 않은 도시라고 하더라도 역설적으로 스리랑카다움을 잃지 않고 있는 것이다. 도시민들이 열심히 살아가는 삶의 냄새는 콜롬보 어느 곳을 가든지 진하게 느껴진다. 노점상에서 손님을 부르는 소리, 사람을 가득 싣고 달리는 버스, 도시에 있는 모든 것이 이곳 사람들의 생활 속으로 안내해 주는 열쇠이다.

콜롬보 북쪽의 포트(Fort)지구는 스리랑카의 비즈니스지역으로 고급 쇼핑가 요크 거리(York Street) 등 현대적 광경과 함께 1938년 세워진 포트의 상징인 시계탑(Clock Tower), 여왕의 저택으로 알려진 대통령 궁, 옛 국회

■콜롬보 포트 지구(출처 : MooreTravelTips.com)

의사당 등 과거 식민시대 제국의 분위기를 자아내는 유럽풍 건물들이 있어 유럽풍 도시의 면모를 지니고 있다. 주변에는 기차역이 있고 유럽풍의 르네상스식 건물과 현대식 고층건물이 즐비하다.

오늘날, 포트지구는 넓은 도로에 접한 상가와 근대 건물, 좁은 거리에는 사람들로 북적이는 활기찬 거리로 금속품, 섬유, 의류, 화학 등의 제조업이 발달한 코롬보의 비지니스지역의 핵심으로 국회, 관공서, 은행 등이 있다. 포트의 요크(York) 거리는 고급 가게들이 즐비해 있는 쇼핑 거리이다. 물론 가까이에는 재래시장도 있다.

'포트(Fort)' 라는 명칭이 16~18세기 동안 포르투갈과 독일의 점령지로서 군사적인 요새로 사용되면서부터 유래되었다. 그다지 크지 않은 포트지구내에는 140년 전에 등대로 사용되었으나, 지금은 시계 역할만으로 남아 있는 시계탑이 있고, 밀러(Miller)건물, 중앙 우체국, 차터드은행 등의 대리석과 유리를 주재료로 하는 오래된 건물이 있는가 하면, 현대식 각종 비지니스 빌딩과 음식점이 공존하는 곳이다.

여기서 남쪽으로 가면 갈레 페이스 그린(Galle Face Green)이 나오는데, 해안가에 넓게 퍼진 잔디와 크리켓 경기하는 사람, 연 날리는 사람, 약

속장소에서 기다리는 연인들과 어우러져 인상적인 경치를 이룬다. 조금 더 남쪽으로는 시나몬 가든(Cinammon Garden)이 있는데, 이 도시에서 부자들이 사는 곳으로 가장 세련된 지역이다. 멋있는 고급 맨션주거와 나무가 늘어선 거리이고 가까이에는 콜롬보에서 자랑하는 가장 넓은 공원이 있다.

### 노천시장 페타 바자르(Pettah Bazaar)지구

포트지구의 동쪽은 스리랑카 최고의 노천시장이 번성하여 활기가 넘치는 서민의 거리 페타 바자르(Pettah Bazaar)지구이다. 스리랑카의 전국에서 모든 물자가 이곳으로 집중되는 번화한 상점가인 이곳은 바둑판 모양으로 도로가 교차하는데 어디를 가도 상점뿐이다. 이곳을 여유 있게 거닐면서 보게 되는 온갖 종류의 물건들은 – 과일, 채소, 고기, 보석, 금, 은, 놋쇠와 양철 고물 등 – 외국인 관광객에게 이국의 신기함을 느끼게 한다. 따라서 이곳 콜롬보는 외국인에 의해 만들어졌고 서양적 관습이 널리 퍼져 있어 '가장 스리랑카답지 않은 도시'로 불리면서도 스리랑카다움을 잃지 않고 있다.

문화애호가라면, 훌륭한 역사적 작품들이 소장된 국립박물관과 이 지역 예술가들의 작품이 주로 전시되는 미술관, 그리고 시내의 많은 이슬람 사원과 불교, 힌두교사원을 방문해 보는 것도 좋을 것이다.

페타라는 말은 인도출신으로 스리랑카에 사는 인종들이 사용한 타밀어에서 유래된 "포트의 외곽도시(The town outside the Fort)"라는 뜻이다. 페타는 포트지구(The Fort)의 북쪽 2km 떨어진 곳에 자리 잡고 있는 스리랑

■1, 2. 페타 바자르의 풍경
3. 갈레 페이스 그린

카 최대의 상점가로, 작은 숍과 마켓, 노상점 등 동양 특유의 시장의 모습을 지니고 있다. 일본 전자상가, 스위스 시계, 리바이스 진 등의 현대식 쇼핑몰과 더불어 거리에 쏟아져 나온 노점상에서는 토속적인 장터의 분위기를 느끼며, 쇼핑을 즐길 수 있다. 페타 버스 터미널도 눈에 띈다. 빨간버스는 국가공영이고 흰 버스는 개인회사가 운영한다고 한다.

### 갈레 페이스 그린(Galle Face Green)

포트지구에서 남쪽에 있다. 해안가에 넓고 푸르른 잔디가 깔려 있어 부르는 이름이다. 인도양에 바로 접한 녹지대로서 1895년 영국통치시대에 만들어진 공원으로 이곳에서 보는 일몰은 장관이다. 이곳에 국회의사당 등의 영국풍 권위건축이 자리하고 있다. 또한 내륙 쪽에는 강가 라마 호수와 베이라 호수라는 두 개의 호수가 있으며 해안 쪽의 작은 호수 위에는 아름다운 불교사원이 떠 있다. 이곳에서 좀 더 가면 콜롬보에서 제일 부자촌인 시나몬 가든이 나온다.

### 콜롬보 국립 박물관(Colombo National Museum)

마하반사(Mahavansa)에 자리잡고 있는 콜롬보 국립박물관은 1877년에 아시아 왕립협회(Royal Asiatic Society)의 실론 브랜치(Ceylon Branch)의 건의로 당시 영국 식민지 총독 윌리암 헨리 그레고리 경(Sir William Henry Gregory) 때 건립된 스리랑카 최초, 최대의 박물관이다. 이 박물관은 동남아시아 최대의 박물관으로도 그 중요성을 인정받고 있다. 이 박물관은 건축가 제임스 스미서(James Smither)가 이태리 고전건축양식으로 설계를 하였다.

고대로부터 근대에 이르는 유물 외에도 가면, 민속관련 자료, 광물, 곤충표본 등이 빽빽하게 전시되어 있다. 아름다운 하얀 건물은 당시의 건축 양식을 잘 전해주고 있으며 1층에는 주로 역사관계 유물이 전시되어 있는데 아누라다푸라 시대의 불상, 폴로나루와 시대의 브론즈 불상, 캔디 왕조시대의 옥좌 등 볼만한 것이 많다.

■콜롬보 국립 박물관의 전경과 내부
(출처 : www.museum.gov.lk)

1977년에 들어서야 문화유물과 스리랑카의 자연유물 등의 본격적인 수집에 이루어졌다. 스리랑카 자연사를 보여주는 유물을 전시하기 위해서 문화유물 전시실과 자연사 전시실로 박물관을 구분하였다. 자연사 박물관은 콜롬보 국립박물관 내에 건립하게 되어 관람객은 한 건물 내에서 두개의 박물관을 관람할 수 있게 되었다.

역사시대 이후, 10만 개 이상의 다양한 고대시대의 동전들이 전시되고 있다. 캔디시대의 찬란한 역사를 보여주는 스리 위크라마 라자싱헤(Sri Wickrama Rajasinghe)왕의 왕좌, 검, 왕관, 지휘봉이 전시되어 있다. 또한 전통무용에 사용되었던 가면, 수 많은 악기 등이 전시되고 있으며, 그 외에도 방대한 양의 유물이 보관되고 있다.

1995년에 콜롬보 국립박물관에서는 '스리랑카 청동조각 유물전(Heritage of Bronze Sculpture in Sri Lanka)' 라는 이름의 전시회가 있었다. 그때 스리랑카 고대 문화와 관련된 수많은 뛰어난 예술품들이 전 세계에 알려지게 되었고, 이후, 국외에서 전시를 갖게 되는 계기가 되었다. 또한, 야자잎 필사본 패엽경 컬렉션에는 스리랑카에서 가장 오래된 야자잎 필사본인 'Chullavagga' 가 보관되고 있다.

박물관이 보관하고 있는 유물들은 고대사 연구에 중요한 자료를 담고 있어, 스리랑카 대통령은 보존을 위해 1천만 스리랑카 루피를 승인하였다.

이외에 볼 만한 곳으로 비하라 마하 데비 공원( 시나몬 가든 )과 스리랑카 독립의 아버지 고 반다라나이케 수상을 기리는 반다라나이케 기념 국제

회의장(B.M.I.C.H.), 아시아 최대의 동물원 Dehiwala Zoological Garden이 있다.

### 켈라니야(Kelaniya)

켈라니야는 콜롬보 동북쪽 약 9㎞ 지점에 있는 불교의 성지이다. 기원전 5세기경 석가모니가 세 번째로 스리랑카를 방문했을 때 이곳에서 설법하고 또 강물에서 목욕을 했다는 곳이다. 스리랑카 사람들에게 이곳은 지극히 성스러운 곳이다. 이 전설에 의하여 이를 기념하기 위하여 라자 마하 비하라 사원이 세워졌는데, 경내의 흰 불탑은 B.C. 3세기의 것이다. 불탑형식으로 구분하자면 볏단을 쌓은 더미형식(Paddy Heap type ; Dhanyakara)의 불탑으로 보기 드문 예이다. 불탑과 본당, 그리고 불전, 기도실, 승려들의 거처로 가득하다. 외부에는 많은 불상과 문스톤으로 장식되어 있고, 본당 내부에는 19세기의 벽화 등이 있다. 2013년에는 정홍원총리가 이곳을 방문하였다.

해마다 2월에는 페라헤라 축제가 열리며, 캔디의 페라헤라 축제와 맞먹는 대규모 행렬이 이곳 켈라니야 거리를 누빈다. 수백 마리의 코끼리 떼 사이에서 춤꾼들이 민속무용을 추는데, 훌륭하게 치장한 코끼리가 등에 불사리를 싣고 나타나는 장면이 하이라이트이다.

1. 켈라니야 사원 전경
2. 기도하는 사람들

## 네곰보(Negombo)

네곰보는 콜롬보에서 북쪽으로 약 35㎞ 떨어진 해안에 위치한 스리랑카 최대의 어항 도시이다. 그래서 네곰보를 느끼고 싶다면, 아침에 서둘러 해안의 어시장으로 나가보는 것이 좋다. 특히 국제공항이 가깝기 때문에 최근 환승 승객을 위한 리조트 호텔들이 도시 북부에 세워져 리조트 지역으로 알려지게 되었다. 콜롬보에 비하면 국제공항에 더 가까운 도시이다.

그러나 네곰보의 원래 모습은 어디까지나 어민들의 도시이다. 콜롬보나 갈레와 마찬가지로 항구로서 오랜 역사를 지니고 있다. 아랍 상인들의 계피 무역 기지로 사용된 이후 포르투갈에서 네덜란드로 이어진 식민지시대에서도 스리랑카를 지배하기 위한 중요 항구였다. 이러한 역사는 지금의 네곰보에도 큰 영향을 미치고 있는데 형체가 남아 있는 것은 성채와 운하이다. 성채는 네곰보를 항구로 키워온 거대한 만의 입구에 자리하여 도시를 지켜보고 있고 운하는 도시 중앙을 가로질러 흐른다. 이 운하는 길이가 129㎞에 이르며, 지금도 사람들의 생활 물자를 운송하는 동맥으로 사용되고 있다. 이 운하를 배 타고 즐기는 운하 투어도 해볼 만하다.

■네곰보 어시장(출처 : http://imatraveller.livejournal.com)

네곰보 주민들의 생활을 지탱해 주고 있는 것은 그리스도교이다. 포르투갈인이 이곳에 와서 전도를 시작했기 때문에 지금은 주민 대부분이 기독교 교인이다. 때문에 도시 곳곳에서 멋진 교회를 쉽게 볼 수 있고 주변에는 십자가 줄지어선 묘지도 보인다. 특히 세바스천성당이 대표적인 곳이다.

네곰보의 참모습을 보고 싶다면 이른 아침 해안에 늘어서는 어시장에 가보아야 한다. 어선이 육지에 닿을 때마다 해안은 사람과 배, 생선 그리고 생선을 노리는 까마귀로 뒤덮인다. 이른 아침 해안을 찾는 사람들에게 아침 식사를 파는 천막들까지 들어와서 법석 거리는 모습은 점심때까지 계속된다.

한편 네곰보의 리조트 지역은 서구화된 멋진 비치 로드이다. 여기에는 외국인들이 많고, 여행자들이 불편하지 않도록 쾌적한 설비가 갖추어져 있다. 특히 민박시설이 잘 되어 있고 값도 싸다.

### 마운트 라비니아 (Dehiwala Mt. Lavinia)

콜롬보에서 남쪽으로 약 12㎞ 떨어진 곳에 있는 마운트 라비니아는 황금색으로 빛나는 모래사장을 끼고 인도양 쪽으로 볼록 튀어나온 곶串이 있는 휴양지이다. 어찌 보면 콜롬보의 교외 같은 느낌을 주는 곳이다. 영국 식민지 시대의 총독들이 피서지로 개발하여 스리랑카에서는 가장 오래된 휴양지로 꼽힌다. 지금도 곶 위에는 식민지 시대에 세워진 멋진 호텔이 있어 이국적인 운치를 한결 더 느끼게 한다. 특히 콜롬보의 어수선한 분위기와 비교하면 그 조용함 때문에 편안하다.

총독이 라비니아라 하는 스리랑카 아가씨를 사랑하게 되어 그 이름을 기

■스리랑카의 휴양지

리려고 호텔에 그녀의 이름을 붙였다고 한다. 고향을 떠나 머나먼 이곳의 남쪽 섬에 오게 된 영국인이 마음을 편안하게 해주는 아가씨를 사랑한 전설의 무대로 이곳만큼 어울리는 곳도 없을 것이다. 곶으로 나가 바닷가를 한눈에 보면 아득한 북쪽 바다 위에 역시 인도양을 향해 솟아나온 콜롬보 해안의 빌딩들이 보인다.

집들은 넓은 간격을 두고 평화롭게 이어져 있으며, 여유로운 사람들의 모습이 눈에 띈다. 이곳은 콜롬보 수도권의 일부가 된 지금도 피서지로서의 한적한 모습을 간직하고 있다. 그런 한가함과 빛나는 햇빛, 식민지시대의 모습을 보이는 고풍스러운 호텔이 과거를 떠올리게 한다.

이처럼 최근 스리랑카에는 현대적인 시설을 갖춘 휴양지가 해안선을 따라 여러 군데 생겨났다. 일상으로부터 벗어나 조용히 휴식을 취하기 위한 휴양지로서는 스리랑카에서 이곳보다 더 나은 곳은 없을 것이다.

## 해양 스포츠 도시 히카두와 (Hikkaduwa)

갈레의 바로 위에 있는 해안도시 히카두와는 아름다운 바다와 해변으로 스리랑카에서 손꼽히는 인기 있는 리조트 지역이다. 스리랑카 남부해변에서 가장 아름다운 곳을 꼽는다면 히카두와와 미리사를 들 수 있다. 다이빙, 윈드서핑을 비롯해서 해양 스포츠라고 부를 수 있는 것은 대부분 체험할 수 있는 곳이다. 그러나 히카두와의 매력은 뭐니 뭐니 해도 관광객을 수용하는 능력에 있다. 특히 이곳이 리조트로 발전한 것은 앞바다에 산호초가 있기 때문이다. 스리랑카 남서 해안 중 이곳만큼 산호초가 발달해 있는 해안은 없다. 언제부턴가 이 산호초 때문에 서양의 관광객이 모이게 되었고, 한때는 인도의 고아 지역처럼 누드 비치가 들어선 적도 있다. 계획에 의해 개발된 리조트와는 달리 히카두와는 이런 서양 젊은이의 문화에 의해 만들어 진 것이다. 비치 로드에는 서구화된 레스토랑과 찻집, 토산품점들이 많이 늘어서 있다. 예전에 비하면 방문하는 사람의 수가 꽤 줄었다고 하지만 이곳에만 머물기 위해 스리랑카를 찾는 유럽인도 적지 않다. 그들은 1~2개월씩 히카두와에서 바캉스를 즐기고 자기 나라로 돌아간

1. 히카두와에서의 서핑
2. 히카두와의 산호초(출처: https://lanka.com)

다. 아마도 이런 방식이 히카두와의 여유로움에 젖을 수 있는 최고의 방법일 것이다.

시가지의 기능을 하는 지역은 아주 좁은 범위에 집중되어 있다. 그리고는 해변으로 통하는 갈레 로드를 따라 호텔이나 레스토랑, 액티비티 오피스, 토산품점 등이 약 3㎞에 걸쳐 이어져 있어 리조트 타운의 모습을 잘 형성하고 있다. 히카두와 시가지에서 여행객들이 첫발을 딛게 되는 역이나 버스 터미널은 마을 북단 끝에 있다. 역이나 버스 터미널 주변은 이른바 히카두와 상업지구로 여러 은행과 우체국, 잡화상 등이 늘어서 있어 시가지다운 모습을 보여준다. 또한 역에서 갈레로드를 건너면 모래사장에 시장이 있다. 이 시장에서는 바로 앞바다에서 금방 잡아 올린 신선한 어패류를 팔고 있다. 어느 시장에서나 볼 수 있는 팔고 사는 흥정이 시끌시끌하게 이루어진다. 바로 썰어주는 튜나와 싱싱한 타이거 새우를 즐길 수 있다.

히카두와의 시가지에서 갈레 로드를 따라 남쪽으로 걸어 내려가면 바다쪽으로 작은 레스토랑과 토산품 등이 나타나기 시작한다. 리조트의 냄새를 풍기는 곳에 들어선 것이다. 슈뇌르켈과 바닥이 유리로 된 보트는 산호초가 많은 이 지역의 필수 관광코스이다. 수없이 많은 물고기를 쉽게 볼 수 있다. 스리랑카의 다른 마을에서는 보기 드문 이런 광경이 여기에서는 당연한 모습으로 느껴진다. 미묘한 색의 변화를 보이던 산호초 바다도 거의 보이지 않는다. 파도는 점점 거세지고 파도 사이로 보이는 바다거북이 이곳의 명물로 꼽힌다. 운이 좋으면 2~3m나 되는 거대한 바다 거북을 볼 수 있다고 한다. 또 스리랑카를 소개하는 미디어에 반드시 등장하는 스틸트 피싱도 계절에 따라 이곳에서 볼 수 있다. 이 낚시 풍경이 보기 어려우면 연출하기도 한다. 고래 투어도 있다고 한다. 남쪽으로 내려가면 모래사장은 더 넓어지고 바다는 인도양의 거친 파도를 보이기 시작한다. 이곳이 서핑의 메카로 알려진 나리가마 해변이다.

## 네덜란드가 세운 항구도시 갈레 (Galle Dutch Fort)[154]

갈레는 스리랑카 남부의 최대 항구도시이다. 역사도 매우 오래된 항구로서 14세기경에는 당시 최고의 무역인이었던 아라비아 상인들의 동방 무역기지로 번영했었다. 그 후 근대로 접어들면서 1589년에는 포르투갈인 들이 최초의 성채를 이곳에 세웠는데, 이를 계기로 갈레는 외국인들의 지배가 시작되었다.

그 후 1640년 네덜란드가 성을 확장하면서 그 안에 마을이 형성되었는데 이것이 현재 갈레의 원래 모습이다. 그래서 도시의 이름도 네덜란드를 뜻하는 Galle Dutch Fort라고 하는 것이다. 이후에 영국 식민지시대에도 지배의 거점으로 중요한 위치를 차지하면서 견고한 성채를 가진 요새도시로 완성되었다. 결국 갈레의 역사는 바로 스리랑카의 아픈 피지배 역사라고도 할 수 있다.

생각보다 작은 갈레의 철도역을 나오면 가장 먼저 눈에 띄는 것은 적갈색의 석조 시계탑과 높은 벽으로 구시가를 둘러싼 성이다. 성벽에 둘러싸인 구시가는 인도양으로 튀어나온 반도로 되어 있어 석양은 이 반도의 서쪽으로 진다. 그래서 이 성을 돌아보기에는 해 질 녘이 가장 좋은 것 같다. 저녁노을이 성벽에 비치면 마을 전체가 오렌지 빛으로 물들며 반도의 끄트머리에 서 있는 등대만 희미하게 빛난다. 이 시간이 되면 식민지시대의 흔적을 간직한 집들에서는 저녁식사를 짓는 코코넛 기름의 달콤한 향기가 피어나면서 하나 둘 불이 켜진다. 이 섬을 오래 지배하기 위해 만들어졌던 성채는 이제 이곳 사람들의 평온한 일상생활을 지켜주는 보호막이 된 듯하다.

이렇다 할 만한 구경거리는 없지만 낡은 호텔에 여장을 풀고 느긋하게 마음을 열며 머무르고 싶은 매력 있는 마을이다. 갈레는 크게 반도를 둘러

154 스리랑카 한인회 홈페이지를 참조하여 다시 꾸밈.

■1. 갈레의 전경(출처:http://srilanka visaonline.com)
2. 등대

싼 성채 안에 있는 구시가와 그 북측 간선도로 주변에 있는 신시가로 나뉜다. 구경거리나 숙박 시설은 대부분이 구시가에 있지만 시장과 식당은 신시가에 있다. 그리고 갈레의 일상생활에 관계되는 기능은 대개 신시가에 있다고 생각하면 된다. 철도나 버스 등 교통 기관의 터미널도 신시가에 있지만 그것들은 성채 출구에서 이어지는 길이 간선 도로와 만나는 곳에 위치하고 있기 때문에 별로 불편하지 않다. 원래 갈레 자체가 그리 크지 않으므로 시가지 구경은 도보로도 충분하다. 시계탑이 있는 성문을 중심으로 역, 시장, 곶에 있는 등대 등은 모두 걸어서 15분 이내의 거리에 있다.

갈레에 도착하면 우선 성 위를 걸으며 반도를 일주하는 것이 좋다. 아름다운 인도양의 수평선이 보이고 식민지적인 분위기가 있는 길을 걷는 것도 꽤 기분 좋은 일이다.

성으로 들어가는 입구는 두 개가 있는데, 우선은 시계탑이 있는 현재의 메인 게이트를 기점으로 해서 걸어 보자. 입구에 들어서면 우선 정면에 실론 은행이 있고 오른쪽에는 테니스 코트가 있다. 이 테니스 코트 옆으로 난 오르막길을 오르면 시계탑으로 통하는 길이 있지만 유감스럽게도 탑에는 올라가지 못하게 되어 있다.

그러나 탑을 마주 보고 바로 오른쪽에 있는 문 요새 Moon Bastion는 올라 갈 수 있다. 이곳에 서면 구시가와 신시가가 한눈에 보이므로 꼭 올라가 보기를 권한다. 요새 바로 아래 있는 성채 밖은 들판인데 어린이들이 크리

■갈레 요새

켓 하는 모습을 볼 수 있어 푸근한 느낌이 든다. 성채를 따라 더 걸으면 스타요새, 아에로스 요새가 이어지는데, 그 중간에 군사 지역이 있어 통행이 금지되어 있다. 그대로 시계탑 있는 곳까지 돌아오는 것이 좋다. 여기서 피플즈 은행이 있는 방향으로 걸어가면 다시 성채 아래로 나오게 된다.

성채로 오르면 성안에서 보다 더 웅대하게 펼쳐지는 인도양의 수평선 멀리로 거대한 화물선이 천천히 지나가는 것이 보인다. 옛날에 부산했던 바다의 실크 로드는 그 흔적을 찾아보기 힘들어졌지만 이곳을 지나는 유조선의 탱크가 우리나라까지 오간다는 생각을 하면 세계가 바다로 연결되어 있다는 것이 실감나다. 이 앞바다를 바라보고 있는 것이 곶의 끄트머리에 있는 등대로 높이가 18m나 된다.

이 앞의 오로라 요새에서 성채 위를 걸을 수는 없게 되어 있어 되돌아 내려오지 않으면 안 된다. 거기서 재판소와 작은 시장을 지나면 성채의 또 다른 출입구인 올드 게이트가 있다. 지금은 이용하는 사람이 적지만 이곳이 원래 성채의 정문이다. 이끼가 무성한 윗부분에는 네덜란드 통치시대의 동인도 회사 마크인 VOC가 새겨져 있다. 이곳을 빠져 나오면 오른쪽이 어항인데 아침나절에 나오면 고기잡이에서 돌아오는 어선들의 분주한 모습을 볼 수 있다. 계속 걷다 보면 너무나도 식민지적인 그레이트 교회가 나타나고 바로 옆에는 뉴 오리엔탈 호텔이 있다.

그리고 철도역을 향해 들판을 가로지르면 작은 강 하구에 버터플라이 브리지라 불리는 이상한 모양의 목제 다리가 걸려 있다. 이곳을 건너면 빅토리아 공원이다. 넓지는 않지만 그네와 미끄럼틀 등이 있어 남녀노소가 즐겨 찾는 휴식처이다. 여기를 똑바로 지나면 철도 역 앞의 간선 도로가 나온다. 이 길의 서쪽 방향으로는 보석 상점이 늘어서 있는데 가게 앞에서 은세공을 하고 있는 모습도 볼 수 있어 흥미롭다. 동쪽으로 가면 철도역에 인접하여 버스 터미널, 은행, 경찰서 등이 있다. 하루 종일 사람들이 가장 많이 지나다니는 갈레의 중심지이다.

조금 높은 지대에 있는 조촐하고 아담한 건물이 갈레 국립박물관이다. 콜롬보의 박물관에 비하면 훨씬 작고 협소하지만 오히려 갈레에는 아주 잘 어울린다는 느낌이 든다. 진열품은 도기와 식민지시대의 화폐, 가구 등으로 특별히 가치가 있는 것은 없어 보이지만 동전을 잘 들여다보면 유럽의 것 말고도 아랍이나 중국 것도 있어 활발한 무역항이었다는 것을 짐작할 수 있다.

## 마타라(Matara)

종착역의 마을인 마타라는 스리랑카 남부에 있는 도시로 콜롬보에서 남쪽으로 160km 내려간 곳, 갈레에서 조금 더 내려간 지점에 있다. 도로교차점이며 콜롬보와는 철도로 연결되어 있다. 강과 바다가 만나는 곳이다. 닐왈라 강의 어귀에 있기 때문에 '커다란 여울'이란 뜻의 마타라라고 부른다. 여기서 스리랑카 최남단인 돈드라 곶까지는 약 5km 밖에 떨어져 있지 않다. 그 때문인지 갈레보다 한층 남국의 정취가 강해 느긋한 느낌을 받는다.

닐왈라 강이 인도양으로 들어가는 하구에 펼쳐진 이 마을은 식민지 시대에는 다른 해안지역 마을과 마찬가지로 네덜란드인들에 의해 성이 세워지고 항구로 사용되었다. 17세기엔 포르투갈, 18세기엔 네덜란드의 지배를 받아 지금도 오래된 가로수와 강을 사이에 둔 양쪽에는 각각 두개의 성채가 남아 있다. 그러나 왠지 식민지적인 인상이 그다지 강하게 풍겨오지는 않는다. 콜롬보나 갈레처럼 강력한 정책 아래 지배 받지는 않았기 때문이기도

할 것이다.

식민지시대의 건물에 사는 사람과 허술한 집에 사는 사람 등 이런 여러 계층의 사람들이 어울려 살고 있다. 해안에 있는 마을이지만 리조트의 흥청거림보다는 리조트 지역과는 대조적으로 소박하면서도 친절한 웃음이 넘치는 사람들을 볼 수 있는 곳이다. 마타라에서는 번잡스러운 버스 터미널 주변과 야자수 정글에 흩어져 있는 촌락들, 내륙 쪽의 논농사지대까지 천천히 둘러 볼 수 있다. 또한 남부해변의 도시들이 다 좋지만 미리사와 함께 윈드서핑의 적지로 알려져 있다. 항구 바로 앞 섬에는 마하타르라는 불교사찰이 있다.

## 탕갈라(Tangalla)

탕갈라는 스리랑카 남해안의 유일한 리조트 지역이다. 탕갈라는 가려면 웰라와야라라는 곳까지 가서 다시 버스를 타고 탕갈라로 가야 한다. 이곳이 제일 좋은 계절은 7월과 10월로 남서해안과 북서해안의 리조트가 높은 파도로 폐장될 때 그 사이 기간에 편리한 곳이 바로 탕갈라이다. 그래서 히카두와나 벤토타, 바티칼로아 등을 능가할 만한 특별한 매력은 없지만 조용하고 한가롭게 해양리조트 생활을 즐길 수 있는 곳이다. 마을 자체는 이렇다 할 특징이 없는 평범한 남해안의 마을로서 마을의 동쪽과 서쪽에 듬성듬성 야자수가 자라고, 해변을 따라 숙소가 늘어서 있다. 숙소 선택의 폭이 넓으니 서둘러 숙소를 잡을 필요가 없다.

탕갈라의 마을은 크게 두 부분으로 나뉜다. 버스 터미널을 중심으로 한 시가지와 그곳에서 동서로 이어진 해안가 도로에 펼쳐진 리조트 지역이다. 리조트라고는 하지만 호텔이 늘어서 있는 것이 아니라 도로가에 비교적 작은 호텔과 게스트 하우스가 흩어져 있는 정도이다. 버스 터미널 옆에는 시장이 있다. 작은 시장이지만 야채나 생선, 이 주변의 특산물인 커드 등을 팔고 있어 활기가 넘치는 곳이다. 탕갈라의 주방이라고 할 수 있다. 쉽게 해안에 이를 수 있다. 방파제로 둘러쳐진 곳에 어민의 작은 배들이 많다. 여기에서는 슈뇌르켈(Schnel)을 하기에 아주 좋은 곳이다. 잠수 중에 수면 위로 관을 내밀어 통풍과 배기를 할 수 있게 한 수중 통기 장치로 잠수부가 사용하는 호흡 보조 기구이다. 흔히 'J' 자 모양의 굽은 관으로, 물속에서 입에

■탕갈라 비치

물고 숨을 쉴 수 있다. 숙소에서 빌려 주니 도전해 보는 것도 좋다.

탕갈라는 네덜란드 식민지시대에 성채가 세워진 적도 있는 마을이다. 어항 앞에 있는 탕갈라 레스트 하우스는 그 시대에 세워진 건물로 당시에는 행정부였다고 한다. 입구에는 네덜란드가 남긴 기념비도 있다. 주위에 흩어져 있는 집들도 대부분 네덜란드식 유럽풍 양옥이다. 우체국이 있고 그 건너편에 저수지도 있다. 전반적으로 수수한 느낌을 주는 곳으로 짧은 시간에 시내 일주가 끝날 정도로 조그만 마을이다. 탕갈라 등대와 그 주변의 호텔에 대한 정보가 인터넷에 많이 소개되고 있다.

또한 탕갈라 주변 멀지 않은 곳에 별로 알려지지 않은 석굴사원이 있다. 개발이 많이 이루어지고 있는 스리랑카에서 비문화적인 개발의 손길이 닿지 않은 곳이다. 안내판에는 'Historical Mulkirigala Rajamaha Wiharaya' 라고 하였다. 한참 오르면 여러 기의 부도탑 모양의 소형 스투파가 있고 그 주변에 보리수가 자라고 있다. 산의 암벽에 석굴을 파고 부처님을 모셨으며 벽화를 그렸다. 바위 산의 모습은 시기리야 록 같고, 석굴이나 벽화는 담불라 석굴사원과 유사하다.[155]

155 cafe.daum.net/lanka98/MLRQ/41 스리랑카 정보마당

## 소금 생산지 함반토타(Hambantota)와 팃사마하라마(Tissamaharama)불탑

인도양의 동쪽으로 튀어나온 반도에 자리한 함반토타는 남부 주 함반토타 구의 행정중심지이며 소금 산지로 널리 알려진 곳이다. 함반토타는 곶이 만들어냈다고 해도 좋을 만큼 완만한 커브를 그리는 만에 있는 어항에서 내륙을 향하여 펼쳐지는 마을이다. 2004년 지진 해일로 크게 파손되었으며 최근에는 새로운 항만시설과 공항이 복구되었다. 역사적으로 함반토타는 과거에 문화가 융성하였던 스리랑카 남부 루후나왕국에 속한다. 루후나왕국이란 마하나가왕이 그의 형제인 아누라다푸라의 데바남피야티사 왕과 다투고 남부지방에 세운 왕국이다. 다른 이름은 마하가마라고도 한다. 넓고 기름진 경작지와 이를 살찌게 하는 관개수로 망이 발달한 곳이다. 물론 역사적인 흔적도 풍부하고 다양하다. 특히 이곳 함반토타에서 약 30㎞ 가량 떨어진 곳에는 스리랑카의 초기 불탑으로 치아사리가 봉안된 팃사마하라마(Tissamaharama)가 있는 곳과 가깝기도 한다. 뿐만 아니라 야탈라 스투파와 산드기리 스투파도 있고 티사저수지라고 부르는 커다란 인공호수도 있다.

함반토타는 본래 이슬람 항구란 뜻인데, 이름대로 14세기경에 이 지역에 들어온 아랍 상인들이 항구를 열었다. 스리랑카인들에게 소금은 바다의 또 다른 선물이다. 함반토타 마을 북쪽, 육지로 조금 들어선 곳에 거대한 염

1. 팃사마하라마 불탑
2. 함반토타 염전

1. 생산된 소금
2. 소금 결정

전(Salt Pans)이 있다. 해변에서 내륙 쪽으로 1km정도 가면 도로 양쪽에 염전이 넓게 펼쳐져 있다. 소금은 원시적인 방법으로 생산되는데, 얇은 접시 모양의 웅덩이에 운반되어 온 바닷물을 다시 밭과 같은 모습으로 된 방형의 결정지에 넣은 다음 자연건조 시킨다. 이 지방의 강렬한 태양과 건조한 기후 덕분에 자연스럽게 소금을 생산되고 있다. 바로 생산된 소금은 그리 깨끗하게 보이지는 않으나 다시 정제의 과정을 거쳐서 흰 소금이 된다. 이렇게 자연건조를 통해 얻어진 소금은 전용 철도로 소금 공장까지 운반되어 제품이 된다. 쉽게 보이지만 이것은 대단한 중노동이다.

이곳은 함반토타의 곶을 목표로 건너온 말레이인이 만든 마을로 바다와 바닷물과 함께 하는 삶을 하고 있다. 말레이사람들 다음으로 회교도들이 많이 살아 마치 중동의 어느 마을 같은 느낌이 든다. 여기저기 흩어져 있는 회교사원 모스크에는 기도 시간이 되면 사람들이 모여드는데 모두가 스리랑카답지 않은 이국적인 분위기를 풍기고 있다. 장구한 세월 동안 곶에 의해 만들어진 만은 파도가 조용하고 활처럼 길게 이어지는 모래사장을 이룬다. 최근 들어서는 마을 동쪽에선 평온한 만과 아름다운 해안선을 이용해 리조트 개발이 이루어지고 있다. 호텔은 많지 않지만 스리랑카에서도 손꼽히는 윈드 서핑 포인트이다.

언덕으로 된 기다란 곶 위에는 우체국과 은행, 레스트 하우스 등이 있고 14세기경에 만들어진 등대가 있고, 또 같은 시대에 만들어진 폐허가 된 탑이 있다. 멀리 피코크 비치가 바라다 보이는 레스트 하우스도 있는데 산책길로 그만이다. 도로가에 늘어선 가게에는 팔미라 나무로 만든 가방을 파는 곳이 있어 눈을 끈다.

무엇보다도 크리켓이 광적인 스리랑카인들에게 이곳 함반토다에 있는 마힌다 라자파크사 국제 스타디움은 35,000석을 갖추고 있어 위용이 대단하다. 2011년 크리켓 월드컵이 열렸던 곳이기도 하다. 함반토타 항구는 무관세 지역도 있고 중국과 인도, 러시아로 물건을 싣고 항해하는 배들도 넘친다.

## 스리랑카 종교들의 성지 카타라가마 (Kataragama)

해안에서 다소 내륙에 있는 카타라가마는 스리랑카 사람들에겐 정신적인 최남단이다. 이 도시의 중심에는 카타라가마사원이 있다. 콜롬보에서 200킬로미터 가량 떨어진 곳에 사원을 세웠는데 이곳에 복을 빌러오는 순례객들의 발길이 끊이지 않는다. 가까이에는 티사마하라마와 얄라라는 도시가 있다. 실제 지리적인 최남단은 100㎞ 이상 서쪽에 떨어져 있는 돈드라 곶이지만, 카타라가마에서 남쪽으로 더 나아가는 도로가 없어 섬의 막바지라는 느낌이 드는 곳이다. 그러나 정신적으로 최남단이라는 이유는 그것뿐만이 아니다. 이곳은 스리 파다(Sri Pada)와 어깨를 겨루는 스리랑카 제일의 성스러운 성지이다. 스리 파다(혹은 Adam' s Peak)는 2,200m 정상에 발자국 모양이 있어 불교도들은 부처의 발자국이라 생각하고, 힌두교도들은 시바신, 기독교도와 이슬람교도들은 아담의 발자국이라고 믿는 각종 종교의 성지이기 때문에 스리랑카인들은 이곳 또한 같은 곳이라고 인식하고 있다.

카타라가마 신은 어떤 기도든 들어준다고 한다. 카타라가마가 세상에서 가장 영험한 신이라 믿는다. 어떠한 소원이든지 모두 들어주기 때문이다. 그래서 이 신의 인기는 대단하다. 카타라가마로 가는 길은 안식의 길로 여겨져 이 열대 섬의 사람들은 카타라가마에 참배하는 것을 통해 해방감을 얻는 것이다.

요즘 이 지역에는 정부의 주도하에 세계적으로 유래 없는 시도가 이루어지고 있다. 모든 종교를 초월한, 일대 종교 공원도시를 건설하려는 것이다.

1. 카타가마라 사원(출처 : https://padayatra.org)
2. 카타가마라의 Kiriwehera Stupa(출처 : http://amazinglanka.com)

불교도에게나 힌두교들에게나 이슬람교도에게나 믿는 사람들에게는 똑같이 성지이다. 이스라엘의 예루살렘에도 각종 종교의 성지가 모여 있듯이 이곳 또한 불교, 힌두교, 이슬람사원이 한 곳에 있는 것이다.

카타라가마 신전의 예배 공양의식 푸자(Puja)는 더욱 볼만하다. 희망을 꿈꾸는 열렬한 순례자들이 전국에서 찾아온다. 그중에는 가난한 사람들이 공양의식 예배 푸자를 위해 열심히 돈을 모아 오는 경우도 많다.

## 북부 자프나(Jaffna) 지역[156]

섬나라 스리랑카는 인도 남단과 불과 35킬로미터의 거리에 있는데 팔크해협과 뱅갈만에 의해 인도와 나누어진다. 자프나(Jaffna)는 스리랑카 북부 주의 주도州都이고 반도의 북쪽 끝에 자리 잡은 항구도시이다. 반도와 그 주변 섬들의 농산물 거래 중심지이며, 면적은 20.2㎢, 인구는 9만 명 정도이다. 제1의 항구도시는 아니지만 인도 남부, 또는 미얀마와 교역을 하고 있고 어업도 중요한 몫을 한다. 산과 계곡이 있는 중남부지역과는 달리 온통 평지로 농경이 주된 산업이다. 그러나 척박한 땅을 쉽게 볼 수 있다. 스리랑카의 나머지 지역과 철도로 이어진다.

자프나(Jaffna)라는 이름은 '리라(그리스의 현악기)의 항구'라는 뜻의 타밀어를 포르투갈인들이 포르투갈식으로 부른 것이다. 역사적으로도 자프나는 먼 옛날에 자프나왕국이 들어서 4백여년 동안 유지되었던 곳이다.

156 네이버 블로그, 나를 찾아 떠나는 길 '스리랑카 북부 자프나(Jaffna)'를 중심으로 재작성함.

1. 자프나 공공도서관
2. 자프나 지역 고대 불탑군
3. 자프나 지역 스투파

1617년 포르투갈에 넘어간 이래 1658년 네덜란드에게 점령되기 전까지 포르투갈인들이 스리랑카에서 끝까지 고수했던 지역이다. 그래서 네덜란드 점령기에 만들어진 성채와 교회가 지금까지 남아 있다. 물론 성당건물도 볼 수 있다. 성채 가까이에 유명한 힌두교 신전도 있다. 1796년부터 영국 식민지 지배를 받는다.

오랜 과거엔 싱할라족의 영토였던 자프나는 유럽인들에게 정복되기 전 몇 세기 동안 타밀 왕국의 수도였고, 지금도 타밀 문화의 특징을 뚜렷하게 지니고 있다. 그래서 힌두사원의 모습이 여기저기 보이고 불교사원은 거의 없다. 자프나를 중심으로 한 스리랑카 북부주는 싱할라족과 타밀족 사이의 전쟁이었던 스리랑카 내전 때 격전지였다. 이곳이 바로 타밀의 반군인 타밀 일람 해방 호랑이(LTTE)의 거점이었고 30년 가까운 내전으로 수많은 사상자를 낸 곳이다. 2009년에야 전쟁은 종결되고 평화를 찾았다.

현재는 북부지역 복구와 건설이 한창이지만 아직도 군과 경찰이 삼엄한 경계를 한 가운데 주민들의 정상적인 생활을 지원하고 있다. 지금도 이러한 영향으로 군사시설, 특히 해군시설이 많이 자리하고 있다. 자프나에서 버스로 3시간 거리에 있는 킬리노치Kilinochi가 북쪽 열차의 종착역이다. 이곳에서 지난 쓰나미 직후 한국인 재해의료지원단이 의료지원 봉사를 하였다.

자프나 반도는 지금도 외국인의 자유여행 제한 구역이다. 지난 전쟁의 영향으로 조금은 경직되고 삼엄한 경비가 이루어지는 곳이다. 콜롬보에서 버스로 야자수와 팔미라나무가 우거진 길을 8~9시간이나 달려야 도착하는 먼 곳이다. 열차로는 킬리노치까지 가서 다시 버스로 갈아타야 한다. 자프나 인구의 다수는 스리랑칸 타밀(Sri Lankan Tamil)족이고 그들의 종교는 힌두교가 으뜸을 차지한다. 그러나 영어는 비교적 잘 통한다. 오히려 싱할라어가 통하지 않은 경우도 있다. 식민지 지배 탓에 발달된 교육 제도와 상업, 은행, 호텔, 그리고 병원 같은 정부 기관이가 일찍부터 정착했다. 또한 자프나가 자랑하는 것은 식민지 시대의 유물이지만 포르투갈과 네덜란드가 쌓은 자프나 성채, 불탄 뒤 다시 지은 자프나 도서관, 날루르(Nallur) 힌두 사원, 교회와 성당, 몇몇의 불교 유적, 항구, 그리고 점차 개방되어 가고 있는 북부 해안 휴양지 등이다.

## 참고문헌


도서

- Anuradha Seneviratna, The Golden Rock Temple of Dambula, Vijitha Yapa Publications, 1983.
- H. PARKER. Ancient Ceylon, Asian Educational Services(Published in New Delhi, publish limited in Sri Lanka), 2011.
- H.T. Basnayake, The Glory of Ancient Polonnaruva, Jayasinghe Balasooriya, 2004.
- UNESCO Publishing/CCF, The cultural triangle of Sri Lanka, 1993.
- K.M. de Silva, A History of Sri Lanka, University of California Press, 1981.
- K.M. de Silva. A History of Sri Lanka, Penguin Books India, 2005.
- S. Paranavitana, The Stupa in Ceylon, Colombo, Ceylon Government Press, 1946/1988.
- T. JAYAKUMAR. Sri Lankas′ National Heritage and National Symbols, JK Law books, 2013.
- 천득염, 『인도 불탑의 의미와 형식』, 심미안, 2013. 02.

연속간행물

- 마성, 「상좌불교의 종주국 스리랑카」, 『曹溪寺報』 제35호, 1990. 10.
- 마성, 「스리랑카 불교의 역사와 현황」, 『불교평론』, 2017. 03.
- 천득염, 『아시아문화』, 2014. 12. – 2016. 08.

논문


- Hasitha K.M., Heritage of Ancient Magama- the Capital of Ruhuna Kingdom, Lakdasun Trip Reports Archive, 2013.
- MUNIDASA P. RANAWEERA. Ancient Stupas in Sri Lanka ; Largest brick structures in the world, CHS Newsletter, No. 70, Construction History Society, 2004.
- MUNIDASA P. RANAWEERA, GEMUNU SILVA. Conservation and Restoration of Ancient stupas in Sri Lanka, 10th East Asia-Pacific Conference on Structural Engineering & Construction, EASEC10, Bangkok, 2006. 08.
- 나탄 칸즈, 「담불라 동굴사원에 반영된 싱할라 불교의 근대화」, 동국대학교 불교문화연구소, 2003.
- 이주형, 「인도 초기불교미술의 佛像觀」, 한국미술사교육학회, 미술사학 15, 2001. 08.
- 주경미, 「스리랑카의 불치정사와 동아시아의 구법승」, 역사와 경계 69, 2008. 12.
- 허지혜, 「스리랑카 불탑의 구성요소와 형식」, 전남대학교 대학원 석사학위 논문, 2016. 02.
- 허지혜, 천득염, 「Types of Sri Lanka Stupa」, 동아시아 건축역사학대회 EAAC2015 학술발표대회논문집, 한국건축역사학회, 2015. 11.
- 허지혜, 천득염, 「스리랑카 불탑형식에 대한 고찰」, 건축역사연구 제24권 6호 통권 103호, 2015. 12.
- 천득염, 「인도시원불탑의 의미론적 해석」, 건축역사연구, Vol.2 No.2 (통권 제4호), 한국건축역사학회, 1993. 12.

기타자료

다음 블로그
- 강철무지개 '스리랑카, 인도양의 진주 (5)아누라다푸라 이수루무니야 사원'
- 계림의 국토박물관 순례 '유마경(維摩經) 설법지- 바이샬리 가라우나 포카르 호수'
- 보옴비세상 '스리랑카의 이모저모'
- 붓다의 옛길 '신성도시 아누라다푸라'
- 서주 '스리랑카의 소개'
- 쟈니오와 안젤라의 세상구경 '스리랑카13'
- 진흙 속의 연꽃 '싱할라 왕조의 두 번째 수도 플론나루와'
- 의학박사 임종욱 칼럼(곧은결 방) '스리랑카 폴라나루와-3'
- 임기영 '스리랑카 불교의 역사'
- 희망봉 40 '스리랑카의 세계유산-담불라 석굴사원-스리랑카 7'

다음 카페
- 공덕총림 덕림회 법당 '유엔 웨삭데이 참관기(1)'
- 느티나무(ntree) '불교예술의 진수를 확인할 수 있었던 스리랑카'
- 스리랑카 정보마당

네이버 블로그
- Sheenbee의 느린 걸음 이야기 '스리랑카 여행'
- 나를 찾아 떠나는 길 '스리랑카 불교신자들의 순례지 16곳', '스리랑카 북부 자프나 Jaffna'
- 송필경 '붓다의 땅 스리랑카 아바야기리사원'
- 이니셜D '청년실업 스리랑카의 강력한 성장동력 보석 산업!'

- 진실된 사람 '스리랑카의 고난과 역사'
- 하늘정원의 풍경이 있는 사진여행 '2014년 설날 연휴 EBS 세계테마기행의 유별남 작가와 떠나는 인도양의 진주 스리랑카 여행'
- 하샨떠 존의 블로그 '스리랑카 역사'
- 한맹 '인도양의 찬란한 빛, 스리랑카'

니콘 블로그

- 강재훈 작가 에세이 '스리랑카 베다족'

기사

- History of Painting and Sculpture in SRI LANKA, LANKALIBRARY FORUM, Jagath Weerasinghe, 2006. 12. 24
- 고대유적과 자연경관이 매혹적인 곳, '인도양의 진주' 스리랑카, 뷰티한국, 조용식객원기자, 2014. 03. 17
- 바이살리, 제2차 경전결집회의와 유마거사의 재가불교, 매일종교신문, 화평, 2015. 03. 23
- 불교도래지 미힌탈레, 법보신문, 남수연기자, 2006. 06. 19.

인터넷페이지

- http://www.goldentemple.lk
- 구글 지도
- 네이버 지식백과
- 다음 백과사전
- 두피디아
- 브리테니커 백과사전

• 샌안토니오 한인연합감리교회 홈페이지 '아름다운 하늘, 아름다운 사람들 스리랑카–스리랑카 하웅원선교사'
• 스리랑카 한인회 홈페이지
• 위키피디아

불탑의 아시아 지역 전이양상 2
동양의 진주, 스리랑카의 역사와 문화

**초판 1쇄 찍은 날** 2017년 2월 20일
**초판 1쇄 펴낸 날** 2017년 2월 27일

**지은이** 천득염
**펴낸이** 송광룡
**펴낸곳** 도서출판 심미안
**주소** 61489 광주광역시 동구 천변우로 487(학동) 2층
**전화** 062-651-6968
**팩스** 062-651-9690
**메일** simmian21@hanmail.net
**등록** 2003년 3월 13일 제05-01-0268호
**블로그** blog.naver.com/munhakdlesimmian

**값** 20,000원
**ISBN** 978-89-6381-203-8 93540

이 저서는 2014년도 정부(교육부)의 재원으로 한국연구재단의 지원을 받아 수행된
연구임(NRF-2014SIA5A2A01016014).